For John

Johnに捧ぐ

作家たちの手紙

Writers' Letters

ユゴー、ディケンズ、チェーホフ、カフカ、ミストラル、ソンタグ……

94人の胸中

A COLLECTION OF LETTERS WRITTEN BY
HUGO, DICKENS, CHEKHOV, KAFKA, MISTRAL, SONTAG
AND OTHERS.

著者：マイケル・バード、オーランド・バード　監修：沼野充義
翻訳：福間恵
石田聖子、梅垣昌子、エリス俊子、小澤裕之、
木内尭、沓掛良彦、白井史人、福井信子、見田悠子、三村一貴

マール社

目　次

CONTENTS

CHAPTER5
WHEN TROUBLES COME

何もかもひどい

受難の時期

CHAPTER6
LITERARY BUSINESS

短編を同封します

文芸界の実務

CHAPTER7
VOICE OF EXPERIENCE

年老いた軍馬のように

大御所が語る

CHAPTER8
LEAVE TAKING

以上です

人生の終わりに

INTRODUCTION

はじめに

優れた作家であることは優れた手紙を書くことの必要条件ではないが、役に立つ。バイロン卿は手紙好きで——それが「孤独とよき友とのつきあいを両立させる唯一の手段」だと述べた。彼は手紙の書き手として天賦の才を持ち、饒舌で、愛嬌があって、独善的で、悪意に満ちていた(しかも、そんな自分にきわめて満足していたと言わざるを得ない)。1821年4月に、テレーザ・グィッチョーリ伯爵夫人と同棲中のイタリア北東部はラヴェンナから、バイロンは友人で出版者のジョン・マレー(マレイ)(「ウツボくん」)に手紙を書く。こちらでの生活は楽しい。詩作はうまく進んでいて、飲んだり狩りをしたり、オーストリア支配の転覆をめざす謀反集団カルボナリの名誉統領(カポ)として働いたりする時間はたっぷりある。だが、心にひっかかっていることが他にある。ジョン・キーツ——その詩を彼は嬉々としてあげつらってきた——が死んだ。しかもバイロンの友人パーシー・ビッシュ・シェリーが、キーツの命を奪ったのはひどい批評だと手紙に書いている。そんなことがあり得るだろうか?

続けてバイロンは、キーツの作品の特徴(「コックニー調だったり、郊外風にしたりしてダメになった」)や、悪意に満ちた批評という新興文芸ジャンル(「経験上わかっているのだが、残酷な批評というのは、うぶな著者には毒ニンジンだ」)について考察する。戯れに自己神話化した逸話を披露してみたり(ひどい記事への反応として、彼は「クラレット3本」を飲んだと主張する)、若干の悔恨を述べたりもしている(キーツの死を聞いて、ただの「気の毒だ」ではなく「すごく気の毒だ」に書き直す)。今日(こんにち)この短い手紙は、英文学上およびイタリア政治上の特殊な時期を呼び覚ますと同時に、内面を驚くほど率直に吐露する私信でもある。バイロンが前のめりで噂話をしたり、自己主張したり、自制したり、友の意見を求めたりする様が実感できそうなほどだ。200年後、手紙は文学形式として紛れもなく廃れてしまった——けれども、最良のものは今も色あせていない。

本書は数多くの作家、つまり小説家、詩人、随筆家、劇作家計94名分の手紙を収録している。最も古いのは、1499年に書かれたものである。差出人であるオランダの人文学者(ユマニスト)エラスムスは、イングランドのヘンリー王子(後のヘンリー8世)に、自分の贈り物(詩)は、凡庸だが金離れのいい訪問者たちが奉呈する「宝石や黄金」よりも価値がある、との説得を試みている。最も新しいもののひとつで、かつ文芸界の実務的な面を話題にしているのがアンジェラ・カーターの手紙だ。「グランタ」誌の編集長ビル・ビュフォードに新作の短編を送る際に、作品の根底には「狼に育てられた子ども」への執着があると事前に知らせることが必要だ、とカーターは思っている。別の書簡群を俯瞰すれば、エリザベス朝のロンドンから、チリに中国、オーストリア、オーストラリアを経由して1980年代のラゴス*[1]に至る旅をすることになる。私たち編者は手広く探し歩いたが、ここに選び出した手紙の中には、著作権というひどく込み入った問題のおかげで行き着いたものもいくつかある。そのせいでさらに綿密に調査しなければならなかった結果、今日もっとずっと知られてしかるべき作家たちの手紙を掘り当てたことはもっけの幸いだった。ラテンアメリカ初のノーベル文学賞受賞詩人であるガブリエラ・ミストラルや、20世紀日本で最も想像力と創意に富んだ作家の一人であるのに、欧米ではほとんど読まれていない与謝野晶子がそうだ。本書の手紙のいくつかが、その書き手たる作家を知るきっかけになることを願っている。

人生における重大な出来事の瞬間がここには詰まっている。急進派の作家メアリー・ウルストンクラフトは、出産までの時間をやり過ごすために「小説が手元に」あるといい、と夫ウィリアム・ゴドウィンに伝えている。大酒飲みのアメリカの詩人ジョン・ベリーマンは、珍しく家庭的に穏やかな時期にあり、父親になる2回めの機会に恵まれたばかりだった(「赤ちゃんが這い這いを始めました。何でもつかんで口に入れます」)。アントン・チェーホフは長年の友人に手紙を書き、過去の思い出だけでなく将来の計画も記しているが、彼自身の結核との闘いは終わりが近づいている。

手紙は主に日常生活の物事について書くものであり、たとえ文豪でもそうした些事に対処せねばならない。というわけで、文学史上もっとも不朽のテーマのひとつとして、著名な詩人で寝たきりになったポール・ヴェルレーヌの書簡を挙げる。彼は「ラ・ヴォーグ」誌編集長のギュスターヴ・カーンに、1年前に掲載された作品の報酬が未払いであることについて釘をさす(「今すぐにやってください!」)。ジェイン・オースティンは姉カサンドラへの手紙で、摂政時代*2における中産階級の暮らし——馬車旅行、鶏肉のロースト、劇場通い——をスナップ写真のように描写してみせて、そこにときどき、同席しなくてはならない退屈な男たちについての余談を挟み込む。手紙を書くより「豚を殺す」方がましだと豪語したこともあるアルフレッド・テニスンでも、時には例外もあったのは明らかだ。彼が「例外的に」したためた文面で、ジャーナリストのウィリアム・コックス・ベネットに愚痴をこぼしているものがある。桂冠詩人(けいかんしじん)になった1850年以降に送られてきた手紙すべてについて文句を言っているのだ。

内容は別にして、作家が書いた手紙だということで何か違いはあるだろうか。一言でいえば、答えはイエスだ。その理由は、どんなものであれ、たとえ実用一辺倒な内容でも、文章を書くことはひとつの芸当であり、作家はそれを誰よりも承知しているからだ。彼らには、完全に仕事を忘れていられる時間などない。私たちは皆どこかの時点で、圧倒的におもしろい、鋭い、洞察に富んだ言葉を——たぶん手紙ではなくメールで——もらって、どう返信しようかと煩悶(はんもん)したり、その上を行くものを返したいという衝動的な対抗心さえ感じた経験があるだろう。そんなプレッシャーを作家は始終感じているわけだ。サミュエル・ジョンソンが「私は元気です、と友人に告げるためだけにペンを執るのはどうも全く気が進まないのです」と認めたときも、それが言外にあったのかもしれない。18世紀文学の能弁なる巨匠で、手紙黄金時代を生き抜いたジョンソンは「遠くの友への短い書簡というのは、軽い会釈やぞんざいな挨拶のように無礼なふるまいだと私は思う」と主張した。その数百年後に、ジョンソンを崇拝するサミュエル・ベケットも、同様の懸念を吐露する(多かれ少なかれ、それが彼の専売特許でもあるが)。新作の戯曲「帰郷」を献本してくれたハロルド・ピンターに、ベケットはこう返信する。「自分がどう感じて(……)いるかもっとうまく伝えられたらいいのだが。しかし、疲労困憊で頭がぼうっとしていて、もう少しましになってから手紙を書こう、と待っているうちにすっかり遅くなってしまった」。

次に、手紙の歴史について語ることは文学の歴史について語ることである、という事実がある。両者は千年間絡み合ってきた。古代ローマ人は書簡詩を書いた——ホラティウスの『書簡詩』やオウィディウスの『名婦の書簡』がそうである。シェイクスピアの戯曲も、ほぼすべての作品で手紙は付きものだ。18世紀には、手紙が小説の発展の手段となり、例えばファニー・バーニーの『エヴェリーナ』(1778)のように、登場人物の内的・主観的生活を重視する新たな作風が可能になった。(とはいえバーニーの小説は、彼女が1812年に姉に書き送る手紙と比べたら大したことはない。麻酔なしで乳房除去手術を受けた経験を説明するその文面は、非凡で痛ましい。）音楽家や画家、役者とは異なり、作家が手紙を書くときは、自ずと文学の「伝統」に関与しているのである。

「文学的書簡」というカテゴリーは、「文芸小説」や「インテリジェント・ダンス・ミュージック[*3]」などに負けず劣らず漠然としたものに思える。しかし、ジェイムズ・ジョイスが1921年に支援者であるハリエット・ショウ・ウィーヴァーに宛てた「謝罪」は、他に何と呼べばいいのだろうか。『ユリシーズ』を書き上げるはずのジョイスが、画家で作家のウインダム・ルーイスとロバート・マッコルマン（大酒飲みの好事家（ディレッタント）で、20世紀初頭の作家の周辺を荒らし回る姿がしばしば目撃される類の人物）と、夜通し飲んでは大騒ぎをして散財している実情がウィーヴァーに知られている。ジョイスは、ただ謝るのではなく、4ページにわたる手紙を書き、その罪を認めると同時に否定し、卑下し（「頭の中は（……）小石などでいっぱい」）、ウィーヴァーの理解に異議を申し立ててもいる。愛嬌をふりまいたと思ったらうろたえたり、憤慨したりと、この手紙はそれなりの芸術作品であり、（事実、『ユリシーズ』のように）複数の視点を取り込んだ語りの技巧的習作である。だからといって、ジョイスの雄弁さがどんなに魅力的だろうと、無罪放免にされてしかるべきという話ではない。

別の手紙では、たったひとつのフレーズ——感受性のひらめきとか、見事に調和する韻律とか——の中に、作家の技量が感じられるものがある。ブリュッセルで教師として働くシャーロット・ブロンテは、うんざりするほど感情の起伏がないベルギー人に対する憤りを弟のブランウェルにぶちまけて曰く「ここの人たちは誰も、かっとなるということがありません——誰も激情なんて知らないので——血液を濃くする粘液質が、粘っこすぎて沸騰しないのね」。フィリップ・ラーキンは英文学史上類のない、凡庸の極みともいうべき手紙を数通残した（「4月に壁に打った釘から錆が出始めているよ。こんなの聞いたことがないね」34歳にもなって、彼はそんな泣き言を母親に書いたこともある）。ところが、ここに収録した恋人モニカ・ジョーンズへの手紙では、彼はありふれた夏の風景に、静謐で光り輝く、おぼろげな美しさを与えている。「天気は暑くて申し分ないし、川辺には人気（ひとけ）がなく、馬曳き（うまひき）の平底荷船（ひらぞこにぶね）が一艘浮かんでいただけ。（……）カササギかな、と思える何かの姿が目に入り、耳には川ねずみが浅瀬を出入りするちゃぽんちゃぽんという音。」

書店や図書館では、こうした書簡集は作家の作品とは完全に別のところに置かれて、評伝——「手元において愉快で楽しい」とはバーバラ・エヴェレット[*4]の言葉だが——と一緒の棚に並べられていることが多い。だが、評伝と書簡集が別物であるということは、芸術と人生の切り分けを厳密に行おうとする人たちでさえ認めるに違いない。評伝は、作家の人生の事実を、ついでにまあ、おもしろい考察もちらほらとは提供してくれるものの、書いたのは作家自身ではなく別の誰かである。だが手紙は本物だ。もちろん、作品への鍵は与えてくれない——与えてくれるものなど、そもそもない——が、その作品の由来について、私たちの理解を広げたり、磨いたり、良い意味で複雑にしたりする可能性がある。

いくつかの手紙からは、創作過程が垣間見える。チャールズ・ディケンズという若者は、ジャーナリスト兼駆け出しの作家として、有り余るほどの仕事を掛け持ちしており、「イブニング・クロニクル」紙の上司の娘で婚約相手であるキャサリン・ホガースに宛てて、短い手紙を走り書きする。今夜は彼女に会えないのだ。「僕の気質は変わっているんだ、とたびたび言ったよね。頭から蒸気を出すほどにならないと、うまく書けないんだ(……)書かずにはいられなくなるほどテーマへの関心が深まらないと、うまくいかないのだ」。見方によっては、キャサリンを諭すために大げさな表現で言い訳をしているだけである。だが、この躁病的なエネルギーのほとばしりは、ディケンズの仕事の調子にも繰り返し見られる特徴で、彼の文章の仕上がりにムラがあることからもそれが感じられるだろう。他には、手紙の語り口が後の作品の声(ヴォイス)*5につながっていると思われるものがある。ノーマン・メイラーは1946年に、息子を溺愛する母と父に宛てて手紙を書く。彼は第二次世界大戦の終戦直後から、陸軍の調理担当として占領下の日本にいた。後に『裸者と死者』となる「小説」の構想について興奮して書き立てるばかりで、両親の様子を訊ねる言葉は一言も記していない。弱冠23歳とはいえ、都会で生きるしたたかさを持った、切り替えの早い個人言語は、事実上完全に形をなしているように感じられる(「ぼくが創作意欲を燃やしているのをみたら、ふたりが嬉しがると思って」と記す、異常なまでに自己中心的で突っ走る性癖も同様だ)。

作品がこだましていたり、おぼろげに感じ取れたりするのは、何も強い個性を持つ作家の手紙だけではない。性格分類に用いられるマイヤーズ=ブリッグズ・タイプ指標で言えば、メイラーの正反対に位置するフランツ・カフカは、1919年に父に手紙を書く。「僕はそのおかげで、何不自由ない生活を送り(……)そのことであなたは見返りを求めることはなかったけど」と彼は言う。「少なくとも何らかの好意や、共感のしるしを求めていました。僕はその代わり、ずっとあなたから身を隠してきた」。すでにさまざまな読み方がなされているカフカの中篇『変身』(1915)で、「途方もない虫」(池内紀訳)になったグレゴール・ザムザが父親からりんごを投げつけられるくだりがあるが、上に引用した手紙の部分がまた別の読みを与えてくれるに違いない。芸術はすべて「作者個人とは関係ない」と主張したT・S・エリオットでさえ、次回作の詩についてほのめかしている手紙がある。30代前半に神経衰弱に陥った後、エリオットは医師の指示によりマーゲイトで静養していた。ここで後に『荒地』となる詩の第一断章の草稿に着手しているときに、友人のシドニー・シフにこう書き送る。「海辺のあずまやに陣取って書いたのです。休んでいるとき以外は、一日中外に出ているものですから。でも50行しか書けていませんし、全く何も読んでいません。」この海辺で過ごした時間が、実際の作品の中ではこのようになる。「マーゲイトの砂浜で。/私はたぐりよせせようとするが/何もかもばらばら」。また別の手紙では、作品の由来の実務的な側面が解明される。エドガー・アラン・ポーは、「大鴉(おおがらす)」の驚くほどの成功に乗じて、次にこの詩を掲載する新聞社に抜け目ない改訂を提案する。そしてD・H・ロレンスは、16世紀フランスの作家フランソワ・ラブレーの著書をアメリカの税関が差し押さえたことに改めて憤激し、フィラデルフィアの書籍商ハロルド・メイソンに手紙を書いて、『チャタレイ夫人の恋人』の無修正版をアメリカに密輸するのに力を貸してくれるかどうか訊ねている。

ここに集めた手紙の多くが、その背景にある社会的・芸術的ネットワークを強く感じさせる。こうした手紙の中には、高い理想や孤独、知的な意見交換といった特徴を持つものがある。「その通り、私は急進的です」ヴィクトル・ユゴーは、アルフォンス・ド・ラマルチーヌへの手紙の冒頭で宣言する。「私があらゆる観点において、理解し、期待し、要求するのは、最善です」。ジョルジュ・サンド宛の手紙で、ギュスターヴ・フローベールは「ブルジョワへの憎悪は美徳の始まり」との格言を提示する。あの深い洞察力を持つドイツ・ユダヤ系作家のヴァルター・ベンヤミンは、すでに不安定になっていた生計をナチスに絶たれたときでさえ、友人ゲルショム・ショーレムに自身の「新しい言語理論」について伝えたいと思っている。それはそうと、作家の持つ、狭量で自己中心的な面もわかってしまう。16世紀中国の詩人唐寅は、後進の若き詩人たちについて友人にぶつくさ言っているし、ジョナサン・スウィフト――かの因習打破主義者――が、ハノーヴァー朝廷に媚びを売って出世の道を画策するも、思い通りにならないと知って癇癪を起すに至る様も見て取れる。

概して女性作家たちの方が、男性作家たちよりも立ち回りが上手だ。男性というのは、わずかでもライバルだと思える相手なら誰でも腐したがる傾向がある(バイロンと「哀れなジョン・キーツ」を考えてみるといい)。ジョージ・エリオットとハリエット・ビーチャー・ストウを例にすると、19世紀で最も著名な女性作家に数えられるこの二人は、互いに精神的な支えと建設的な批評を与え合った。本書を一貫するひとつのテーマは、女性たちが文章表現をする場として手紙が重要だったことだ。一般的に20世紀以前の女性たちは、他に文章を発表する場がわずかしかなかった。ジョージ・エリオット、オースティン、シャーロット・ブロンテ、メアリー・シェリーはいずれも、匿名もしくは偽名で作品を発表するしかなかった。手紙なら、彼女たちは自分自身の言葉で(そして自分自身の名前で)語ることができる。実際に、メアリー・シェリーの情熱的で率直な手紙と、彼女の将来の夫である、世間体を守りたい男から届く怒りっぽくて自己正当化しがちな手紙との違いには瞠目するものがある。(同様に、ロバート・ブラウニングと高尚な文通で恋愛遊戯をするエリザベス・バレットも、相手より機知に富んだ書き手であることを自ら証明している。)時代が下って1955年時点でもまだ、ゾラ・ニール・ハーストンには手紙が役に立っている。この論争好きなアフリカ系アメリカ人作家は、ハーレム・ルネサンスの長年の友人たちの多くと仲たがいし、自身の作品も次第に重要視されなくなっているが、議論を仕掛けることにかけてはまだ現役で――その場所が「オーランド・センチネル」紙の投書欄である。

しかしながら、すべてが執筆にまつわるものというわけでもなく、実生活に関する事柄も多い。本書の中には、生涯を机に向かって過ごすことになるとはおそらく考えもしなかった作家が何人かいる。彼らの経験はあまりにも風変わりなので、なぜ小説家になろうと思い立ったのかと不思議に思えるほどだ。ミゲル・デ・セルバンテスは、海賊の捕虜になった。ベン・ジョンソンは、知らぬ間に火薬陰謀事件の陰謀者たちと関わっていた。ダニエル・デフォーは、今日その名を留めている著作を生んだ頃までには、事業を興し、倒産し、監獄に送られ、イングランドのためにスパイ行為をし、多かれ少なかれ独力で(良かれ悪しかれ)オピニオン・ジャーナリズムを作り出していた。ゆえに、1800年頃から作家の人生は次第に凡庸になった、と言えるかもしれない。だが例外もある。アルチュール・ランボーは早くに筆を折り、その後兵士になって、サーカス団に入り、最後は武器商人に落ち着いた。あるいはガブリエーレ・ダンヌンツィオは、美文調の詩を書くイタリア人の詩人で、飛行士でもあり、かつ原ファシストとして1919年から1920年の間、武装集団を率いてアドリア海沿岸の都市フィウメを占領支配し、その国家の最高原理に音楽を位置づけた。

また別のところでは、作家たちが時代を特徴づける出来事の証言をしている。ヨーロッパでの終戦直後の1945年5月、アメリカ人兵士カート・ヴォネガットは赤十字野営地にいる。彼は両親に長い手紙を書くが、何ヶ月も音信不通にしていたので、最悪の事態が予期されているのはほぼ間違いない。その当時、彼はドイツ軍の捕虜になり、たまたま英国空軍の爆撃に遭い、焦土と化したドレスデンから生き延びて、ソ連軍によって解放された。この話を伝えるために作家になる必要があるだろうか? もちろん、ない——が、20年以上後に小説『スローターハウス5』で採用することになる直截的な文体が、この強烈な歴史的瞬間を、この想像を絶するおぞましい体験を、人類の経験に刻み込むことに役立っている。

サミュエル・ジョンソンは「どんな身分の人間にもまして、幸福を期待しないようにとの忠告が必要なのは、作家という名に憧れる者である」との考察を述べた。長年にわたって、文芸界を構成する人員の「自然減」の割合は著しく高い。かなりの数の苦悩が本書全体に見受けられる(ここに収録の作家94名のうち、7名が自ら命を絶っている)。しかし、絶望的な状況にあっても、手紙が安心感を与える役割を果たす。1919年、キャサリン・マンスフィールドは夫であるジョン・ミドルトン・マリーに手紙を書く。彼女は結核で死にかけていて、いつ最期を迎えるかはわからないが、その日が近いことはわかっている。美しくてとても悲しい、だが感傷は一切なしの手紙だ。「私は誰にも哀悼なんかしてほしくない。何の足しにもならないから。あなたは再婚して、子どもを持つべきです。そうなったら、あの真珠の指輪をあなたの娘にあげてちょうだい。永遠にあなたのものより」

2020年、手紙が復活するかもしれないというあやふやな噂が#PandemicPenPalsなどのハッシュタグで出回った。だが、どうやらこれは実現しなかったようだ。作家の——作家に限らず——書簡集が、例えば100年後にどう見られているのか、私たちには全くわからない。しかし、日常生活の雑事は残るに値する。表向きの話の裏側を知りたいと思うのは、後世の読者も同じだろう。本書の最後に、気難しいオーストラリア人作家で、ノーベル文学賞受賞者のパトリック・ホワイトの手紙がある。博物館員から手紙など自筆資料の寄贈を依頼されたが、ホワイトは取り合わない。そういうものは取っておかないし、友人たちにも私からの手紙は残さないでくれと言ってある、と彼は言う。さらに、さももっともらしくこう続けるのだ。「もし私に関する重要な何かがあるとするなら」、それは作品の中に存在する、と。だが実際のところ、それが彼の信念ではなかったようである。ホワイトは大量の自筆資料を遺したのだ。

オーランド・バード

ロンドンにて　2021年3月

注釈

各手紙は、自筆もしくはタイプ打ちの実物の1ページ、場合によっては複数ページを写真で掲載している。これに短い解説をつけた上で、手紙の文面を、ちょうどいい短さなら丸ごと、長いものは抜粋(省略部分は(……)表記)して転写もしくは翻訳した。長い手紙については、掲載写真の内容に該当する部分だけでなく、その他の部分も転写および翻訳している。既訳の典拠と新たな英訳者の氏名は222-223ページに掲載している。手紙を8つのテーマに分類し、(1件を除いて)それぞれを差出人である作家の名字のアルファベット順に並べた。手紙の時系列リストは216-217ページ。

*1 訳注:当時のナイジェリアの首都
*2 訳注:英皇太子ジョージが父王ジョージ3世の摂政を務めた1811-1820年
*3 訳注:IDMと略される、革新的電子音楽のジャンル
*4 訳注:イギリスの文芸評論家
*5 訳注:作者が作品内で響かせる語りの声で、語彙やリズム、トーンなどさまざまな修辞的要素の複合的産物

CHAPTER1

BEFORE THEY WERE FAMOUS

下 積 み 時 代

頭から蒸気を出す

Got my steam up

Bei Muthesius.
Berlin.
Nikolassee.
Potsdamer Chaussee.
49.

My dear Patience,

I was very touched to get a card from you. Its whiff of clean English Boyhood nearly gave me a stroke and for nights I shant be able to sleep without three orgasms.Berlin is the buggers daydream.There are 170 male brothels under police control.I could say a lot about my boy,a cross between a rugger hearty and Josephine Baker. We should make D.H.Lawrence look rather blue.I am a mass of bruises.Perhaps you can give me some news of Bill? He is notlikely to write but I should like to know how his health is.I am perfectly convinced tha disease is psychological,and taking him to threat specialists a waste of time and money .Perhaps a sanatorium life will be psych ologically right but I doubt it.You are much more likely to cure him than anyone else.

I am doing quite a lot of work.The German proletariat are fine,but I dont like the others very much,so I spend most of my time with Juvenile Delinquents.Thex German conception of England may be illustrated by the following story which I read in a paper called 'The Third Sex'.The hero of the story who writes in diary form says that his friend has left him.He is Desolate.He will avenge himself by taking another.A few days later he finds him.He is an Englishman, athletic,rich,a lord.He is very good and doesnt ask for anything but fills my room with flowers.A few days later. He wants to possess me,but I wont as I love him too much. Then the Englishman has to go to England,whence he sends a ring on which is written. 'My only happiness is to know your heart'At this point there is a footnote to the story which saysV 'Der Englander hat immer Geschmack'ie Thax TheEnglishman always has taste.

After the 1st I am moving to live in a slum.My address is

bei Ginther
Berlin
Hallescher Tor
Furbringer Strasse
8.

Please write some time

love

Wystan.

W・H・オーデン（1907-1973）から ペイシェンス・マケルウィーへ

1928年12月31日

Writers' Letters

親愛なるペイシェンスさま

　素敵な葉書をありがとう。けがれなき英国の少年たちの色香に卒倒しかけ、それから幾晩ものあいだ、三度のオーガズムなしには眠れなくなってしまいました。ベルリンは同性愛者の天国です。警察が許可する男娼の宿が170あります。僕の恋人のことを書きだすと止まりませんが、彼は筋骨隆々のラガーマンとジョセフィン・ベーカーを足して2で割ったような感じです。D・H・ロレンスもかたなしの恋。ぼくはヨレヨレです。ときにビルは元気ですか?

　僕は仕事をかなり頑張っています。ドイツの労働者階級はまあよいのですが、それ以外はあまりしっくりこないので、非行少年たちと一緒にいることが多いです。ドイツ人がイギリス人をどう見ているか。それがこんな話にあらわれています。『第三の性』で読んだのですが、主人公が日記形式で綴っている物語です。主人公の友人が、彼のもとを去ります。主人公は落ち込みます。彼は憂さを晴らしに新しい人を求めます。そして数日後、見つけるのです。その人は英国人でスポーツマンタイプ、裕福な紳士です。彼はとてもよい人。何も求めず、僕の部屋を花で一杯にしてくれます。数日後。彼は僕を自分のものにしようとします。でも僕は無理。彼のことをあまりにも深く愛しているから(……)

　来月のはじめ、スラム街に引っ越します(……)

お元気で
ウィスタンより

　21歳のウィスタン・オーデンは、オックスフォード大学で英文学の学位を取得し、詩人こそ天職と確信したが、医師の父から援助を受け、モラトリアムの1年間をベルリンで過ごす。そのころ彼は、以前から自覚していた自分のセクシュアリティと向き合うようになった。そんな彼にとって、ベルリンの開放的な性と自己実現は晴天の霹靂だった。当時は第一次世界大戦後の復興期で、ヒトラーの時代を目前に、町は刹那的な享楽に満ちていた。学友ウィリアム・マケルウィーの妻ペイシェンスに宛てた手紙の中で、オーデンはここは「同性愛者の天国」だと書いている。

　ペイシェンスからの絵葉書には、あきれるほど典型的な「けがれなき英国の少年たち」が描かれていたのだろう。それでスイッチが入ったオーデンは、オーガズムや売春宿のこと、ベルリンで得た「恋人」のことを赤裸々に書き綴る。彼はジョセフィン・ベーカー似だという。パリのキャバレーでエロティックな舞台を繰り広げるアメリカ生まれの有名人だ。オーデンはまた、最近読んだ同性愛の小説のことを説明する。最初は「彼」という三人称の代名詞を使って主人公に言及するが、途中からそれが一人称に切り替わる(「僕の部屋を花で一杯に」)。これは無意識のなせるフロイト的失言である。(フロイト学説との出会いもまた、新しい収穫であった。)

　オーデンはベルリンでの自堕落な生活に触れているが、ペイシェンスの予想どおり、それがすべてではなかった。最終的には執筆活動に邁進したのだ。彼は「かなり頑張って」詩劇「償いは双方で」を書いた。「クライテリオン」誌への掲載をめざし、T・S・エリオットに送るためだった。エリオットはオーデンの学生時代の詩を賞賛したのだ。オーデンは1930年に『償いは双方で』を発表、フェイバー&フェイバーの編集者となり、初の『詩集』を出版して、その名を世に知らしめることになる。

c/o Milward
RFD 1,
Chepachet, R.I.
26 June '63

Dear Allen & Isabella —

Bless you both for yr good letters. Feltrinelli are doing an anthology, so the first appearance of That Song for you may be in Italian; I haven't decided. Yr ¶, Allen, abt. the Songs delighted me, it was so characteristic. Of course I am wild to be done & move on. I don't write these damned things willingly, you know. Each one takes me by the throat. I've vowed 100 times: never again. So I stall one for hours, days, weeks; then I've had it. I figure a few more months or years will see the poem through.

Isabella I'm glad you don't despise Rosy's boy and were kind to

ジョン・ベリーマン(1914-1972)から
アレン・テイトとイザベラ・ガードナーへ

1963年6月26日

Writers' Letters

親愛なるアレンとイザベラへ

お手紙をいただき、ありがとうございます。フェルトリネッリ社がアンソロジーを出しているので、『夢の歌』の初版はイタリア語になるかもしれません。まだ決めかねています。アレン、『夢の歌』のこと、感謝します。おおかた想定内です。もちろん、私はこれをぜひとも仕上げて、次に進みたいです。こんな詩を喜んで書いたわけではないのです。ひとつひとつ、声を振り絞って歌い上げているのです。もう100回も誓ったくらいです。こんなことは二度とやるまいと。それでも一つの作品に何時間も、何日も、何週間もかけます。もうよしと思うまで。あと数ヶ月、あるいは数年したら、この詩は完成するだろうと思っています(……)

赤ちゃんが這い這いを始めました。何でもつかんで口に入れます。日中はとても暑いので、3回は滝に出かけます。ときどき娘も連れて行きます。こちらにいらしたとき、ぜひ試してください。私たちはケープコッドにも行く予定です。妻はまだ行ったことがないのです。ご迷惑でなければ、一度お宅をご訪問したいと思っています。そして ウィルソン夫妻のところも。

私はこのところずっと家で仕事をしています。詩作、「タイムズ」紙の面倒な評論、手紙、新しい本の執筆。 まさに書類の山です。

どうかお元気で　ジョンより

アメリカの詩人ジョン・ベリーマンの名声は、遅れてやってきた。別にそれが欲しくなかったわけではない。ロバート・フロストの死に際して、彼は自問した。「次の王者は誰か?」だがそれから何年も、彼は有能な見習い止まりだった。尊敬する**2**人の文豪ウィリアム・シェイクスピアと**W・B**・イェイツの影響から抜け出せなかったのだ(彼は**1942**年の『詩集』出版で得た**50**セント小切手を栞にしていた)。彼は大学教員のキャリアを着実に積んだが、私生活は乱れ、アルコール依存症、うつ病、不倫の連続だった。**40**歳になるとすぐ、彼は『夢の歌』の創作に入った。半自伝的な詩を連続的に配したもので、繊細な形式、文構造の断片化、刺激の強いスラング、博識な引喩、そして独特のユーモアが含まれている。ときに難解で均質性を欠いてはいるが、アメリカ文学史上、ほかに類を見ない作品となった。

ベリーマンは、**77**編からなる詩集の最初のパートを終えるころ、その数編を読んでくれた友人のアレン・テイトとイザベラ・ガードナーに手紙を書く。二人は詩人で、ミネアポリスのボヘミアンたちのリーダー格だった。テイトはベリーマンの良き理解者だが、今回のコメントは歯切れが悪かった。ベリーマンはそれを受け流し、批判は想定内だと開き直る。そもそも「こんな詩を喜んで書いたわけではない」というのだ。彼は新婚生活のことも書いている。結婚に二度失敗した彼は、**3**人目の妻ケイト・ドナヒューと家庭を持ち、娘が生まれたばかりで、ロードアイランドのブラウン大学で教鞭をとっていた。

『**77**の夢の歌』は**1964**年に出版されて大成功をおさめ、翌年ピューリッツァー賞*を受賞した。第**2**弾の『彼の玩具、夢、休息』(**1969**)には**308**編の詩が収録され、ベリーマンの名声を確実にした。それでも彼に宿る悪魔は消えなかった。最大の苦悩は少年時代の記憶に刻まれた父親の自殺で、『夢の歌』全編に暗い影を落としている。

* 訳注:アメリカ合衆国の報道、文学、音楽の各分野での功績に対して贈られる賞。

Tuesday,
Monday, September 11, 1934

My dear Louise:

I was so glad to hear from you, and I think you are a master of discreet and tactful criticism. Of course I don't agree with you entirely — but you have actually moved me to the point of making some changes — notably in my addition of small numbers. Margaret was very pleased to have the copy of your brother's article; I read it myself twice, exercising great concentration, but I'm sorry to say I still don't understand all of it. I get the theory, all right, but the equations, etc., puzzle me completely. Under Margaret's general supervision I've been reading various books on art — and I wonder if you've ever run across any of Wilenski? — particularly The Modern Movement in Art. He's a very cranky man and irritating — but I think he's awfully good and he makes one want to attempt classifications even half so good and precise for poetry or writing in general. And if you'd enjoy seeing the Greeks completely exposed, as I do, read his book on sculpture —

When are you coming to New York? It must be pretty soon now, and I'm getting ready to receive you suitably. You must see me for more than a "lunch", — can't you? Or are you going to be awfully busy? I should like to have you meet Margaret and I want to see you for a long time. You can come and stay with me any time you want to — I know that's an awful form of invitation, but I don't know your plans just now — but I have plenty of room and I'm all alone. Charles Street goes off Greenwich Avenue, between 11th and 10th Streets, and it's really very easy to find — just a couple of blocks off 5th Avenue. My telephone number is Chelsea 2-4717.

Jane Bryant is about to begin taking her pre-med. courses — she is still being psycho-analyzed, and the other day she told me, to my great surprise and embarrassment, that I have a "positive" effect on her. I don't know what that means, but it sounds quite favorable I think. I am planning to take a course in either Physiology or Anatomy — the latter, I guess, at Columbia. I think it will be very valuable in my business.... as undoubtedly psychology will be in yours. I don't really disapprove of it, Louise, — at least not of pure psychology, it's the applied sort that I think is useless and somewhat indecent. I'm also doing an amazing amount of sort of hit-or-miss reading, everything around — but I find it awfully hard to get books in New York. The ~~Public~~ Library scares the wits out of me, and the branch down here is just as nasty in a petty way, besides having no books to speak of. I hope to work my ~~way~~ very thoroughly through 19th century

Writers' Letters

エリザベス・ビショップ（1911-1979）から ルイーズ・ブラッドリーへ

1934年9月11日

親愛なるルイーズへ

お便り本当にありがとう。とても嬉しかったです。的確でしかも思慮深いコメント、あなたは批評の天才です。いただいた意見に全部賛成というわけではないけれど、何箇所か修正しようと思うほどに説得力がありました（……）最近、美術関係の本をいろいろ読んでいます。ウィレンスキ*はご存知？『現代美術の動向』は読まれたかしら。だいぶ風変わりで鼻につく感じもありますが、相当に優秀な人だと思います。彼の影響で、未熟ながら自分でも詩や小説なんかについて同じように分析してみたくなるほど（……）

いつニューヨークに来られる？ 少しでも早くいらしてね。準備万端でお迎えします（……）

このところ、手当たり次第に大量の本を読んでいます（……）17世紀の詩は制覇したいと思っています（……）いつもながら、十数編の詩を書いては、コロコロつつきまわしていますが、どうってことない詩。でも自分にとってはこれが生きがいなのです（……）

もし差し支えなければ、あなたの書いた物語をもっと送ってくださらない？ よければ私からも詩をお送りします。小粒で地味ですが、私の真珠たちを手に取れば、きっと喜んでいただけると思います！

今日はとてもよいお天気です。イタリアンマーケットに出かけて、素敵なお買い物をしました。ザクロとスカトーニです。たしかそんな名前。召し上がったことある？ イタリア産のウリ科の野菜です。長細くて小ぶりで、緑と白の縞模様。見た目もかわいらしくて、とても美味しいのです。日々珍しいお野菜に出会って、ずいぶん詳しくなりました。お店の方に教えてもらって、イタリア料理のことも勉強できればと思います。今朝はオーナーの娘さんが、熱々のポテトケーキを口に入れてくれました。外はカリカリ、中はふわふわで、ガーリックやパセリなどいろんなスパイスが効いています。

私のお気に入りの作家はウィリアム・サローヤンです。もうすぐ新刊がでます。『空中ブランコに乗った若者』ぜひぜひ、読んでみてください（……）

あなたに会えるのを心待ちにしています。

そのときまで、どうかお元気で。

エリザベス

詩、美術史、短編小説、イタリア料理……23歳のエリザベス・ビショップは、初めて体験するニューヨークでの暮らしぶりについて、近々招きたいと思っている友人のルイーズ・ブラッドリーに知らせるべく筆を走らせる。詩作に励んでいるビショップは、「小粒で地味」な真珠になぞらえた自分の作品をブラッドリーに送るかわりに、彼女の書いた物語を読みたいとも書いている。ビショップに詩作を奨励したのは、ヴァッサー大学の恩師マリアン・ムーアだった。彼女は1946年に最初の作品集『北と南』を出版する。

* 訳注：R.H. ウィレンスキ（1887-1995）は英国の画家・美術史家・評論家。ジョン・ラスキンの研究でも知られる。

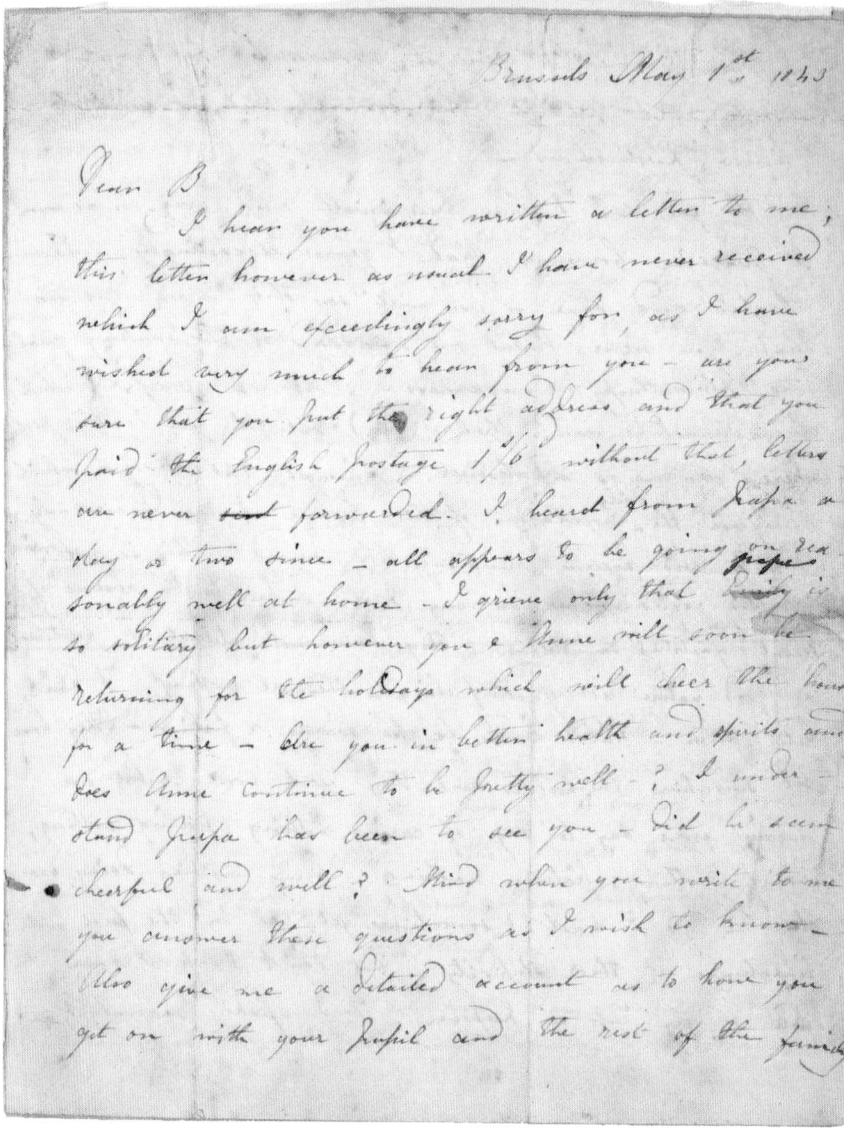

Brussels May 1st 1843

Dear B

I hear you have written a letter to me; this letter however as usual I have never received which I am exceedingly sorry for, as I have wished very much to hear from you — are you sure that you put the right address and that you paid the English postage 1/6 without that, letters are never ~~sent~~ forwarded. I heard from Papa a day or two since — all appears to be going on reasonably well at home — I grieve only that Emily is so solitary but however you & Anne will soon be returning for the holidays which will cheer the house for a time — Are you in better health and spirits and does Anne continue to be pretty well — ? I understand Papa has been to see you — did he seem cheerful and well ? Mind when you write to me you answer these questions as I wish to know — Also give me a detailed account as to how you get on with your pupil and the rest of the family

CHARLOTTE BRONTË
MAY
1843

Writers' Letters

シャーロット・ブロンテ（1816-1855）から ブランウェル・ブロンテへ

1843年5月1日

B様

手紙を書いてくれたと聞きましたけど、いつもの通り今回も届いていません。ものすごく残念。だって、あなたからの便りをとても楽しみにしているので――本当に、正しい住所を書いて、イギリスの1シリング6ペンスの切手を貼って出したんでしょうね。でないと届けてもらえませんよ。(……)

私はとても元気で、いつも通り口もよく動かしています。でも、だんだんと人嫌いの、辛辣な人間になってきたのは認めます。今に始まったことじゃない、とあなたは言うでしょうけど(……)でも実際、ここの人たちはともかく全然ダメなのよ(……)私は彼らを憎んでいるわけではないんです――憎しみというのは、かなり熱量がある感情よね。彼らは心を動かすということがなくて、誰にとっても毒にも薬にもならないわけ。だけど、毎日何も気にせず、何も恐れず、何も好まず、何も憎まず、で過ごしていたら、人はうんざりするわよね。何の感情も抱かず、何もしないなんて(……)でも、私ががみがみ言ったり癇癪をおこしたりしているなどと思わないでください。もし私が興奮してしゃべり出したら、ロウ・ヘッド*1にいたときに何度かやらかしたのと同じ勢いでまくしたてたりしたら、発狂したと思われるでしょうね。ここの人たちは誰も、かっとなるということがないのです。誰も激情なんて知らないので――血液を濃くする粘液質が、粘っこすぎて沸騰しないのね――お互い本音のつきあいなんてしないから、けんかもほとんどしないし、友情なんて、よく知らないけど馬鹿げたことだと思ってるのです。ムッシュ・エジェは黒い白鳥で、本当に唯一の例外(というのも、マダムはいつも冷静でいつも理性的だから、例外とまでは言えないのです)なのだけど、めったに話す機会がありません。今は生徒ではないから、彼とはほとんど、というか全く関係がないのです(……)

シャーロット・ブロンテと妹エミリーは、1842年にゾイ・エジェが経営するブリュッセルの女子寄宿学校に入学したが、伯母の死去で年内にヨークシャーへ帰った。

翌年、シャーロットだけが教師としてこの学校に舞い戻った。イングランドでの家庭教師生活も嫌っていたが、弟ブランウェルへのこの辛辣な手紙の通り、ベルギーのことも良く思っていなかった。率直な言動が持ち味の彼女は、「お上品な」社会が女性に課す制約に不満をつのらせ、寡黙なベルギー人たちをこきおろして悦に入っていた。とはいえ、自分を抑えている部分もある。校長の夫コンスタンティン・エジェ(ムッシュ・エジェ)に恋心を抱いていたのだ。この手紙では何気ないふうを装って「黒い白鳥」について触れているが、1844年に学校を辞めた後、彼に送る手紙は次第に熱烈になっていき、妻マダム・エジェの介入を招くまで続いた。

『ジェイン・エア』(1847)から始まって高まり続けたシャーロットの文名(ぶんめい)は、『ヴィレット』*2(1853)で頂点を迎える。彼女はこの小説のフランス語訳を差し止めようとした。ベルギーでの体験が色濃く反映していたからである。

*1 訳注:シャーロットが生徒としても教師としても在籍した学校(1830年開設)。
*2 訳注:身寄りのない主人公が、外国の都ヴィレットで教師として自立するストーリー。

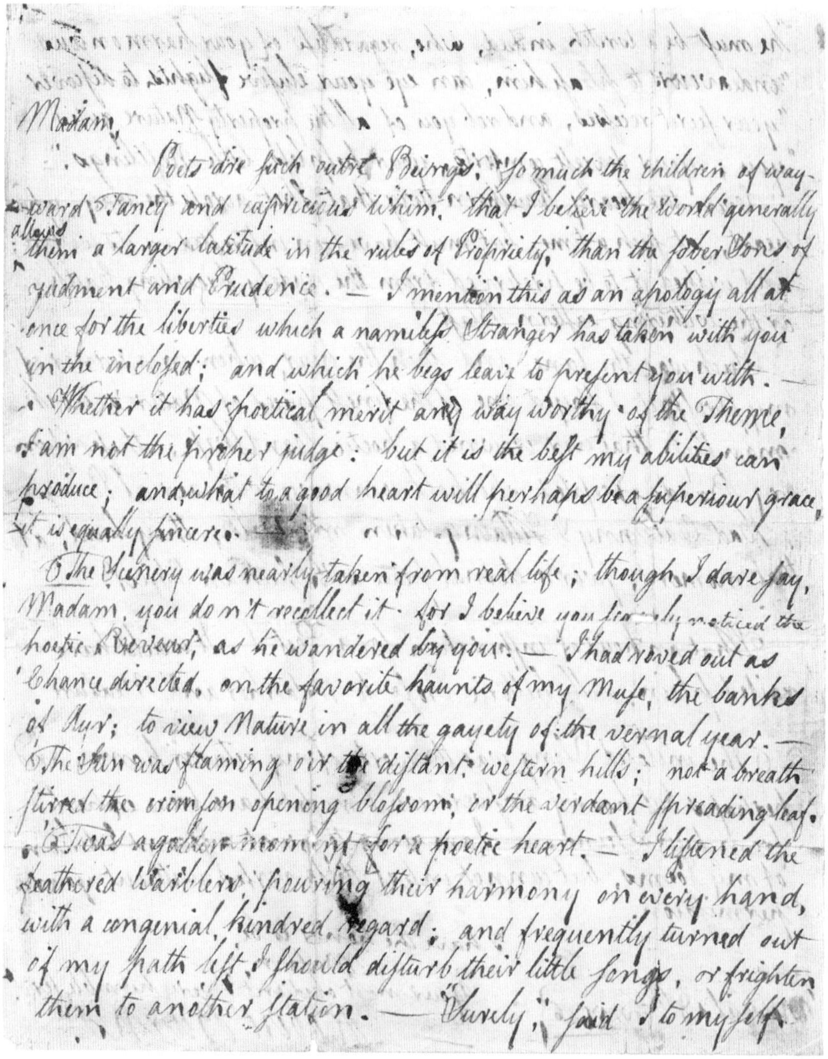
Madam,

Poets are such outré Beings, so much the children of wayward Fancy and capricious Whim, that I believe the World generally allows them a larger latitude in the rules of Propriety, than the sober Sons of Judgment and Prudence. — I mention this as an apology all at once for the liberties which a nameless Stranger has taken with you in the inclosed; and which he begs leave to present you with. — Whether it has poetical merit any way worthy of the Theme, I am not the proper judge: but it is the best my abilities can produce; and, what to a good heart will perhaps be a superiour grace, it is equally sincere.

The Scenery was nearly taken from real life; though I dare say, Madam, you don't recollect it for I believe you scarcely noticed the poetic Reveur, as he wandered by you. — I had roved out as Chance directed, on the favorite haunts of my Muse, the banks of Ayr; to view Nature in all the gayety of the vernal year. — The Sun was flaming o'er the distant, western hills; not a breath stirred the crimson opening blossom, or the verdant spreading leaf. 'Twas a golden moment for a poetic heart. — I listened the feathered Warblers, pouring their harmony on every hand, with a congenial, kindred regard; and frequently turned out of my path lest I should disturb their little songs, or frighten them to another station. — "Surely," said I to myself

Writers' Letters

ROBERT BURNS
NOV
1786

ロバート・バーンズ（1759-1796）から ウィレミーナ・アレグザンダーへ

1786年11月18日

拝啓　詩人というのはキテレツな存在でして、縦横無尽な空想と気まぐれな出来心の申し子でありますから、礼儀作法については一般的に、良識と分別をわきまえたまじめな御仁（ごじん）よりもかなり寛容に見ていただけるものと信じております。だしぬけにこう申し上げますのは、名もなきよそ者が同封のものを貴女に捧げるご無礼をお詫びしたいがためでございます。（……）

ここに描きましたのは、ほぼ実体験に基づいております。ですが、おそらく貴女はご記憶にないでしょう。詩を夢想する者が貴女のおそばを歩いておりました際、ほとんどお気づきにならなかったと存じます。偶然のめぐりあわせで、我が詩神（ししん）お気に入りのエア川の岸辺を私はさまよっておりました。春の陽気に包まれた自然の女神を、この目でとらえたかったがためです。太陽は西方のはるか丘の上で光り輝き、深紅の花びらや青々と伸びる葉をそよがす風もありませんでした。詩人の心にとって、これぞ黄金（おうごん）の瞬間（とき）。ふさふさとした羽毛をまとったヒタキが、四方八方で奏でる調べに耳を傾けておりました。（……）

そのような場所、そのような時刻に、私の視界の端に、自然の女神の最高傑作が詩的風景をたたえた姿で現れたのでした。（……）詩人にとってまさに霊感（インスピレーション）のとき! 平凡で単調な史的散文をも、隠喩（いんゆ）と韻律（いんりつ）あるものに高めたに違いありません。

同封の詩は、帰宅してから書いたものです。あのような場面から期待できたはずの応答としては、おそらくお粗末なものでありましょう。私の詩集の第2版が発行される予定ですが、貴女のご許可なくしてはこの詩を掲載することはできません。（……）

エア川畔（かはん）の林の遊歩道で、隣家の若い男に遭遇したウィレミーナ・アレグザンダーは、4ヶ月後にこの手紙を受け取ったとき、どう思っただろうか。ロバート・バーンズは彼女の兄の私有地に立ち入っていたとはいえ、言葉を交わしたわけではないのに、彼女の「魅力」を熱く詠った詩を同封して寄こした。

暁の瞳のごときそのまなざし
微笑む春の女神のごときその物腰

この詩はさらに素朴な田舎生活へと想像を広げ、「私の胸は夜な夜な疼く／バロックマイルの麗しき乙女よ」と続く。アレグザンダーの驚きと不快感は織り込み済みで、詩人に「礼儀作法」を求める方が無理だ、と彼は主張している。

アレグザンダーもすでにバーンズの噂を耳にしていたかもしれない。モスギル・ファームに住むギルバート・バーンズの、以前は共同借家人だった「キテレツな」兄ロバートは、7月に『詩集　主にスコットランド方言による』を出版し、スコットランド随一の新星詩人と称えられていたのと同時に、地元の娘ジーン・アーマーが生んだばかりの双子の父親でもあった。アレグザンダーは、この手紙は驚くほど不適切で、詩も不真面目だと感じたかもしれない（彼女は30代前半――18世紀のジェントリ階級では、婚期を過ぎた年齢とみなされていたうえ、器量良しで有名だったわけでもなかった）。理由はどうであれ、彼女が『詩集』の第2版に「バロックマイルの乙女」を収録する許可を与えることはなかった。バーンズは、彼女を当てこすった辛辣なコメントを残している。一方アレグザンダーは、この手紙を生涯大事にしたのだった。

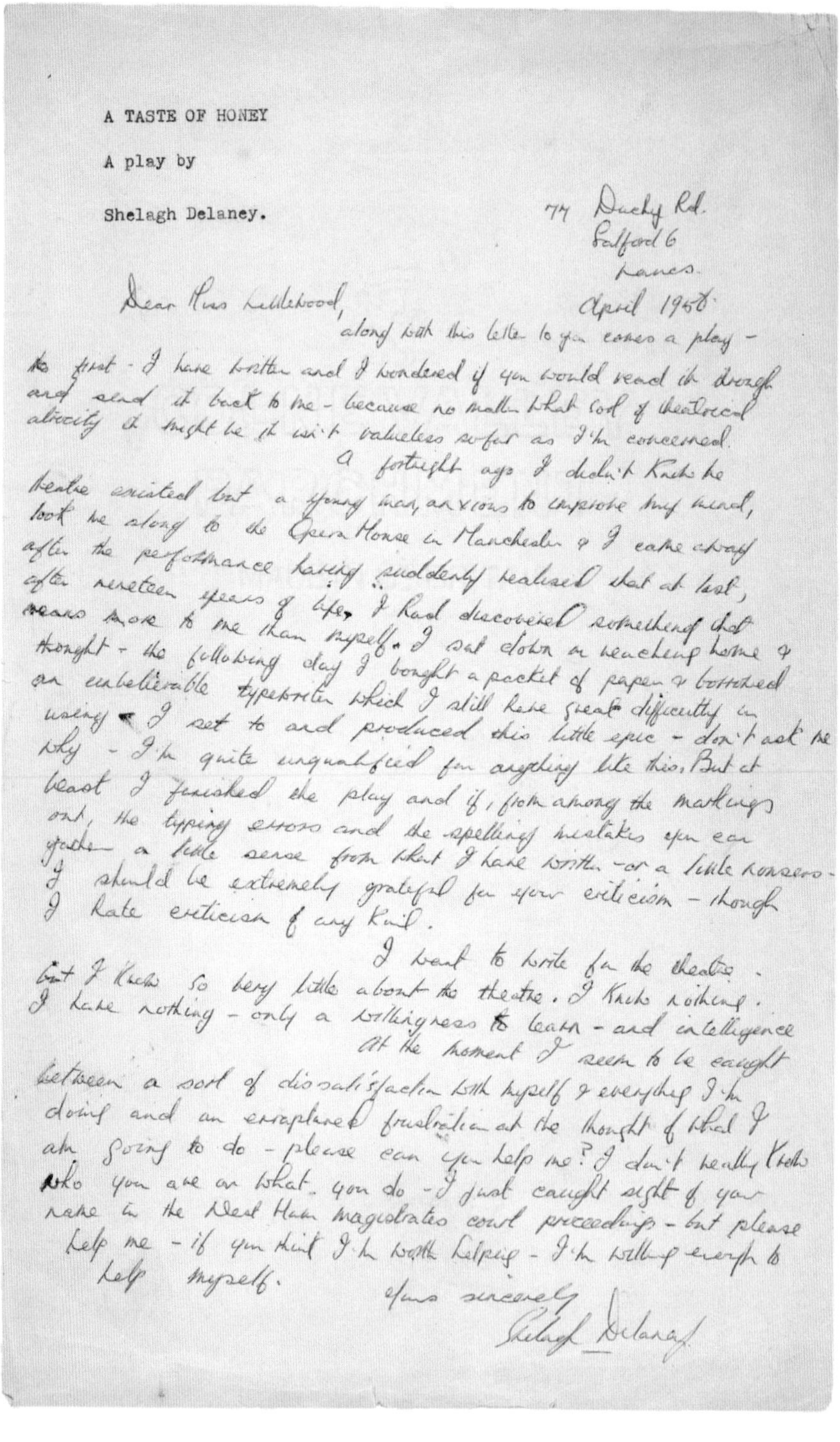

A TASTE OF HONEY

A play by

Shelagh Delaney.

74 Duchy Rd.
Salford 6
Lancs.
April 1958

Dear Miss Littlewood,

along with this letter to you comes a play — the first — I have written and I wondered if you would read it through and send it back to me — because no matter what sort of theatrical atrocity it might be it isn't valueless so far as I'm concerned.

A fortnight ago I didn't know the theatre existed but a young man, anxious to improve my mind, took me along to the Opera House in Manchester & I came away after the performance having suddenly realised that at last, after nineteen years of life, I had discovered something that means more to me than myself. I sat down on reaching home & thought — the following day I bought a packet of paper & borrowed an unbelievable typewriter which I still have great difficulty in using. I set to and produced this little epic — don't ask me why — I'm quite unqualified for anything like this. But at least I finished the play and if, from among the markings out, the typing errors and the spelling mistakes you can gather a little sense from what I have written — or a little nonsense — I should be extremely grateful for your criticism — though I hate criticism of any kind.

I want to write for the theatre. but I know so very little about the theatre. I know nothing. I have nothing — only a willingness to learn — and intelligence.

At the moment I seem to be caught between a sort of dissatisfaction with myself & everything I'm doing and an enraptured frustration at the thought of what I am going to do — please can you help me? I don't really know who you are or what you do — I just caught sight of your name in the West Ham magistrates court proceedings — but please help me — if you think I'm worth helping — I'm willing enough to help myself.

Yours sincerely

Shelagh Delaney

Writers' Letters

SHELAGH DELANEY APL 1958

シーラ・ディレイニー(1938-2011)から ジョーン・リトルウッドへ

1958年4月

ミス・リトルウッド様

この手紙と一緒にあなたに送る戯曲は——わたしが初めて書いたものなんです。一通り読んだら、送り返してもらえるでしょうか。というのも、へたくそな脚本かもしれないけど、わたしにとってはたぶん、価値あるものだからです。

2週間前は、劇場なんてものがあるって知らなかったんですけど、ある若い男の人が、わたしの知性を磨きたいと思ったんでしょうね、マンチェスターのオペラハウスに連れてってくれたんです。で、お芝居が終わった帰り道、はっと気づいたんです。19年間生きてきて、やっと自分にとって自分のことより何か意義あるものを見つけたんだ、って。家に帰るなり座って考えて、それから翌日、紙を一箱買って、タイプライターを借りたんですけど、これがひどい代物で、今でも扱うのがすごく大変なんです。ともかく、わたしは書き始め、このささやかな大作を生み出したわけです。理由は訊かないでいただきたいのですが——わたしはこういうことには全然向いていません。でも、少なくともこの戯曲は書き上げました。で、線で消したものや、タイプミス、スペルミスなどは数あるけど、その中からわたしが何を書いたか、ちょっとはセンスあることを——というか、ちょっとはナンセンスなことを——くみ取ってもらえるかと思っていまして——あなたに批評していただけたら非常に光栄です。といってもわたし、どんな批評も嫌いなんですけど。

劇作品を書きたいのですが、演劇のことはほんのちょっとしか知らないんです。何も知らない。何もありませんけど、学ぶ意欲だけはあります——それと知性は。

今のわたしは、自分自身に、それから自分がやっていること全部に感じる不満みたいなものと、今後自分がやろうとすることを考えるときの、うっとりするようなフラストレーションとの間(はざま)に陥っているみたい。助けていただけないでしょうか? あなたがどなたで、何をなさっている人なのか、実はよく知らないのですけど——ウェスト・ハムの下級裁判所の法廷議事録で、あなたのお名前を目にしただけなので。でも、どうか助けてください。もしも、助けてやる価値があるとお思いになれば、ですけど——わたしの方は、努力する意欲は十分あります。

敬具

シーラ・ディレイニー

シーラ・ディレイニーがイギリス演劇界に若きスターとして登場したのは、この手紙がきっかけだった。同封した戯曲「蜜の味」は、貧困と野心、ホモセクシュアルと異人種間の子ども、10代の妊娠などを扱い、急進的なシアター・ワークショップの主宰者ジョーン・リトルウッドの心をすぐさまとらえた。このひと月後に、「蜜の味」はロンドンの劇場で開幕した。

ディレイニーは手紙の中で、素朴で無邪気な小娘を抜け目なく演じているが、実は前から演劇が好きだった。「蜜の味」を2週間で書き上げたのは事実だが、仕上げられずにいた小説の題材をふんだんに用いてリメイクしたものだ。リトルウッドが才能ある労働者階級の人材を起用しようとしていることや、検閲制度に異議を申し立てていることも承知の上だった。さらには、斬新な作品を生んだとの自覚もあった。「蜜の味」は、イギリス労働者階級の生活を何よりもまず女性の経験を通じて表現した初の戯曲となったのである。

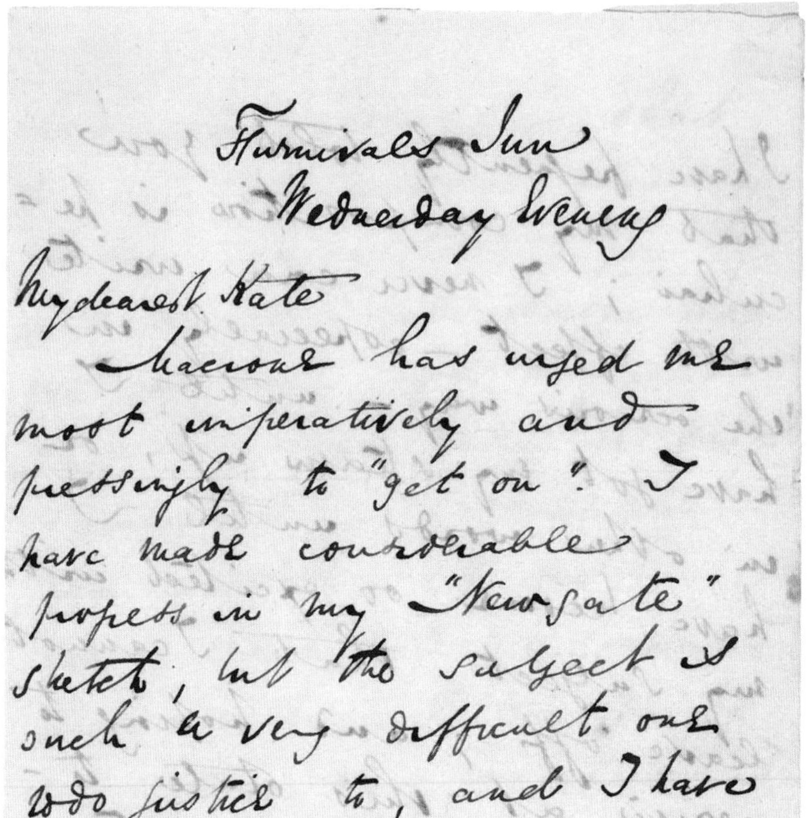
Furnivals Inn
Wednesday Evening

My dearest Kate

Macrone has urged me most imperatively and pressingly to "get on". I have made considerable progress in my "Newgate" sketch, but the subject is such a very difficult one to do justice to, and I have so much difficulty in remembering the place, and arranging my materials, that I really have no alternative but to remain at home to-night, and "get on" in good earnest. You know

CHARLES DICKENS NOV 1835

チャールズ・ディケンズ（1812–1870）から キャサリン・ホガースへ

1835年11月25日

Writers' Letters

僕の最愛なるケイト様

　マクローンから「どしどし進める」ようにと、このうえなく命令口調でしつこくせかされた。「ニューゲイト」のスケッチはかなり進捗したんだが、このテーマはまともに論じるにはかなりの難物だし、あの場を思い出し、題材を加工するのにも非常に苦労しているので、やむをえず今夜は家に閉じこもり、本気で「どしどし進める」ことにするよ。僕の気質は変わっているんだ、とたびたび言ったよね。頭から蒸気を出すほどにならないと、うまく書けないんだ——特にシリアスなものをやる時は——言い換えれば、書かずにはいられなくなるほどテーマへの関心が深まらないと、うまくいかないのだ。今夜その状態に達したいがために、僕は、あなたに会いたいという気持ちと必死で闘って、今宣言した決意に至ったわけです。これで大いにはかどると思う。

　この難事に取り組む僕の理由と動機を承知のうえで、まさかあなたともあろう人が、一瞬でも僕の自制を責めるはずはないよね。僕に会えなくてあなたはがっかりするかもかもしれない——むしろそうであってほしい——けど、賭けに出なければならない勝負で僕が最善を尽くしていることにあなたが腹を立てるわけがないよね。あなたと、僕たち二人の新居のためなんだから。

　手紙を書いてフレッドに託してくれ。きっとだよ。愛する人へ

　心からの愛をこめて、いつもあなたの

チャールズ・ディケンズ

　チャールズ・ディケンズにとって1835年という年は、政治記者と演劇評論家として過酷な日程をこなし続けた1年だった。そのうえ、時事的な軽い読み物の発表も続けていた。この仕事を打診した「イブニング・クロニクル」紙の編集長ジョージ・ホガースにはキャサリンという19歳の娘がいて、ディケンズはすぐに彼女と結婚を前提とした交際を始めた。11月は大変な月だった。政治記者としての取材出張、結婚に向けての新居探し、最初の短編集『ボズのスケッチ』出版に向けての作業と、版元ジョン・マクローンとのやりとり等々。11月5日にはニューゲイト監獄を訪れた。『ボズのスケッチ』に目玉となる新たな章を加えようという意図で、丸一日かけて取材したのだった。

　その約3週間後、ニューゲイトの章をまだ仕上げられないので、ディケンズは当時の住まいだったホルボーンのファーニヴァルズ・インからキャサリンに手紙を書き、この日の夕刻に会えないことを謝罪する。「頭から蒸気を出すほど」がんばり、夜遅くまで働かないといけない——創作エネルギーを真新しい鉄道にたとえるのは、1832年が最初だ。ディケンズは同居している10代の弟フレッドに手紙を届けるよう頼んで（サウス・ケンジントン周辺のホガース邸までは徒歩2時間）おそらく「ニューゲイト監獄訪問記」の痛ましい部分を、蒸気を出しながら書き進めていたに違いない。死刑囚が過ごす処刑前夜に、著者ディケンズが思いを馳せるあのくだりだ。

　ディケンズとキャサリンは、1836年4月に結婚し、22年間の「不似合いな」結婚生活で10人の子をなした。だが結局、彼は若い女優エレン・ターナンに惚れ、キャサリンと別れることになるのである。

Ans'd 6. Nov. 21 (T. S. Eliot)

TELEPHONE 117.

THE ALBEMARLE HOTEL,
CLIFTONVILLE,
MARGATE.

Friday night.

My dear Sydney

I am so sorry about the MSS - Vivien told me - but as you told me to keep it, and as I am always uneasy in the possession of other people's MSS, I had locked it up in my box at the Bank safes. I will get it out for you when I come up to town, and do hope you will not be grossly inconvenienced by the delay. It will not be very long now.

I hope that your being in

31.

T・S・エリオット（1888-1965）から シドニー・シフへ

1921年11月4日

Writers' Letters

親愛なるシドニー様

原稿のこと、大変申し訳ありませんでした。ヴィヴィアンから聞きました。持っていてもよいと伺っていたのですが、お預かりした大切な原稿ですから、銀行にある自分の金庫に保管していたのです。町に出たら、金庫から出してお返しします。こんなに遅くなってしまって、多大なご迷惑をおかけしているのではないかと心配しております。もう長くはお待たせしません（……）

最近どうされているかなと思っていたのですが、もちろんご多忙のことは存じておりますし、お体のことなんかもありますから、ご無理は申せません。私は詩の第3部をおおよそ書き上げましたが、うまくいったかどうか、わかりません。出版に耐えうるものかどうか、ヴィヴィアンの意見を聞いてみないと。海辺のあずまやに陣取って書いたのです。休んでいるとき以外は、一日中外に出ているものですから。でも50行しか書けていませんし、全く何も読んでいません。道ゆく人を観察したり、マンドリンをかき鳴らしたりしています。

なんというか、町に出るのが怖いのです。だから最小限にしたいと思います。海や山にいるとリラックスできて安心感があるので、どうしてもそちらに傾いてしまいます。あなたがたお二人の近況、ヴィヴィアンを通して伺えればと思います。彼女は自分の体調のことをあまり話しません。話してほしいのですが。どうかお体を大切に。奥様によろしくお伝えください。

心より

トム

ロンドンのロイズ銀行の行員として地下牢のようなオフィスで働き、結婚生活では苦労を抱え、実験的な詩を書いても、すぐには銀行勤めから解放されそうにない。そんな毎日のなかで、若きアメリカの詩人**T・S・**エリオットは、神経衰弱に陥った。**1921**年の秋、彼は**3**ヶ月の休暇をとり、ケント州の海辺の町マーゲイトの、アルベマールホテルに投宿した。その期間中、妻のヴィヴィアンも合流したが、彼女も精神的な問題を抱えていた。エリオットは浜辺を散歩し、マンドリンを奏で、居心地のよいヴィクトリアン様式のビーチのあずまやに腰を据えて、執筆中の詩作に取り組んだ。映画のモンタージュのように、さまざまな声とイメージが交錯する作品である。

エリオットは、作家の友人シドニー・シフ（ペンネームはスティーブン・ハドソン）に詫びている。シフが送ってくれた原稿をまだ返却できていないのだ。原稿は銀行の金庫に保管されているという。彼はまた、詩の第**3**部の進み具合を報告している。この詩は、求心力を失った、荒涼たる現代のロンドンを想起させる。かつての詩的で有意義だった過去（「マンドリンの心地よくも哀しい調べ」）が断片的に回帰し、不毛な肉欲の連鎖が登場し、断絶と幻滅の感覚が浮上する。そしてついには「マーゲイトの砂浜で。／私はたぐりよせようとするが／何もかもばらばら」なのだ。『荒地』が**1922**年に出版されたとき、シフは真っ先に祝福の言葉をエリオットに送った。ヴィヴィアンはシフに礼状を書き、この作品は「ここ**1**年のあいだに、すっかり自分の一部（あるいは私が作品の一部）になっていた」と打ち明けた。

GREEN BANK HOTEL.

FALMOUTH.

10th May 1907.

My darling Mouse

This is a birth-day letter, to wish you very many happy returns of the day. I wish we could have been all together, but we shall meet again soon, & then we will have <u>treats</u>. I have sent you two picture-books, one about Brer Rabbit, from Daddy, & one about some other animals, from Mummy. And we have sent you a boat,

2

painted red, with mast & sails, to sail in the round pond by the windmill – & Mummy has sent you a boat-hook to catch it when it comes to shore. Also Mummy has sent you some sand-toys to play in the sand with, and a card-game.

Have you heard about the Toad? He was never taken prisoner by brigands at all. It was all a horrid low trick of his. He wrote that letter himself – the letter saying that a hundred pounds must be put in the hollow tree. And he got out of the window early one morning, & went off to a town called Buggleton & went to the Red Lion Hotel & there he found a party that had just motored down from London, & while they were having breakfast he

ケネス・グレアム（1859-1932）から アラステア・グレアムへ

1907年5月10日

Writers' Letters

私のかわいいマウスへ

たんじょう日のおてがみです。いいことがたくさんありますように。かぞくみんなでいられたらなあとおもいますが、すぐにあえるんだし、そしたらごちそうをたべようね。えほんを2さつおくりました。パパからはブレア・ラビット*の本、ママからはなんかほかのどうぶつの本。ボートもおくったよ。赤くて、マストとほがあって、ふうしゃのあるまるい池にうかぶよ。ママがおくったフックで、ボートをひき上げるといい。ママは、すなばであそぶおもちゃも、トランプもおくりました。

ヒキガエルのことはきいたかな? さんぞくにゆうかいされてはいませんでした。すべては、やつのへたくそないたずらでした。100ポンドを木のあなの中におけ、というないようのてがみをじぶんでかいてね。そして朝はやく、まどからぬけ出して、バグルトンという町へでかけた。赤ライオン・ホテルに行って、そこでロンドンからじどう車できたばかりのご一行にでくわし、その人たちが朝ごはんをたべているあいだにうらに回って、そのじどう車を目にしたら、プップーもしないでのってっちゃったんだ! きえうせたヒキガエルを、今みんなが、けいさつもだけど、さがしてる。あさはかでダメなやつだよねえ。

じゃあまたね
きみが大すきなパパより

ケネス・グレアムはイングランド銀行の重役だったときに、新しい形の童話を発表し始めた。それは、ルイス・キャロルの「アリス」などヴィクトリア朝の児童文学の古典とは異なり、現在（いま）の日常生活を舞台に繰り広げられる冒険やファンタジーの物語だ。『たのしい川べ』は、彼の息子アラステア、愛称「マウス」の寝る前のお話として始まった。

アラステアは主人公だが、その姿はヒキガエルで、衝動的な性格の持ち主。この手紙では、ヒキガエルは誘拐されたふりをし、それを信じた友だちが木の洞（うろ）に置く身代金を横取りしようと企む。これは本に収録されなかったが、後に出てくる車の窃盗の方はエピソードの中核となった。とはいえ、7歳の誕生日に両親と離ればなれのアラステアは、ヒキガエルの最新の冒険話で慰められたのだろうか。彼は早産で生まれ、目に障害があった。ちやほやされて育ったが、両親から多くを期待され、寄宿学校へ送り出されて、孤独で鬱屈した日々を過ごした。20歳の誕生日を目前に、アラステアはオックスフォード駅から転落し（というより、おそらくは飛び降りて）轢死（れきし）した。

グレアムは文名（ぶんめい）が上がっていくと同時に、銀行で昇進し高い職位に就いたおかげで、オフの時間も多くとれたようだ。1907年4月、休暇でコーンウォールに出発する前には、皇太子（プリンス・オブ・ウェールズ）の子どもたちを銀行でもてなしている。6月にはセオドア・ルーズベルト大統領からファンレターが届いた。その支援により、『たのしい川べ』はアメリカでも出版の運びとなった。常にすんでのところで忠実なる友だちに助けられ、大惨事を免れるヒキガエルのむこうみずな冒険は、不朽の名作童話となったのである。

* 訳注：ジョーエル・チャンドラー・ハリス作の「リーマスじいや」（もしくは「リーマスおじさん」）シリーズに登場するウサギのキャラクター。

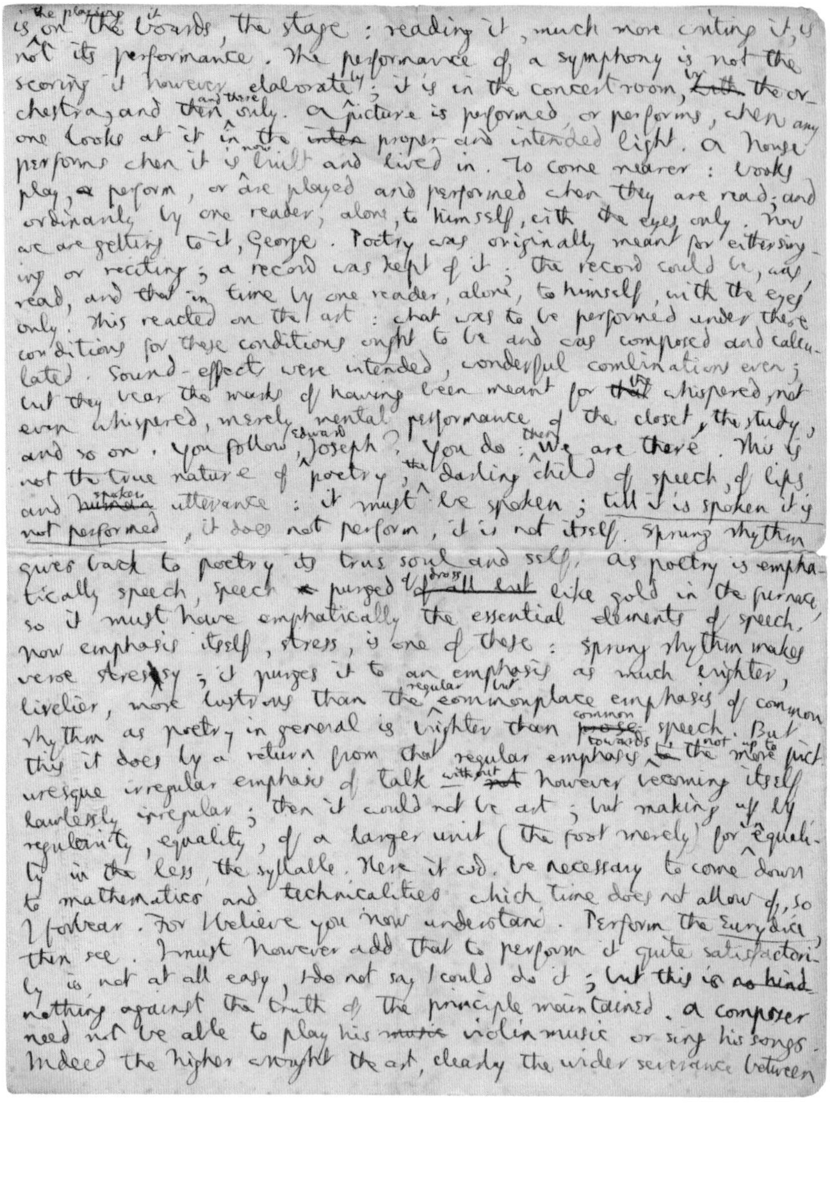

is the playing it on the boards, the stage: reading it, much more writing it, is not its performance. The performance of a symphony is not the scoring it however elaborately; it is in the concert room, by the orchestra, and then and there only. A picture is performed, or performs, when any one looks at it in the proper and intended light. A house performs when it is now built and lived in. To come nearer: books play, perform, or are played and performed when they are read; and ordinarily by one reader, alone, to himself, with the eyes only. Now we are getting to it, George. Poetry was originally meant for either singing or reciting; a record was kept of it; the record could be, was, read, and that in time by one reader, alone, to himself, with the eyes only. This reacted on the art: what was to be performed under these conditions for these conditions ought to be and was composed and calculated. Sound-effects were intended, wonderful combinations even; but they bear the marks of having been meant for the whispered, not even whispered, merely mental performance of the closet, the study, and so on. You follow, Edward Joseph? You do: then we are there. This is not the true nature of poetry, the darling child of speech, of lips and spoken utterance: it must be spoken; till it is spoken it is not performed, it does not perform, it is not itself. Sprung rhythm gives back to poetry its true soul and self. As poetry is emphatically speech, speech purged of dross like gold in the furnace, so it must have emphatically the essential elements of speech. Now emphasis itself, stress, is one of these: sprung rhythm makes verse stressy; it purges it to an emphasis as much brighter, livelier, more lustrous than the regular but commonplace emphasis of common rhythm as poetry in general is brighter than common speech. But this it does by a return from that regular emphasis towards, but not up to, the more picturesque irregular emphasis of talk without however becoming itself lawlessly irregular; then it could not be art; but making up by regularity, equality, of a larger unit (the foot merely) for inequality in the less, the syllable. Here it wd. be necessary to come down to mathematics and technicalities which time does not allow of, so I forbear. For I believe you now understand. Perform the Eurydice then see. I must however add that to perform it quite satisfactorily is not at all easy, I do not say I could do it; but this is nothing against the truth of the principle maintained. A composer need not be able to play his violin music or sing his songs. Indeed the higher wrought the art, clearly the wider severance between

Writers' Letters

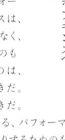

ジェラード・マンリー・ホプキンズ（1844-1889）から
エヴァラード・ホプキンズへ
1885年11月5日

エヴァラード様——　うんざりする仕事のあとの、つかの間の休憩中に。
(……)

上手に朗読すれば、誰にでも僕の詩を理解させることができる、と君が言ってくれて、とてもうれしく思っている。それこそ、僕が常に望み、考え、言ったことなのだ。(……)

あらゆる芸術には、それにあらゆる芸術作品には、それ自体のプレイあるいはパフォーマンスの要素がある。舞台芸術のプレイあるいはパフォーマンスは、それが上演されることだ。(……) 交響曲のパフォーマンスは、たとえどんなにスコアが複雑なものであろうとも、それを書くことではなく、演奏会場でオーケストラに演奏されることであり、その時その場限りのものだ。絵画がパフォーマンスされる、あるいはパフォーマンスするのは、適切な、しかるべき意図により配置した照明のもとで鑑賞されるときだ。家屋がパフォーマンスするのは、それが建てられて、住まわれるときだ。本題に入ろう。書物がプレイ、パフォーマンスする、もしくはプレイされる、パフォーマンスされるのは、人に読まれるときだ。(……) 詩はもともと、歌ったり、朗読したりするためのものだった。書かれた詩があった。それは読まれ得るものだったし、読まれた。ある読者が一人で、自分自身のために、目だけを使った黙読で。(……) これは詩の本領ではない。詩は発話の、両唇と発声が生む愛しい子どもだ。だから、声に出さないといけない。声に出すまでは、詩はパフォーマンスされたことにならないし、パフォーマンスしたことにならないし、詩そのものでもない。スプラング・リズムは、詩に本来の魂と真髄を与える。詩はまさに言葉であり、溶鉱炉の中の金のように不純物が取り除かれた言葉なのだから、言葉の基本的要素を備えてなくてはいけない。さて強勢そのもの、ストレスは言葉の基本的要素の一部だ。スプラング・リズムは詩を、ストレスが目立つものにする。スプラング・リズムが詩を純化し、詩がふつう、ありきたりな言葉より晴朗であるのと同じように、ありふれたリズムのごくありきたりな強勢と比べて、より晴朗で、より生き生きとした、つややかな強勢にする。(……) さあこれで理解しただろう。「ユーリディス」をパフォーマンスしなさい、そしたらわかるよ。ただし、付言しておかねばならないが、きわめて申し分なくパフォーマンスするのは全然簡単ではないよ。僕ならできるとは言ってない。(……) 作曲家は自作のヴァイオリン曲を演奏できなくても構わないし、自作の歌を歌えなくとも構わない。実際、芸術が精緻になればなるほど、作者とパフォーマーの資質の違いは明らかに大きくなるのだ。(……)

イエズス会の司祭で教師だったジェラード・マンリー・ホプキンズは、転勤続きで気苦労が多く、たびたび鬱にもなった中で詩作を続けた。鬱から一時的に回復していたこの時期に、画家の弟エヴァラードに長い手紙を書き、自作の詩「ユーリディス号の沈没」とからめて、自身の詩論を展開している。従来の韻律の「詩脚」ではなく、強勢音節（ストレス）の可変の数で詩行を定める「スプラング・リズム」により、ホプキンズの詩は、伸張性のある、音読に適した特質を持ち、その中で言葉は「不純物が取り除かれ」るのだ。

Queridisimo Melchorito: Yo que me imaginaba no se porqué que tu estabas disgustado conmigo he tenido una inmensa alegria cuando he visto tu carta de Zaragoza. Me explico que la ciudad baturra no te haya gustado. Zaragoza está falsificada y zarzuelizada como la jota, y para buscarla en su antiguo espiritu hay que ir al Museo del Prado y admirar el exactisimo retrato que le hizo Velazquez. Alli la torre de San Pablo y los tejados de la Lonja, estan ambientados sobre el cielo de perla y la original silueta del caserio. Hoy la ciudad se ha marchado. Yo que he pasado Aragon en el tren, creo que el viejo espiritu de Zaragoza debe andar errabundo, acribillado de blancas heridas, por los alrededores de Caspe, en las ultimas grises rocas, donde el viento duro tira al pastor y salvajiza la luz de las estrellas grandes.

En cambio Barcelona ya es otra cosa ¿verdad? Alli esta el Mediterraneo, el espiritu, la aventura, el alto sueño de amor perfecto. Hay palmeras, gentes de todos paises, anuncios comerciales sorprendentes, torres goticas y un rico pleamar urbano hecho por las maquinas de escribir. ¡Que a gusto me encuentro alli

フェデリコ・ガルシア・ロルカ（1898-1936）から メルチョール・フェルナンデス・アルマグロへ

1926年2月

Writers' Letters

大変親愛なるメルチョリートへ。なぜかわからないけど、君が僕を嫌っているような気がしていたから、サラゴサからの君の手紙を見たときは果てしない喜びを感じたよ。アラゴンの町が君の気に食わなかったのも分かる。サラゴサはホタ*1のごとく偽造されてサルスエラ*2化されているから、本来の町を古の精神のなかに探すため、プラド美術館へ行ってベラスケスが描いた精密すぎる肖像画を見上げなければならないわけだ。そこではサン・パブロ教会の塔と商品取引所の屋根瓦が真珠色の空と集落の風変わりなシルエットになじんでいる。今日その町は去ってしまった。（……）打って変わってバルセロナは全く違うでしょ? 地中海、精神、冒険、完璧な愛の高原の夢がある。ヤシの木があり、全世界の人が集まり、驚くような宣伝広告、ゴチックな塔、タイプライターが作りだす豊かで都会的な充溢。あの空気とあの情熱の、あそこにいるのは本当に楽しいよ! ……しかも、僕は熱狂的なカタルーニャ支持者だから、あのとても格好良くてカスティーリャ*3に嫌気がさしている人たちに共鳴したんだ。

友人であり分かちがたい仲間であるサルバドール・ダリを通じてあの地域のことは最新情報が入ってくる。彼とは有り余るほどの文通を続けているよ。ワンシーズンを彼の家で過ごすように誘ってくれたので、もちろんそうするつもりだ、彼のモデルにならないといけないからね（……）

マドリードの文学界の雰囲気は、ケチであさましすぎるように思う。なんでもゴシップ、策略、誹謗中傷、アメリカ人の蛮行に変わってしまう。僕は、詩も心も異国の水で清められて、より豊かに、僕自身の地平を広げたい。僕にとって新しい段階が今まさに始まるんだって確信がある。

僕は生粋の詩人になりたい、詩に生を受け詩に命を尽くすような。はっきり見え始めたんだ。未来の作品の高次の意識が僕を支配して、僕の責務のほとんどドラマティックな感覚が僕を夢中にさせる……なんていうか……完璧なまでに仕上がったいくつかの形式と調和に目覚めようとしているみたいだ。（……）

「とっても楽しかったよ」フェデリコ・ガルシア・ロルカはグラナダの自宅から小さいころからの友人のメルチョール・フェルナンデス・アルマグロに感激した様子でバルセロナについて語り送った。「豊かで都会的な充溢」のある文学生活とエロチックな可能性のあるカタルーニャの中心地は、アルマグロが彼に手紙を書いたサラゴサとは大違いだった。ロルカは1647年のベラスケスの絵を、観光的な模倣をしている現在の都市の姿と比較している。

ロルカは27歳、2冊の詩集を出版し、戯曲が舞台化され、法律の学位をとり、新しい戯曲と1928年に『ジプシー歌集』として世に出される詩に取りかかっている。実家の財産のおかげで、収入のある職を見つけなければならないというプレッシャーはない。詩人、脚本家、もしかして芸術家……（手紙にピエロの挿絵を飾している）彼は自分の作品が発展する様子をじっくりと観察している。アルマグロは文芸批評家となり、ロルカの最も雄弁な支持者となっていた。

1926年の内に、手紙で予め言及したとおりロルカはエキセントリックな若いカタルーニャの芸術家サルバドール・ダリのモデルとなった。眠る詩人の頭部と顔が描かれた〈静物画（夢への誘い）〉は、ダリが初めてパリへ旅して4月にピカソと出会った後に描かれている。

*1 訳注：地域の民族舞踊。 *2 訳注：スペインのオペラの一種。
*3 訳注：スペイン中央部に位置した地域名。10世紀にはカスティーリャ王国が建てられた。

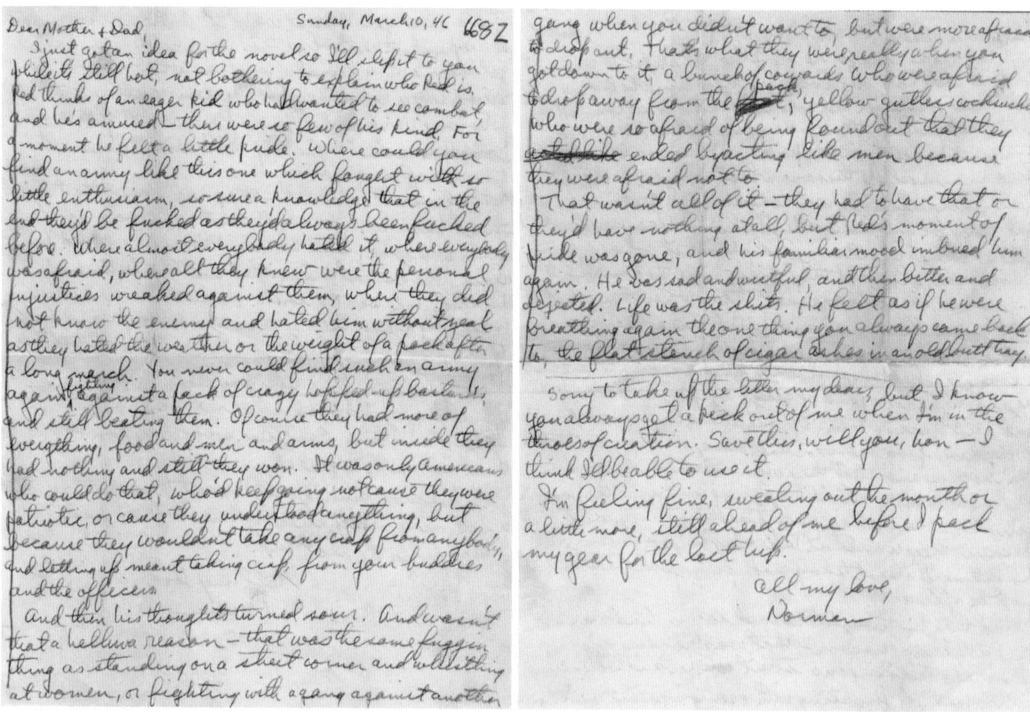

Dear Mother & Dad, Sunday, March 10, 46 682

I just got an idea for the novel so I'll slip it to you while it's still hot, not bothering to explain who Red is. Red thinks of an eager kid who had wanted to see combat, and he's amused — there were so few of his kind. For a moment he felt a little pride. Where could you find an army like this one which fought with so little enthusiasm, so sure a knowledge that in the end they'd be fucked as they'd always been fucked before. Where almost everybody hated it, where everybody was afraid, where all they knew were the personal injustices wreaked against them, where they did not know the enemy and hated him without zeal as they hated the weather or the weight of a pack after a long march. You never could find such an army fighting against a pack of crazy hopped-up bastards, and still beating them. Of course they had more of everything, food and men and arms, but inside they had nothing and still they won. It was only Americans who could do that, who'd keep going not 'cause they were patriotic, or cause they understood anything, but because they wouldn't take any crap from anybody, and letting up meant taking crap from your buddies and the officers.

And then his thoughts turned sour. And wasn't that a helluva reason — that was the same fuggin thing as standing on a street corner and whistling at women, or fighting with a gang against another gang when you didn't want to, but were more afraid to drop out. That's what they were really when you got down to it, a bunch of cowards who were afraid to drop away from the ~~[illegible]~~ pack, yellow gutless cocksuckers who were so afraid of being found out that they ~~acted like~~ ended by acting like men because they were afraid not to.

That wasn't all of it — they had to have that or they'd have nothing at all, but Red's moment of pride was gone, and his familiar mood imbued him again. He was sad and wistful, and then bitter and defeated. Life was the shits. He felt as if he were breathing again the one thing you always came back to, the flat stench of cigar ashes in an old butt tray.

Sorry to take up the letter my dears, but I know you always get a kick out of me when I'm in the throes of creation. Save this, will you, hon — I think I'll be able to use it.

I'm feeling fine, sweating out the month or a little more, still ahead of me before I pack my gear for the last trip.

All my love,
Norman

Writers' Letters

NORMAN MAILER
MAR
1946

ノーマン・メイラー（1923-2007）から父アイザック・メイラーと母ファニーへ

1946年3月10日

お母さん、お父さん

小説のアイディアが浮かんできたので、それが薄れないうちに書いておきます。レッドが誰なのか、あえて説明はしません。レッドは自分が昔から、実戦に憧れて血気盛んだったことを思い出します。自分のようなタイプは稀だと自負して、少し得意な気分になります。周りの兵士たちには士気が足りません。こんなことなら、これまで同様、今後もろくなことにならない。彼の周りは、個人に対する不当な扱いを自覚し、嫌気がさし、戦闘を恐れている者たちばかり。長い行軍(こうぐん)で背負う荷物の重さや、ひどい天候に悪態をつくのと同じ感覚で、個人的には知らない敵兵を惰性で憎悪する。こんな軍隊が、あるでしょうか。あちこちから狂ったように飛び出してくる敵兵と戦い、それでもやっつけるのです。もちろん食料や兵士や武器は、敵より持っています。でも中身は空っぽ。それでも勝つのです。こんなことができるのは、アメリカ人だけでしょう。愛国心に突き動かされているのではないのです。何か信念があるわけでもない。ただ軽蔑されたくないだけなのです。落伍(らくご)すれば、仲間の兵士や上官から軽蔑されます（……）

お父さん、お母さん、こんな手紙でごめんなさい。でも、ぼくが創作意欲を燃やしているのをみたら、ふたりが嬉しがると思って。お母さん、この手紙をとっておいてくれませんか。あとで使えると思うので。

ぼくは元気でやっています。荷物をまとめて最後の遠征に出るまで、あと数ヶ月はありますが、頑張ります（……）

心より愛をこめて
ノーマン

ノーマン・メイラーは、「重要な作品」を執筆するからという理由で徴兵を逃れようとしたが、その願いは米国陸軍に却下され、**1944**年から**1945**年までフィリピンの戦いに従軍することになった。兵役終盤の**1946**年、第**112**騎兵連隊の調理担当として日本に渡ったメイラーは、ブルックリンのクラウン・ハイツに暮らす実家の両親、アイザックとファニーに手紙をしたためる。しかし日々の細々したことを綴る余裕はない。そこで彼は考えた。

メイラーは、のちに『裸者と死者』となる小説の内容を書くことにしたのだ。その書きぶりには、彼の代表的な作品に見られるのと同じ特徴があらわれている。知性きらめく、堂々たる筆致で自己を神話化するのである。実体験にもとづくこの小説は、南太平洋の島で戦う兵士の一団を描いており、戦争の愚かしさとおぞましさ、さらにその虚無感を訴えた。**1948**年に出版されるや話題を呼んで、「ニューヨーク・タイムズ」紙のベストセラー入りを果たし、**62**週間の長きにわたってその座を守った。メイラーが**25**歳のときのことである。彼はその後、紆余曲折はあったが、作家としての長い人生を歩むことになる。偉業をなすという揺るぎない信念を持っていたメイラーではあるが、そんな彼にとってさえも望外の、好調なスタートをきることになったのだった。

Monday, June 30

Dear Olwyn—

Ted and I are just back from climbing Mount Holyoke—one of our peaks of exercise, taking a good hour to get up, under a green network of leaves but the view worth it from the porch of a hundred-year old hotel which housed Abraham Lincoln once, and Jenny Lind who named the view "The Paradise of America", although I suspect Jenny was over-ecstatic. She named our Smith frog-pool 'Paradise Pond.' From the top we can see north along the back of the broad winding Connecticut river, all the green patchwork of asparagus, strawberry & potato farms below. We're right in the middle of a great river-rich farming valley & so get vegetables & fruits fresh from the fields. I do like your sending those recipes of delectable things & will try this pepper & tomato & onion & sausage one soon. Try to get more such from the Hungarians—do any of them make a good borsch? Maybe Luke remembers the heavenly borsch the three of us had at the restaurant with the bitchy old waitress whose daughter (probably chained to the stove) was a wonderful cook. Tell Luke for me to send ahead his favorite menus & I'll cook them if he promises to visit us. We'd both love to see him this August & will be here till the end of the month.

Ted thrives & so do I, with no jobs. Both of us are meant to be wealthy & have convinced our Boston landlord (dubious about our future rent-paying) that we are hourly having money pour in from magazines. As soon as I stopped work & started writing I sold my two longest poems to The New Yorker (my first acceptance from them) & we figure the check should total 3 months rent at least. This is very encouraging & especially so since I want to get a full first book of poems to the publishers this winter—I'm ditching old work at an amazing rate. Ted's second book is already magnificent—richness, depth, color & a mature force & volume. Slowly, slowly, we hope to sell the poems. I know he is the great poet of our generation & feel that the most important thing is to somehow clear these next five years for a tough & continuous apprenticeship to writing. His children's story has just come out—delightfully & sprightly illustrations with it. We will try for grants too. Our work should begin to speak for itself then. Our Boston apartment is minute, but aesthetically fine with its light, air, quiet & superb view. The city is a delight to walk in.

Do send on the Scorpio book. I'm extremely interested in seeing it. Ted & I both love getting your letters especially long ones like the last, so do write soon again. Tell us more about de Gaulle.

With love, Sylvia

Writers' Letters

シルヴィア・プラス（1932-1963）から オルウィン・ヒューズへ

1959年6月30日

オルウィンさま

テッドと私はホルヨークの山から帰ってきたところです。近くにちょうどよい山がいくつかあるのです。緑の木々を眺めながら、丸1時間くらいかけて登ります。でも100年の歴史を持つホテルのポーチから、あのすばらしい景色をみれば十分報われます。かつてエイブラハム・リンカーンが泊まったホテルです。そして、この眺めを「アメリカの楽園」と名づけたジェニー・リンドも。といっても、彼女は少し感動しすぎだと思いますが。ジェニーは、スミス・カレッジの蛙のすみかを「楽園の池」と呼んだくらいです。山の頂上から北の方角を臨むと、雄大にカーブを描くコネチカット川の流れや、アスパラガスやイチゴやジャガイモの畑があちこちに緑の絨毯を広げているのが見えます（……）

テッドは調子を上げています。私もそうです。お勤めは辞めました。二人とも、豊かに暮らしていけるはずです。ボストンの大家さん（私たちが家賃を払えないのではと心配しています）にも、いろいろな文芸誌から途切れなく原稿料の振り込みが来ていると説明したところ。退職して執筆活動に専念したらすぐに、長い詩が2編、「ザ・ニューヨーカー」誌に売れました（……）細々したものを合わせると、少なくとも3ヶ月分の家賃になる計算です（……）テッドの2冊目は、素晴らしいものになる予感。内容の豊かさ、深さ、多様性、そして円熟した力強さは圧巻。ゆっくり、少しずつ、詩が売れてゆけばと思います。テッドは私たちの世代を代表する偉大な詩人です。何よりも、これからの5年間、集中して一所懸命に創作に専念するのが一番大切だと感じています（……）いろいろな助成金も申請してみるつもり。私たちの作品は必ず、その真価が認められると思います（……）

愛をこめて
シルヴィア

1959年の夏、シルヴィア・プラスは、夫であるテッド・ヒューズの姉オルウィン・ヒューズに手紙を出し、アメリカでの暮らしぶりを快活に伝えている。シルヴィア・プラスとテッドは大恋愛のすえ、**1956**年にロンドンで結婚し、その後すぐにアメリカに渡った。プラスの故郷のマサチューセッツ州に居を定め、彼女は母校のスミス・カレッジで職を得た。プラスは精神病院で短期の医療事務にも携わっていたが、**2**年間の教師生活の後、夫婦は執筆活動一本でやっていく決意をした。夫テッド・ヒューズの作品はすでに評価を受けており、**1957**年には最初の詩集『雨中の鷹』を出版した。プラスのほうは、何度か鬱状態やスランプに陥ったが、どうにかそこから抜け出した。彼女の詩が**2**編、名高い（そして原稿料も高い）「ザ・ニューヨーカー」誌に掲載されたのだ。だが彼女はまだ、自分よりも夫の方に才能があると確信していた。

手紙の打ち解けた感じからすると意外なことだが、プラスとオルウィン・ヒューズはそりが合わなかったらしい（ヒューズは歯に衣着せぬヨークシャー生まれの女性で、義理の妹のことを「かなりの危険人物」と評した）。だがやはり縁があったのだろう、**1963**年にプラスが自殺したあと、オルウィンは彼女の著作権の管理者となった。オルウィンはまた、弟テッド・ヒューズの代理人でもある。プラスの信奉者が、彼女の自殺の原因が夫のテッドにあるとして責任の追求をはじめたとき、オルウィンは弟と義妹の両方の名誉を守るという難しい立場に立たされた。その議論は長引いたが、誰の目からみても、オルウィンは立派にその役割を果たした。

CHAPTER2

BETWEEN FRIENDS

親しき仲

頭の中は小石でいっぱい

My head is full of pebbles

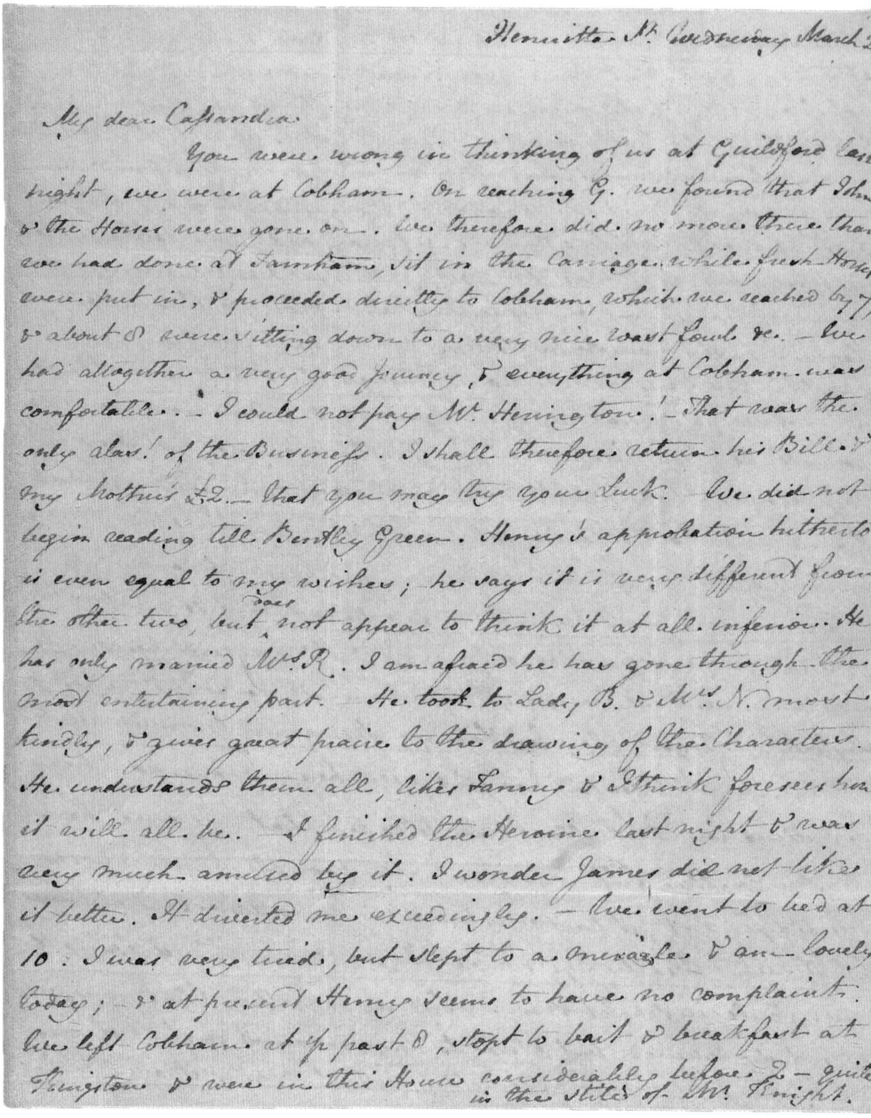

Henrietta St. Wednesday March 2d.

My dear Cassandra

You were wrong in thinking of us at Guildford last night, we were at Cobham. On reaching G. we found that John & the Horses were gone on. We therefore did no more there than we had done at Farnham, sit in the Carriage while fresh Horses were put in, & proceeded directly to Cobham, which we reached by 7, & about 8 were sitting down to a very nice roast fowl &c. — We had altogether a very good Journey, & everything at Cobham was comfortable. — I could not pay Mr. Henington! — That was the only alas! of the Business. I shall therefore return his Bill & my Mother's £2. — that you may try your Luck. We did not begin reading till Bentley Green. Henry's approbation hitherto is even equal to my wishes; he says it is very different from the other two, but does not appear to think it at all inferior. He has only married Mrs. R. I am afraid he has gone through the most entertaining part. — He took to Lady B. & Mrs. N. most kindly, & gives great praise to the drawing of the Characters. He understands them all, likes Fanny & I think foresees how it will all be. — I finished the Heroine last night & was very much amused by it. I wonder James did not like it better. It diverted me exceedingly. — We went to bed at 10. I was very tired, but slept to a miracle & am lovely today; — & at present Henry seems to have no complaint. We left Cobham at ½ past 8, stopt to bait & breakfast at Kingston & were in this House considerably before 2 — quite in the stile of Mr. Knight.

Writers' Letters

ジェイン・オースティン（1775-1817）から カサンドラ・オースティンへ

1814年3月2日

カサンドラ様

昨晩私たちがギルフォードにいた、と思っていたのなら間違いで、実はコバムにいたのです。ギルフォードに到着したら、ジョンと馬たちはいなかったのでした。だからファーナムのときと同じように、私たちは何もせず、馬車の中で座っていて、その間に新しい馬たちが引き具につながれ、それからまっすぐコバムへと向かい、7時までには到着して、8時頃に夕食の席について、とてもおいしいローストチキンなどを食べました。――全体としてとても良い旅でしたし、コバムではすべてが快適でした。――でも、ヘリントン氏に支払いができなかった！「あーあ！」というのはそれだけでした。だから、彼の請求書とお母さんの2ポンドを送ります。――あなたのほうでやってみてちょうだい――ベントリー・グリーンに到着してから、ようやくあれを読み始めました。今までのところ、ヘンリーの評価は私の望み通り。他の2作とは随分違うねと言ってますが、ともかく今回の方が出来が悪いとは思ってないみたい。（……）

さて、そちらはどうですか。特にあなたは、昨日と一昨日大変だったでしょう。マーサは今回も楽しんでくれて、それからあなたとお母さんはビーフプディングを食べることができたのでしょうね。私は明日、目が覚めたらすぐに煙突掃除人のことを考えると思っていてください。――土曜日にドルリー・レーン劇場の席を確保したけど、キーンの人気がすごくて、3dと4列目の席しか取れませんでした。とはいえ前方のボックス席なので、よく見えるのではないかと思います。（……）

「もしカサンドラが首を刎ねられることにでもなったら、自分も同じように、と言ってジェインは譲らないでしょう」これはジェイン（とカサンドラ）の母親がこの姉妹の関係を表現した言葉だとされている。一番の親友であり、まっさきに着想を披瀝する相手の姉カサンドラに、ジェインは何百通もの手紙を書いた。しかし妹の死後、カサンドラはこの往復書簡の大半を破棄したり、部分的に切り捨てたりした。

『分別と多感』と『高慢と偏見』は、1814年までに出版済みである。手紙には、この2作に見られる軽いタッチで、ハンプシャー、チョートンの自宅からロンドンへの旅について書いている。イギリスの、心地よいアッパーミドルの暮らしを彩るあらゆるものがここにある――紅茶、ローストチキン、有名な悲劇俳優エドマンド・キーンが目当ての観劇――が、ときどき痛烈な皮肉が差し挟まれる（「ウィンダム・ナッチブルを日曜日に招待したのですが、彼が承諾するなどというひどいことになったら、どうにかして誰かに同席してもらわないといけません」と、この手紙の終わりで嘆いている）。

また、この年の7月に刊行されることになる新作『マンスフィールド・パーク』についても、それとなく触れている。絶縁状態にあった伯父と伯母のバートラム卿夫妻のもとに、貧しい親戚として引き取られて暮らす若い娘ファニー・プライスの物語は、ジェインの兄ヘンリーが言うように「他の2作とは随分違う」――前作よりも暗く、テーマは多岐にわたる。カサンドラは否定的だった。おそらく、世界に知ってほしくない妹の一面を表していたのだろう。

HOTEL DE PARIS
MONTE-CARLO
ADRESSE TÉLÉGRAPHIQUE: PARISOTEL
TÉLÉPHONE: 018-11

Chère Julia, vous
ne m'en voudrez pas de
vous avouer ma fatigue?
Maurice m'a amenée
ici pour la rendre
avouable, et nous
sommes invités ici pour
un mois par Ilhamy
Hussein Pacha. Je
ne suis bonne qu'à
me reposer, et je
n'en ai pas de honte
devant vous. Que de
fleurs, déjà, dans cet

シドニー＝ガブリエル・コレット（1873–1954）から ジュリア・リュックへ

1951年6月21日

Writers' Letters

親愛なるジュリアへ。疲れているって愚痴をこぼしても悪く思わないでね。疲れがましになるようにと、モーリスがここに連れて来てくれました。私たちはここに1ヶ月間の予定でイルハミ・フセイン・パシャに招待されています。私にできるのは休養することだけ。でもあなたの前ではそれを恥ずかしいとは思いません。この不思議な国は花で溢れ返っています。あなたから手紙をもらえたらうれしいわ。モーリスと私は、『ジジ』の舞台化を試みようとしています。でも、今のところ、私は何もすることができません。いつも変わらずに美しいもの、色彩や穏やかな大気を、愛でること以外にはね。親愛なる友よ、あなたから数行の便りをもらえたら、あなたの友人は幸せです。心からの口づけを送ります。

コレット

モンテ・カルロ、1951年盛夏。シドニー＝ガブリエル・コレットと夫のモーリスは、在外トルコ人貴族のイルハミ・フセイン・パシャに招かれて、海辺の豪華ホテル「オテル・ド・パリ」に滞在している。今や齢（よわい）70歳を超えたコレットは、関節炎を患い、車椅子で生活している。彼女は友人のジュリア・リュックに「私にできるのは休養することだけ」と打ち明ける。しかしそんな中でも、夫とともにある企画の準備を進めていた。その企画とは、彼女の最も有名な中編小説『ジジ』を舞台化するというものだ。

コレットの半自伝的な連作『クロディーヌ』（1900–1904）は、ブルゴーニュの田舎から世紀の変わり目のパリへやって来た少女の成長を描いて、多くの人々の共感を呼んだ。ところが、最初の夫アンリ・ゴーチエ＝ヴィラールと離婚した際、この夫は著作権を手放さなかった（『クロディーヌ』シリーズは彼の筆名（ひつめい）ウィリーの名で刊行されていた）。しかし、彼女にはどんな困難も切り抜ける能力が生まれつき備わっていた。ミュージック・ホールに出演したり、同性愛を経験したりした後、1912年に再婚し、執筆活動に再び専念した。『シェリ』や『シド』をはじめとする1920年代の小説は、女性のセクシュアリティや女性に対する社会的圧力といった主題を取り上げている。50歳代の始め、コレットが3人目の夫となるモーリス・グドケと出会ったとき、彼女はフランスで最も著名な女性作家になっていた。

この夫婦は1940–1944年のナチス占領期をパリで生き延びた。ユダヤ人のモーリスは逮捕の危険に常に脅かされていたが、コレットは反ユダヤ主義の右翼系の新聞に記事を書いて危機をしのいだ。1944年には『ジジ』を発表。10代の高級娼婦ジジ・アルヴァールとその裕福な恋人の関係を描いたこの作品は、長年に渡る戦争の後で社会に広まっていた、華美な生活と若者らしい自由への渇望をうまくとらえていた。

1951年夏のモンテ・カルロには、英仏制作の低予算コメディ映画「モンテカルロ・ベイビー」を撮影中の、英国の若手女優オードリー・ヘプバーンも滞在していた。この手紙を書いてまもなく、コレットはヘプバーンと出会い、この子はジジ役にぴったりだと直感する。脚本家アニタ・ルースが台本を書いた舞台版「ジジ」は、ヘプバーンを主役に迎えて、ブロードウェイで11月に初演された。ヘプバーンはこの舞台での成功後、ハリウッド・スターの階段を駆け上っていくことになる。

Sunday night.

Dear Mr Bowles.

I am much ashamed. I misbehaved to-night. I would like to sit in the dust. I fear I am your little friend no more but Mrs Jim Crow.

I am sorry I smiled at women.

Indeed, I adore holy ones, like Mrs Fry and Miss Nightingale. I will never be giddy again. Pray forgive me now. Respect little Bob o'Lincoln again!

My friends are a very few. I can count

EMILY DICKINSON c.1860

エミリ・ディキンスン（1830-1886）からサミュエル・ボウルズへ

1860年ごろ

Writers' Letters

ボウルズさま

私はとても恥ずかしく思っております。今夜は、間違いを犯してしまいました。塵のうえにでも座りたい心持ちです*。もうあなたの友人ではいられませんね。私のこと、差別主義者とお思いでしょう。

女性たちのことを蔑ろにしてしまい、申し訳ございません。

尊い女性たち、フライ夫人やミス・ナイチンゲールのことは本当に敬い申し上げているのです。二度と軽率なことはいたしません。どうかご海容くださいませ。あなたのボボリンカンをまた、大切にしてやってください。

私には友人がほとんどおりません。数えると5本の指で足りるくらいです。ですから、あなたにお会いすると嬉しくなるのです。稀にしか来てくださらないのですもの。普段の私はもっと、ふさいでいます。

おやすみなさい。神様はきっとお許しくださいましょう。あなたもぜひそうしてくださいませんか?

エミリより

エミリ・ディキンスンは1800編の詩を書いたが、生前に発表されたのは10編のみである。しかも匿名で、本人には無断で出版されている。そのうち7編が「スプリングフィールド・デイリー・リパブリカン」紙に掲載された。同紙はアメリカ北東部ニューイングランドの進歩的な有力紙で、カリスマ性のあるサミュエル・ボウルズが編集に携わっていた。

「ごく内輪でしか知られていなかった」ディキンスンの詩が、どのような経緯でボウルズの手に渡ったのかは不明であるが、彼はエミリの兄オースティンと、その妻スーザンの友人だった。ボウルズは農機具を見にマサチューセッツ州のアマーストにやってきたとき、夫妻に出会ったのだ。ディキンスン家は代々、アマーストでよく知られた名家だった。1850年代の後半から、彼はオースティンの家によく招かれるようになった。エミリが両親や妹のラヴィニアと暮らす家は、その隣にあったのだ。エミリはあまり人づきあいをしていなかったが、ボウルズとは例外的に交友があった。どこから見ても、二人は変わった取り合わせだった。顔が広く社交的なボウルズは、寡黙なエミリとの接し方に戸惑う面もあった（彼はエミリのことを「ひきこもりの女王様」と呼んでいた）。しかし彼女はボウルズに心を開き、人生の危機的状況を迎えていた1860年代、多くの詩（すべて未発表）を彼に送ったのだ。この手紙の中でエミリは、ボウルズが家に来てくれたときの自分の振る舞いを詫びている。ボウルズは、社会の改革に身を投じたエリザベス・フライやフローレンス・ナイチンゲールを尊敬していたに違いないのだが、エミリはどうも彼女たちのことを軽視する態度をとったとみえる。奴隷廃止論者の彼に「差別主義者」だと思われたのではないかと案じ、エミリは「ボボリンカン」の愛称でまた呼ばれたいと願う。ボボリンカンはボボリンクの別名で、エミリの詩に出てくるアメリカの野鳥である。

ディキンスンとボウルズの関係については、さまざまに推測されている。エミリは「マスター」に宛てて、苦悩と謎に満ちた一連の手紙を残している。それらが投函された形跡はないが、ボウルズがその「マスター」かもしれないという指摘がある。数年後、二人のやりとりは突然途絶える。1874年にディキンスンの父親が亡くなったあと再開するものの、用件のみを伝えるスタイルに切り替わった。

*訳注：旧約聖書 イザヤ書 第47章1節より。

Twentieth Century-Fox Film Corporation

STUDIOS
BEVERLY HILLS, CALIFORNIA

(His concern regarding his health) GM

September
14
1940

Dear Gerald:

I suppose anybody our age suspects what is emphasized--so let it go. But I was flat in bed from April to July last year with day and night nurses. Anyhow as you see from the letterhead I am now in official health.

I find, after a long time out here, that one develops new attitudes. It is, for example, such a slack *soft* place--even its pleasure lacking the fierceness or excitement of Provence--that withdrawal is practically a condition of safety. The sin is to upset anyone else, and much of what is known as "progress" is attained by more or less delicately poking and prodding other people. This is an unhealthy condition of affairs. Except for the stage-struck young girls people come here for negative reasons--all gold rushes are essentially negative--and the young girls soon join the vicious circle. There is no group, however small, interesting as such. Everywhere there is, after a moment, either corruption or indifference. The heroes are the great corruptionists or the supremely indifferent--by whom I mean the spoiled writers, Hecht, Nunnally Johnson, Dotty, Dash Hammet etc. That Dotty has embraced the church and reads her office faithfully every day does not affect her indifference. She is one type of commy Malraux didn't list among his categories in *Man's Hope*--but nothing would disappoint her so vehemently as success.

I have a novel pretty well on the road. I think it will baffle and in some ways irritate what readers I have left. But it is as detached from me as *Gatsby* was, in intent anyhow. The new Armegeddon, far from making everything unimportant, gives me a certain lust for life again. This is undoubtedly an immature throw-back, but it's the truth. The gloom of all causes does not affect it--I feel a certain rebirth of kinetic impulses - however misdirected.

Zelda dozes--her letters are clear enough--she doesn't want to leave Montgomery for a year, so she says. Scottie continues at Vassar--she is nicer now than she has been since she was a little girl. I haven't seen her for a year but she writes long letters and I feel closer to her than I have since she was little.

I *would* like to have some days with you and Sara. I hear distant thunder about Ernest and Archie and their doings but about you I know not a tenth of what I want to know.

With affection,

Scott

1403 N. Laurel Avenue
Hollywood, California

How well he writes! G.

F. SCOTT FITZGERALD
SEP
1940

F・スコット・フィッツジェラルド（1896-1940）から ジェラルド・マーフィーへ

1940年9月14日

Writers' Letters

ジェラルド殿

（……）ぼくは昨年の4月から7月まで、昼夜、看護師の付き添いのもと、ベッドに寝たきりでした。でもこのレターヘッドからお気づきのように、今はそれなりに回復しています。

長い間ここにいると、人間が変わってしまうことに気づきました。例えばこの地に特有の、だらだらとしたつかみどころのなさ。ここでは楽しみさえも、心を突き動かすようなワクワク感がありません。プロヴァンスとは大違いです。だから、基本的に関わらないでおくことが無難というものです（……）舞台に憧れをもつ若い女性たちは別として、人々はみなネガティブな理由でここに来ています。大体ゴールドラッシュで集まる人たちはみな、動機がネガティブなのです。そして若い女性たちもいつしか、悪循環にはまっていきます（……）どこを見ても、目に入るのは腐敗や無関心。ここの成功者は、腐敗の王者か無関心の王者。ぼくが言っているのは、ろくでもない作家たちのことです（……）

小説が一本、軌道に乗っています。従来からの読者は、当惑して怒りだすかもしれません。でも『ギャツビー』のときと同じくらい、あえて客観視して書いています。新たなハルマゲドンのおかげで、虚無感にうちひしがれるどころか、ある種の生の欲動を再確認している次第です（……）　スコット拝

1920年にデビュー作『楽園のこちら側』が出版されるや、F・スコット・フィッツジェラルドは有名人になった。彼はまだ24歳だった。それに続く10年間は彼にとって、アメリカとフレンチ・リヴィエラを股にかけた一大パーティの時代だった。そのあとに来るのは二日酔いだ。大恐慌の到来とともに、フィッツジェラルドの作品の流行は終焉を迎え、まさに彼が作品の中で揶揄した、軽佻浮薄と退廃、唯我論的世界観が、諸悪の根源とみなされるようになった。1936年までに、彼の収入は全盛期の3分の1に落ち込んだ。ゼルダとの結婚生活はずっと前に破綻しており、彼女は精神科の入退院を繰り返していた。さらに飲酒の問題もあった。蒸留酒は控えていたが、フィッツジェラルドは1日に40杯近くもビールをあおり、断酒しては再び手を出して病院に送られるという悪循環に陥ってしまった。

1937年、ハリウッドの仕事が舞い込んだ。そこには才能ある作家たちが集まり、脚本書きに手を染めていた。1930年代初頭の仕事は不本意だったが、フィッツジェラルドは今回襟をただし、アルコールのかわりにコカコーラを飲みながら、直近10年分の収入を超える稼ぎをあげた。しかし1939年、彼は仕事に区切りをつけて、数ヶ月間の療養に入った。

翌年体調が戻ったフィッツジェラルドは、リヴィエラ時代の友人ジェラルド・マーフィーに手紙を送る（ジェラルドと妻サラは、『夜はやさし』に登場するディック・ダイバーとニコル夫妻のモデルとされている）。最悪の時期は脱したと彼は書いているが、ロサンゼルスには辟易している。彼はこの街にはびこる拝金主義を看取したが、それは『華麗なるギャツビー』の読者に馴染みの病弊だろう。彼は果敢にも、前向きになろうと努力した。小説は軌道に乗り、「新たなハルマゲドン」たる第二次世界大戦の勃発は、奇妙にも「生の欲動」を呼び覚ました。だが作家としてのフィッツジェラルドには敗北感が漂う。彼は「従来からの読者」に甘んじるほかない。友人の作家ヘミングウェイのように、困難を突破する強靭な肉体も持ち合わせていない。この3ヶ月後、彼は心臓発作で息を引き取る。

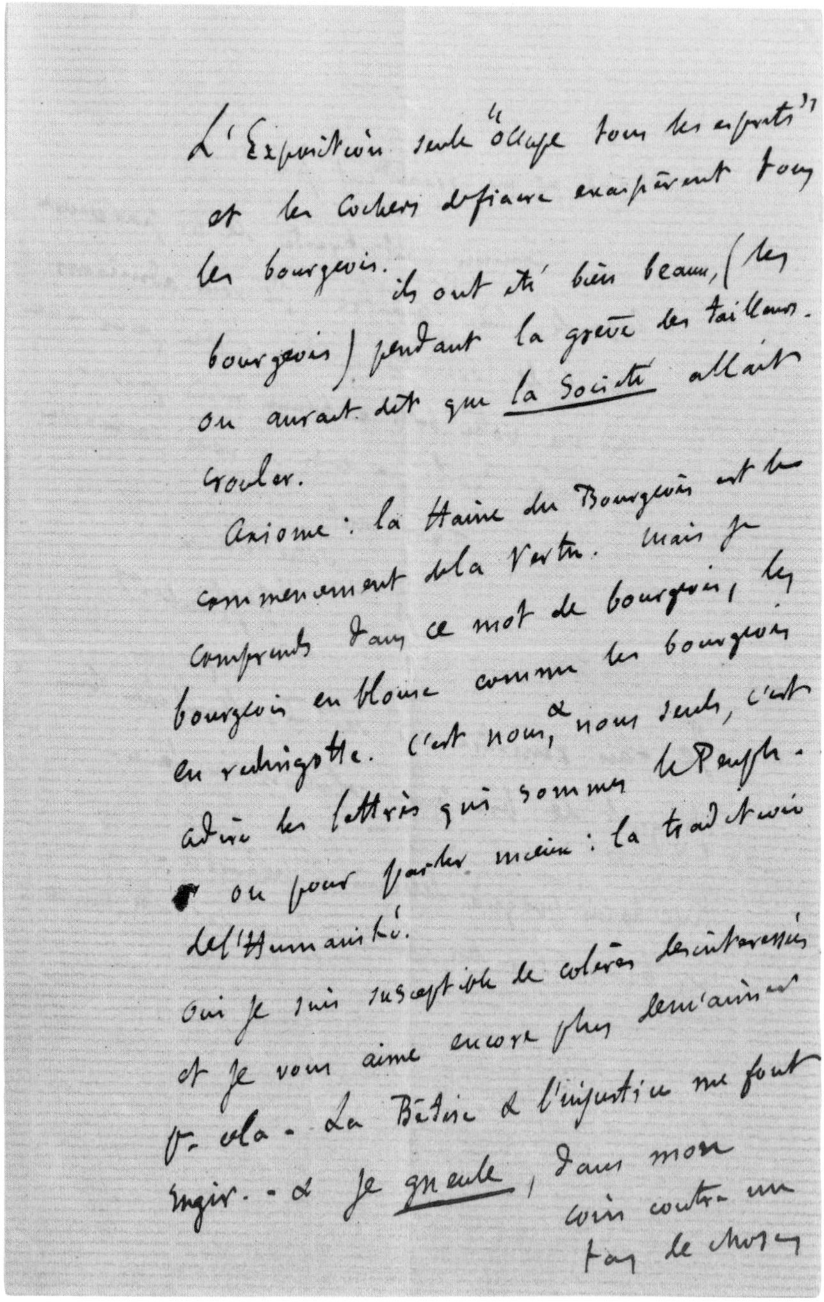

L'Exposition seule "occupe tous les esprits"
et les cochers de fiacre exaspèrent tous
les bourgeois.
ils ont été bien beaux, (les
bourgeois) pendant la grève des tailleurs.
on aurait dit que <u>la Société</u> allait
crouler.
Axiome : la Haine du Bourgeois est le
commencement de la Vertu. Mais je
comprends dans ce mot de bourgeois, les
bourgeois en blouse comme les bourgeois
en redingote. C'est nous, & nous seuls, c'est
à dire les lettrés qui sommes le Peuple.
ou pour parler mieux : la tradition
de l'Humanité.
Oui je suis susceptible de colères désintéressées
et je vous aime encore plus de m'aimer
p. cela. — La Bêtise & l'injustice me font
rugir. — & je <u>gueule</u>, dans mon
coin contre un
tas de choses

GUSTAVE FLAUBERT
MAY 1867

ギュスターヴ・フローベール（1821-1880）から ジョルジュ・サンドへ

1867年5月17日

Writers' Letters

次の月曜日、母のもとに帰ります、愛しい先生。それまでにあなたにお会いできる望みはほとんどありません！

でも、あなたがパリにいらっしゃるとき、クロワッセまで足を延ばさない理由がありますか。そこでは皆があなたを熱愛しています、私も含めて！（……）人々はもう戦争の話をしなくなりました、もう何の話もしません。博覧会だけが「すべての人々の関心事」であり、ブルジョワは皆、辻馬車の御者に苛立っています。

仕立屋のストライキの間、奴ら（ブルジョワども）は見事でした。まるで「社会」が今にも崩壊するかのような有り様でした。

格言。ブルジョワへの憎悪は美徳の始まり。私はこの「ブルジョワ」という語に、フロックコートを着たブルジョワと同じく、労働服を着たブルジョワも含めます。「民衆」であるのは、より正確に話すならば、「人類」の伝統であるのは、私たち、私たちだけ、つまり文学者だけなのです。

おっしゃる通り、私は無私の怒りを抱くことができます。そのことであなたが私を愛してくれるがゆえに、私はあなたをいっそう愛します。愚かさと不正に私は叫び声を上げます。私は自分の部屋に閉じこもったまま、たくさんの「私には関係のない」ことに対して怒鳴っているのです。

一緒に暮らすことができないのは、何て悲しいのでしょう、愛しい先生！お知り合いになる前、私はあなたに敬服していました。あなたの善良で美しいお顔を見た日から、私はあなたを愛しています。そういうことです。あなたを強く抱きしめます。

あなたの年老いた
G. F.

ギュスターヴ・フローベールがジョルジュ・サンド（本名アマンティーヌ＝リュシル＝オーロール・デュパン（p.59））と1857年4月に出会ったとき、彼はまだ第1作『ボヴァリー夫人』を刊行したばかりだった。サンドはすでに30作以上の小説を発表していて、当時最も成功した作家の一人だった。彼女は男装することでも有名だった（女性の男装には正式には警察の許可が必要だった）。また、数々の恋愛関係、とりわけ、作家のアルフレッド・ド・ミュッセやプロスペール・メリメ、作曲家のフレデリック・ショパンとの関係でも知られていた。しかし、サンドも今や50歳代を迎え、平穏な生活を送っていた。彼女が得意としたロマンチックな小説は、フローベールの小説のヒロインであるエンマ・ボヴァリーが身を誤らせるきっかけとなった小説と同類のものである。しかしそれにもかかわらず、二人の小説家は親しく交友を続けた。二人はパリの文学者の夕食会で顔を合わせ、定期的に手紙も交わした。年下のフローベールはサンドのことを愛情をこめて「先生」と呼んだ。

1867年の万国博覧会はパリで開催された二度目の国際博覧会であり、約5万の出品者と数々の新発明を呼び物にしていた。前回の手紙では、フローベールはサンドに向かって、「博覧会に二度行きました。圧倒的です。きらびやかで、とても珍しいものが、展示されています」と報告していた。しかし、2週間後には、中流階級の連中が万博の話ばかりするのにうんざりするようになっていた。「ブルジョワへの憎悪は美徳の始まり」とフローベールは毒突くが、こうして育まれた「無私の怒り」は小説執筆の原動力となった。

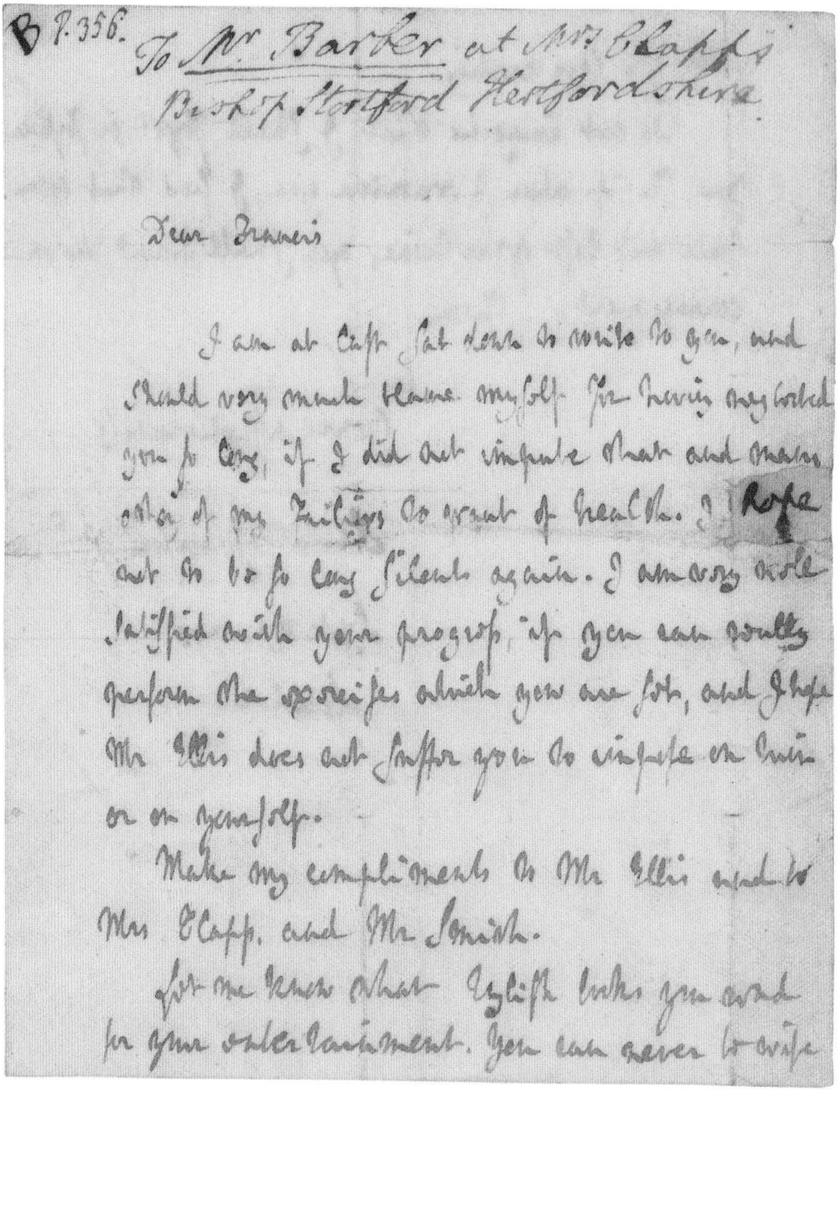
B P.356. To Mr. Barber at Mrs. Clapp's
Bishop Stortford Hertfordshire.

Dear Francis

I am at last sat down to write to you, and should very much blame myself for having neglected you so long, if I did not impute that and many other of my failings to want of health. I hope not to be so long silent again. I am very well satisfied with your progress, if you can really perform the exercises which you are set, and I hope Mr Ellis does not suffer you to impose on him or on yourself.

Make my compliments to Mr Ellis and to Mrs Clapp, and Mr Smith.

Let me know what English books you read for your entertainment. You can never be wise

SAMUEL JOHNSON
SEP 1770

サミュエル・ジョンソン（1709-1784）から フランシス・バーバー

1770年9月25日

Writers' Letters

親愛なるフランシス

ようやく今腰を下ろして君に手紙を書いている。こうも長らく無沙汰にして、大変申し訳なく思うべきではあるが、健康上の理由から、私は手紙やその他多くのことを控えていたのだよ。もうこんな風に長く音信不通にはしないつもりだ。君が与えられた課題を本当に達成できれば、その進歩に私は心から満足できると思う。同時に、君がエリス氏を、もしくは君自身を欺くのを、エリス氏が容赦しないようにと願っている。(……)

余暇の時間にはどんな本を読むのか知らせておくれ。読書好きにならなければ賢くなれないよ。

私が君を忘れるとか見捨てるなどと考えてはいけない。私が君に試験を課して、君が時間を無駄にしなかったのだとわかった暁には、激励の言葉をふんだんにかけてあげるから。

心をこめて
サム・ジョンソン

ジャマイカ出身のフランシス・バーバーは、プランテーションの奴隷に生まれついた。彼が7歳のときに、プランテーション経営に失敗した主のリチャード・バサースト大佐は、彼を連れてイングランドに戻った。1754年に大佐が亡くなると、バーバーは自由の身分にしてもらえた。そして大佐の息子のリチャード・バサースト博士を通じて、18世紀文学界の巨匠サミュエル・ジョンソン博士の騒がしいロンドンの家で働くことになった。その2年前に妻テティを亡くして寡（やもめ）となっていたジョンソンは、（1755年に出版されることになる）『英語辞典』に日夜取り組んでいた。

奴隷制度廃止運動の最初の高まりよりも何十年も前から、バサースト博士とジョンソン博士は奴隷制に断固反対していたので、ジョンソンはバーバーを召使ではなく、付き添いというか養子同然に遇した。頭の固い友人たちは、バーバーに小間使いのような仕事をさせないジョンソンの姿勢に困惑した（「ディオゲネス*本人も、召使をそれほど必要としていなかった」と、ある人は記した）。例えば、ジョンソンが愛猫ホッジのために牡蠣を買いに自ら魚市場に出かけると言い出したときも、バーバーを「四足動物の用事のために雇って」いるわけではない、と主張したのだった。

1767年、ジョンソンは22歳のバーバーを聖職者ウィリアム・エリスが運営するビショップス・ストラトフォード校に預けた。バーバーは場違いな思いを味わったことだろう。クラスメイトよりもかなり年上だったし、学校では唯一の黒人生徒だったに違いない。だが、彼に対するジョンソンの愛情——と大いなる期待——はこの手紙で明らかだ。「読書好きにならなければ賢くなれないよ。私が君を忘れるとか見捨てるなどと考えてはいけない。」

バーバーはロンドンに戻り、1773年にエリザベス・ホールと結婚した。5人の子どもが生まれ、しばらくの間、一家全員でジョンソン家に住んでいた（その他の同居人に、もぐりの医者や現役を退いた売春婦もいた）。ジョンソンが1784年に他界したとき、筆頭相続人はバーバーであった。

* 訳注：古代ギリシャの哲学者。犬のような生活をし、召使も逃げ出したという有名なエピソードを連想しての言及か。

71, RUE DU CARDINAL LEMOINE, Ve

Paris V

Dear Miss Weaver: Apparently we were both alarmed and then relieved for different reasons. I can only repeat that I am glad it is not any trouble of yours and as for myself having been asked what I have to say why sentence of death should not be passed upon me I should like to rectify a few mistakes.

A nice collection could be made of legends about me. Here are some. My family in Dublin believe that I enriched myself in Switzerland during the war by espionage work for one or both combatants. Triestines, seeing me emerge from my relative's house occupied by my furniture for about twenty minutes every day and walk to the same point, the G.P.O. and back (I was writing Nausikaa and The Oxen of the Sun in a dreadful atmosphere) circulated the rumour, now firmly believed, that I am a cocaine victim. The general rumour in Dublin was (till the prospectus of Ulysses stopped it) that I could write no more, had broken down and was dying in New York. A man from Liverpool told me he had heard that I was the owner of several cinema theatres all over Switzerland. In America there appear to have been two versions: one that I was

JAMES JOYCE
JUN 1921

Writers' Letters

ジェイムズ・ジョイス（1882-1941）から
ハリエット・ショウ・ウィーヴァーへ

1921年6月24日

親愛なるミス・ウィーヴァー――

どうやら僕たちはともに、違う理由で驚き、そして安堵したようですね。（……）

僕の伝説の品ぞろえは、なかなかのものになりそうですよ。いくつか挙げてみましょう。ダブリンにいる僕の家族は、戦時中僕がスパイ行為をしてスイスで金持ちになったと信じています。（……）トリエステの住民は、僕が家具を置いている親戚の家から出てきては、毎日20分ほど、いつもきまって中央郵便局まで歩いて往復するのを見ていて、（……）僕がコカイン中毒だという噂を流し、今や本当にそうだと信じているのです。ダブリンで広まっていた噂（『ユリシーズ』の内容見本が出ておさまりましたけど）は、僕がもう書けなくなっていて、精神的に行き詰まり、ニューヨークで死にかけている、というものでした。（……）今頃は、不治のアルコール依存症だという評判になっているんじゃないでしょうか。（……）

ルーイス氏とマッコルマン氏があなたに話したことは、確かに正しいのですけど、同時に、あなたは彼らの言葉を誤解なさっているのかも、とも思っています。ご指摘の「度が過ぎる」ことに、僕はあなたやルーイス氏と同じようには重きをおいてないようなんですよね。とはいえたぶん、お二人が正しいのでしょう。（……）

何であれポーズは嫌いですから、神経の緊張と弛緩とか、原因は禁欲主義で結果が「度が過ぎる」云々と、大仰にしたためることなどできなかったのです。僕が猛烈に無分別である証拠を、あなたはすでに一つ握っておられます。では今度は、僕の無知ぶりを示す例を挙げましょう。ここ数年、僕は文学作品を読んでいません。頭の中は、ほとんどあらゆるところで拾い集めた小石とごみ、折れたマッチ、ガラスの破片などでいっぱいなのです。18の異なる視点とそれと同じだけの異なる文体で本を書くという、同業者たちは知らないらしい、というか未発見らしいやり方をとる中で、技術的に自分に課した仕事や、選んだ伝説の特質は、どんな人の心のバランスをも崩すのに充分でしょう。（……）

ハリエット・ショウ・ウィーヴァーは、画家兼小説家のウインダム・ルーイスと作家ロバート・マッコルマンから、ジェイムズ・ジョイスが彼らとともに一晩中飲み明かし、その勘定を支払うと言って譲らなかった、との話を聞いて当惑した。彼女は、ジョイスが『ユリシーズ』に取り組んでいる間ずっと支援してきたのだ。**1921**年**6**月、ジョイスは長年にわたる寛大なパトロンから叱責の手紙を受け取った。

ルーイスが物事をややこしくした可能性はあるが、ジョイスを品行方正だと言う人はいなかったはずだ。ともあれ、彼はこの告発を完全に否定しようとはせず、世間に流布しているらしい自分の「伝説」を並べ立て、その後当惑気味に、ルーイスとショウは「正しい」と認める。まことに名演技だ。自己正当化であると同時に自虐的でもあり、相手の神経を逆なでするようでいて、心を和ます滑稽さもある。『ユリシーズ』のせいで、ずっと「バランスを崩している」のだと弁解してもいる。多数の視点を取り入れたこの作品は、事実というものの本質に異議を唱えている。まさにそれは、小規模ながら彼がこの手紙でやっていることだ。

Manuel,

vamos a conversar.Es la hora en que yo miro caer la tarde;pe-
ro te miraré a ti,como se mira un cielo profundo i dulcisimo.

Son las seis;acaba de irse tu primo,don Custodio.Estuvo desde
las dos,con su hija.Conversamos mucho.Alguien le mostró unas manchas,i él
habló de ti.Aproveché para preguntarle si te hallaba enfermo i de eso pa-
só él a otro cosa,i a otras,i a otras,hasta caer en tu estado de ánimo i
tu situación espiritual i sus causas.Te justificó plenamente,i su hija tam
bien.Habló ella de la vida triste que te habia visto hacer en setiembre.Te
vi,a través de su palabra,que dejaba caer descuidadamente,dar de comer a
las palomas.En cada detalle te reconocia la dulzura,la del hombre bueno,ma-
yor que tu misma inmensa dulzura de poeta.Tu primo dijo por ahi:-Si,pues,
un alma necesita sentir la palpitación de otra alma(aleteo,fué su palabra)
aunque sea a través de un muro,i yo senti que hai algo de eso en nosotros
El muro es espeso i terco;es el mundo,son las costumbres,es lo fatal que tú
sabes.Dijo ella por ahi,al hablar de que eran imprudentes contigo,lo de una
carta para ti que habian abierto .Pensé en la mia perdida.Es mui necesario
que tú te prevengas,que lo hagas por ti i por mi.Talvez eres descuidado
por exceso de seguridad.Comprendo i justifico:yo haria lo mismo;talvez ha-
ria mucho más.Te repito que es preciso que veles mucho por esto.

Hai un derramamiento de brasas hacia el poniente;es una tarde dema-
siado ardiente.Yo estoi cansada.Conversar me cansa más que trabajar fisi-
camente,porque hasta en la conversación sencilla pongo demasiada vehemencia
i porque una emoción me quiebra como el levantar una montaña.Además,ha he-
cho calor.Como a ti me daña el calor.Tengo algo al corazón i me ahogan es-
tas siestas de aire espesas ~~de aire~~,densas como un humo,embotan un poco.Uno de mis
temores de Buenos Aires es el clima.

He pasado con el ánimo distinto hace tres dias;reaccioné con una vi-
sita a la Cárcel,un matadero humano,una cosa no para contada sino para
vista.Una enfermeria en la que los presos se pudren entre un hedor de cua-
dra;cinco meses sin remedios i sin médico ~~los presos~~;unos rostros de pesa-
dilla,Manuel.La colonia española ha reunido fondos para darles una enferme-
ria humana.Me pidieron que los acompañara.I ese horror me hizo bien.Senti
en la cara arderme la verguenza de toda la ciudad que tiene semejante putre
facción en su seno.He salido a la calle estos dias,porque me dieron lo de
la adquisicion de la ropa (están desnudos en el lecho),lo delas camas etc.
Cura Manuel,mirar el dolor verdadero i horrible de otras vidas;mira una a
la propia,compara i da gracias a Dios,i después ve el cielo más hermoso i,
sobre todo,sale de si misma i se pone a vivir en la vida de los otros.La
noche antes habia estado en la Casa del Pueblo,para hablar a los obre-
ros.Les hablé contra el odio,i horas después,en la Cárcel,lo justificaba.Voi
a hacer algo antes de irme de aqui,en el Dispensario,en el presidio i en la
Casa del Pueblo.Si en la última me dejan,porque me hallaron reaccionaria...
Te cuento,como ves,mis dias.

Ahora el cielo está amoratado i rojo:es el color de la violencia,del
odio trenzado con la amargura;parece que estuviera ~~a~~ aquella parte estendido
el dolor de todo el pueblo infeliz.

De los presos enfermos que nos repartimos,tomé uno,un tal Parra,un
tisicoEl médico dice que no se salva.A ver.Va a tener aire pleno,por prime
ra vez;se van a abrir grandes ventanas con barrotes en lo alto.Va a ver el

cielo.

:no

Writers' Letters

GABRIELA MISTRAL
FEB 1921

ガブリエラ・ミストラル（1889-1957）から マヌエル・マガジャネス＝モウレへ

1921年2月8日

マヌエルへ、　話をしましょう。いまは日が沈むのが見える時間、だけどあなたの方を見ることにします、深くこれ以上ないほど優しい空を人が眺めるように。

6時、あなたの従兄弟が帰ったところです。(……)話の端々から、あなたの果てしなく優しい詩よりなお素晴らしい、人としてのあなたの優しさを垣間見ました。(……)

落日に向かって燠がこぼれ落ちています。あまりに暑い午後です。語ることが肉体労働よりも疲れるのは、簡単な会話にさえ私は熱くなりすぎてしまい、一つの感情が山を持ち上げるように私に割って入るからです。(……)胸に何か引っかかって、どろりとした空気の、煙のように濃い午睡が私を圧迫し、少し鈍らされています。(……)

3日ほどおかしな精神状態にいました。刑務所を、人を殺した人を、語るためでなく見るための所を訪ねた影響です。医務室で、囚人たちが厩舎のような悪臭のなかで腐り、5ヶ月間薬も医者もなく、悪夢の様でした、マヌエル。(……)胸の内にこのような腐敗した暴力集団を抱える町全体への羞恥で顔が焼けつくのを感じました。ここ数日街へ出たのは、服を調達し(彼らは裸で寝床にいたのです)布団などを買いたかったからです。治療です、マヌエル、他の生けるものたちの真の痛みと恐ろしさを見ることは。誰かの苦しみを自分のこととらえて比較し、神に感謝する、そうしてからより美しい空を見て、何よりも、自分の殻から抜け出して全く別の命を生き始める。(……)

いま空は青紫と赤、それは暴力の色、悲嘆とともに編み込まれた憎悪の色、その部分に向かってこの不幸な村のすべての痛みが広げられているかのようです。(……)

誰かが来ました。またね、マヌエル。午後は死に絶え、私とあなたのあいだに広がる平原にも丘にも全体に影が落ちました。影をつたって私のところまでやって来るか、果までとどくその視線によって靄を晴らして私と向き合ってください。でも今夜は一人にはならないで。

静かで果てない愛情をこめて。

1914年、チリの教師ルシラ・ゴドイ＝アルカジャガがガブリエラ・ミストラルという(イタリアの詩人ガブリエーレ・ダンヌンツィオとフランスの詩人フレデリック・ミストラルを讃えた)ペンネームで書いた『死のソネット』が、フエゴス・フロラーレス賞を受賞した。初恋の人の自殺に呼応したこの詩は、彼女の名——というより彼女のペンネームを世に知らしめた。

当時の審査員の一人が、詩人で脚本家、芸術家のマヌエル・マガジャネス＝モウレだった。彼とミストラルはしばしば手紙を交わした。**1921**年、彼女は女学校で教鞭をとるテムコから彼に手紙を書く。彼女は自然、精神性、社会的正義などのテーマに触れながら、モウレの従兄弟の訪問や自分が刑務所を訪問したことを書く。既婚者のモウレとの関係は判然としない。彼らが手紙を隠しているので、恋愛関係であったかは不明だ(後の文章によると、ミストラルはむしろ女性に魅力を感じていたようである)。

ミストラルは**1922**年に初の詩集『荒廃』を出版した後、外交官、大学講師、人権運動家として遍歴の生活に入り、キューバからニースへ、メキシコからニューヨークへ渡り歩いた。彼女は長く帰国しなかったが、文学的な名声が高まるにつれて祖国の英雄となった。**1945**年、彼女はラテンアメリカの作家として初めてノーベル文学賞を受賞した。

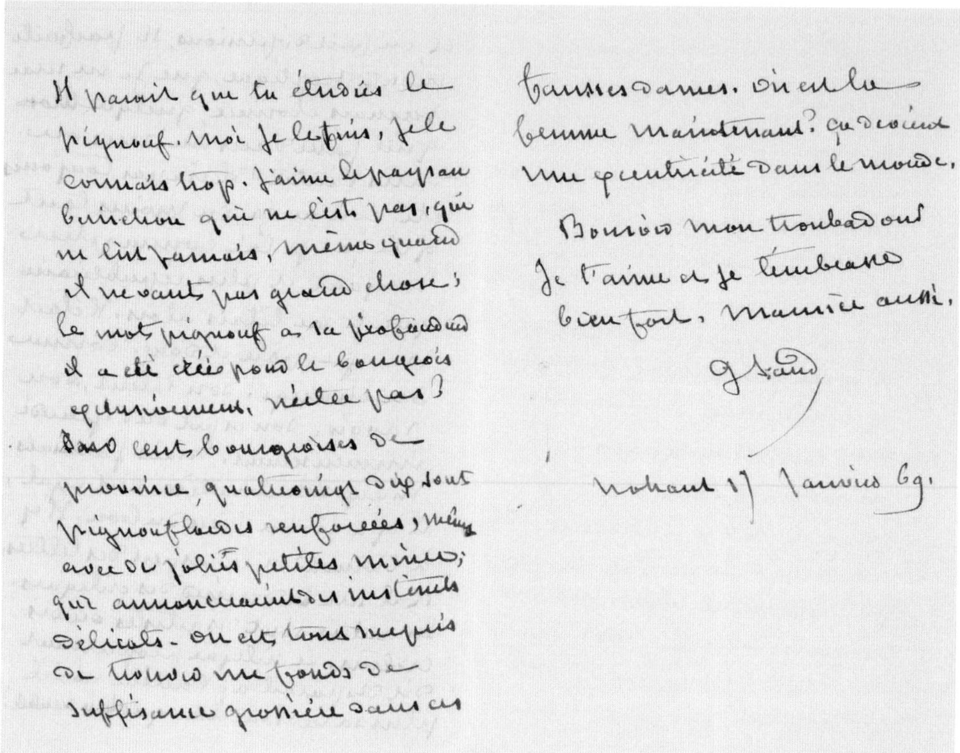
Il paraît que tu étudies le pignouf. Moi je le fuis, je le connais trop. J'aime le paysan berrichon qui ne lit pas, qui ne lit jamais, même quand il ne vaut pas grand chose; le mot pignouf a sa profondeur il a été créé pour le bourgeois exclusivement, n'est-ce pas? Sur cent bourgeoises de province, quatrevingt dix sont pignouflardes renforcées, même avec de jolies petites mines, qui annonceraient des instincts délicats. On est tout surpris de trouver un fonds de suffisance grossière dans ces fausses dames. Où est la femme maintenant? ça devient une excentricité dans le monde.

Bonsoir mon troubadour je t'aime et je t'embrasse bien fort. Maurice aussi.

G Sand

Nohant 17 janvier 69.

ジョルジュ・サンド（1804-1876）から ギュスターヴ・フローベールへ

1869年1月17日

Writers' Letters

（……）G・サンドという名の人は元気です。ベリー地方の美しい冬を心ゆくまで楽しみ、花々を摘み、植物学的な異常を書きとめ、義理の娘のワンピースとコートや操り人形の衣装を縫い、舞台装置を切り抜き、人形に服を着せ、譜面を読んでいます。そして、小さなオーロールと時間を過ごしています。素晴らしい子です。世事（せじ）から離れて暮らす、この年老いた吟遊詩人ほど、心穏やかで幸せな人はいません。時折、月に向かってささやかな恋歌を歌うことがあっても、上手に歌えているかどうかを気にかけることもないのです。（……）いつもこんな風だったわけではありません。若気の至りで愚かな振る舞いをしたこともありました。しかし、悪事を働いたり、歪んだ情熱にとらわれたり、虚栄心のために生きたりすることはなかったので、幸いにも平穏な生活を送り、あらゆることを楽しむことができています。この平凡な人物は、あなたを心から愛することを喜びとしています。芸術に我を忘れて孤独の中に閉じこもり、現世のあらゆる快楽を軽蔑する、もう一人の年老いた吟遊詩人のことを、考えない日はありません（……）。私たちは世の中で最も異なる二人の労働者だと思います。でも、こんな風に愛し合っているのだから、すべてうまくいきます。同じ時間に相手のことを考えるのは、自分とは正反対の存在を必要としているからです。時々、自分ではないものに一体化することで、互いに補い合うのです。（……）

おやすみなさい、私の吟遊詩人。私はあなたを愛しています。そしてあなたを強く抱きしめます。（……）

G. サンド

1869年の新年、ジョルジュ・サンドの筆名（ひつめい）で知られるデュドヴァン男爵夫人が最初にしたことは、「大切な友人で大きな愛し子」であるギュスターヴ・フローベール（**p.51**）に、短い手紙を書くことだった。午前**1**時、孫娘のために「大きな人形の衣装一式を作るのに一晩を費やしてくたくただった」けれど、「あなたを抱擁せずに寝に行きたくない」と彼女は記している。

サンドはノアンにいた。アンドル県の絵本に出てくるような田舎の屋敷を、彼女は**10**代の頃に相続した。彼女はそこで、恋人のフレデリック・ショパンと**8**年間暮らし、大衆向けの小説を何冊も書き、同時代の独創的な芸術家たちを何人もてなした。招待客には、フランツ・リスト、ウジェーヌ・ドラクロワ、オノレ・ド・バルザック（**p.155**）、フローベールも含まれていた。しかし今はノアンは家族の憩いの場である。**2**週間後、フローベールに宛てたこの手紙で描かれているのは、男装や数々の恋愛関係でかつては有名だったサンドが、衣装を縫ったり、舞台装置を作ったり、同名の孫娘の「小さなオーロール」と楽しい時間を過ごしたりして、すっかりおばあちゃんらしい生活を送っている姿である。

しかし、「年老いた吟遊詩人」のフローベールが相手のときは、男性のペルソナを取り戻し、「若気の至りで愚かな振る舞いをした」頃のことに思いを馳せる。自分とフローベールは小説家としては「世の中で最も異なる二人」であることを彼女ははっきりと認めている。しかし、矛盾しているようで当然のことなのだが、だからこそ二人は固い友情によって、「互いに補い合う」ような関係によって、結ばれているのである。

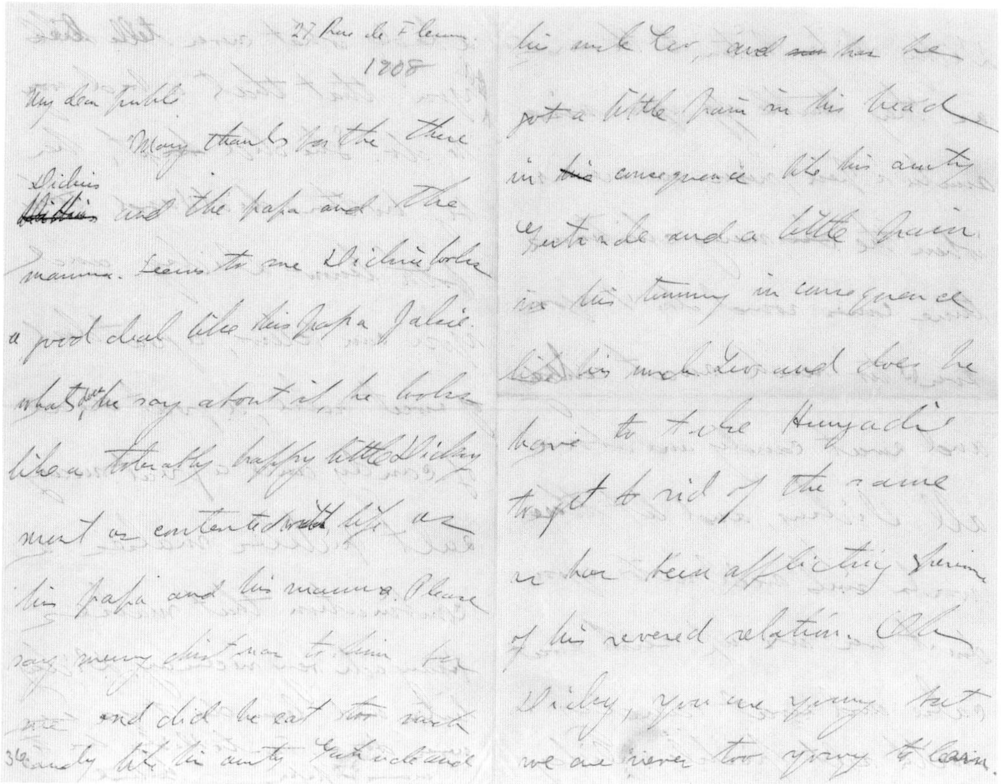

27 Rue de Fleurus
1908

My dear Gabble

Many thanks for the three ~~Dickies~~ Dickies and the papa and the mamma. Seems to me Dickie looks a good deal like his papa Jakie. What do they say about it, he looks like a tolerably happy little Dicky most as contented ~~with~~ life as his papa and his mamma. Please say many christmas to him for me and did he eat too much candy like his aunty Gertrude and his uncle Leo, and ~~so~~ has he got a little pain in his head in consequence like his aunty Gertrude and a little pain in his tummy in consequence like his uncle Leo and does he have to take Hunyadi to get to rid of the same as has been afflicting them of his revered relation. Oh Dicky, you are young but we are never too young to learn.

ガートルード・スタイン
(1874–1946)から
ホーテンス・モーゼスと息子ディッキーへ
1908年12月27日

Writers' Letters

親愛なるみなさま　3枚のディッキーと、パパとママの写真、ありがとうございました。ディッキーは、ジャッキー・パパにそっくりね。これを聞いたら本人はどう言うかしら。写真のディッキー坊や、とってもご機嫌みたい。パパやママもね。坊やにメリー・クリスマスって伝えてくださいね、それで、坊やはキャンディが大好きなのかしら、ガートルードおばさんやレオおじさんみたいに、それで食べ過ぎて頭が痛くなったり、おなかをこわしたりするのかしら、レオおじさんみたいに(……)ディッキー坊や、あなたはまだ小さいけれど、学びはじめるのは早ければ早いほど、よいのです。ディッキー、ディッキー、賢いおばさんのペンの先から次々にころがり出る言葉に耳を傾けて、クリスマスがやってきたら、甘いケーキと甘いキャンディを食べすぎちゃだめよ、そしてなによりもね、ディッキー、このことをよくよく覚えておいて、甘いケーキと甘いキャンディは、しょっぱいピクルスと一緒に食べてはだめ、絶対にね。ディッキー坊や、それは悪い食べ合わせなの、絶対に嘘をつかないおばさんが言うことだから本当よ。おばさんはやっちゃったの、おばさんのお兄さんもね、だから知っているのよ、ディッキー坊や、本当に、いっぱいケーキを食べて、いっぱいキャンディーを食べて、いっぱいピクルスを食べちゃったら、フニャディの水を探すことになるわけ(……)ディッキー坊や、嘘じゃないのよ、これは絶対やっちゃだめなのよ(……)

ガートルード・スタインは兄レオのいるパリに渡り、モンパルナスのアパートで共同生活を始めた。堅苦しい地方都市のボルティモアを飛び出したガートルードは思いのままに、同性愛者としてのセクシュアリティと冒険的な文学活動を謳歌した。レオは精力的に現代美術の作品を収集し、若いスペインの画家パブロ・ピカソをはじめとする芸術家たちと交友を深めた。ガートルードは毎週サロンを主催し、ピカソの活躍を後押しした。1905年、ピカソはスタインの肖像画に着手した。褐色のドレスに身を包み、両性具有の仮面を思わせる暗い顔をしたスタインが、片肘をまげて少し前傾姿勢をとっている。前衛芸術の伝播に大きな影響力を発揮した彼女の先見性が感じられる。だが実生活では、ボルティモアの友人へ宛てたこの手紙からうかがえるように、スタインは温かい心の持ち主で、おどけた一面もあり、肖像画のイメージとはかなり違う。

ホーテンス・グッゲンハイムは、1903年にジェイコブ(ジャッキー)・モーゼス判事と結婚し、ディッキーという幼い子どもがいた。彼女は1908年のクリスマスに、家族の写真をスタインに送っている。その中にディッキーの写真が3枚、含まれていた。スタインの礼状の書きぶりは、彼女がそのころ取り組んでいた、意識の流れの技法を思わせる。「ディッキー、ディッキー、賢いおばさんのペンの先から次々にころがり出る言葉に耳を傾けて(……)甘いケーキと甘いキャンディは、しょっぱいピクルスと一緒に食べてはだめ、絶対にね。」このスピード感のある殴り書きのような文章を幼い息子に読み聞かせているホーテンスの様子が、スタインには想像できたに違いない。前衛芸術の偉大なるテーマを実践的に駆使するガートルードおばさんの名人芸。成人した芸術家が、無邪気な幼児の意識の流れを実演するその腕前に、ホーテンスは笑みを漏らしただろう。手紙に書かれているフニャディ・ヤーノシュのミネラルウォーターは、便秘や「食生活の乱れに起因する不調」に効果ありとうたわれた商品である。

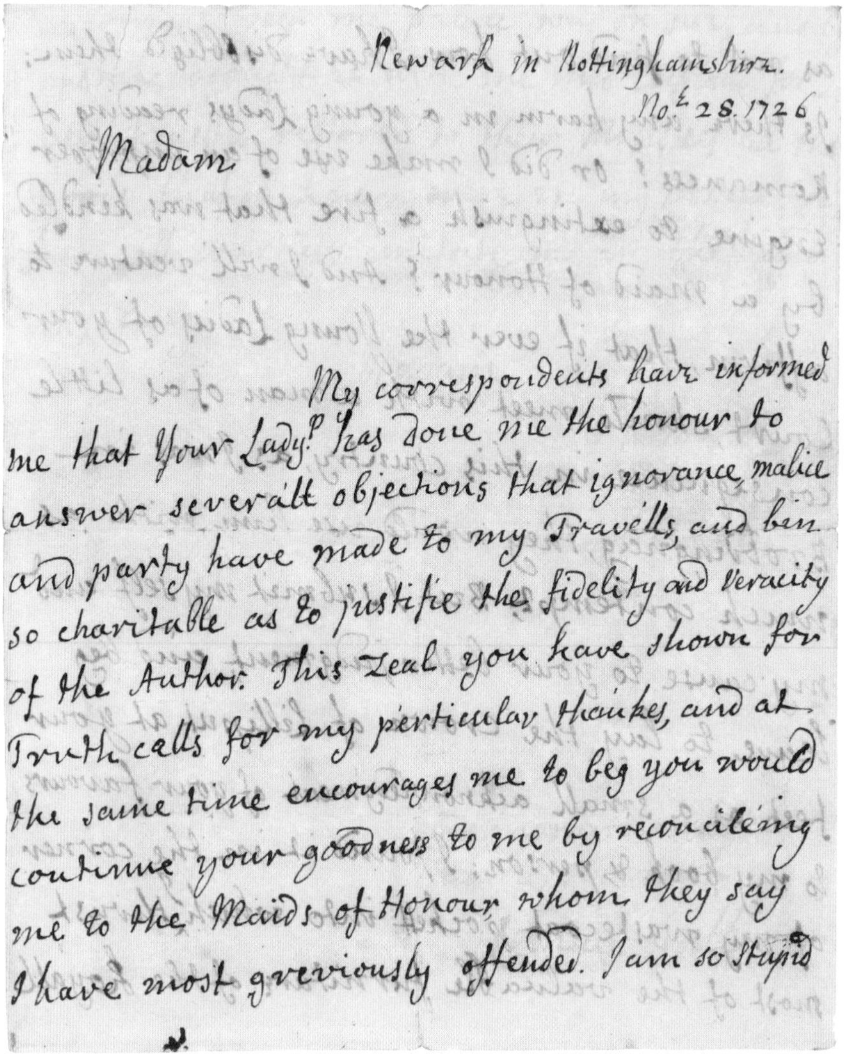

Newark in Nottinghamshire.
Nor 28. 1726

Madam

My correspondents have informed
me that Your Ladyp has done me the honour to
answer severall objections that ignorance, malice
and party have made to my Travells, and bin
so charitable as to justifie the fidelity and veracity
of the Author. This Zeal you have shown for
Truth calls for my perticular thankes, and at
the same time encourages me to beg you would
continue your goodness to me by reconcileing
me to the Maids of Honour whom they say
I have most greviously offended. I am so Stupid

JONATHAN SWIFT
NOV 1726

ジョナサン・スウィフト（1667-1745）から ヘンリエッタ・ハワードへ

1726年11月28日

Writers' Letters

拝啓

私の文通相手からの情報によりますと、私の労作に対してなされた無知、悪意、敵意の発言に、奥方様はかたじけなくも異議をお唱えになった由、また慈悲深くもこの著者が誠実で真実を開陳していると保証くださった由。奥方様がお示しになったこの真実への情熱に、格別なる感謝の念が沸き上がりますとともに、私にひどくご立腹との噂の女官方との和睦に、引き続きのご尽力を賜りますようお願い申し上げる次第でございます。無知ゆえに、いかにして女官方のご不快を買いましたのか、とんと思い当たらないのであります。（……）しかし私は、この身と自らの言い分を奥方様のより良きご判断に委ね、お御足のもとにリリパットの王冠を置かせていただきお暇致します。私の本と人間性へのご厚意に対するささやかなお礼のしるしでございます。（……）

サフォーク伯爵夫人にして皇太子（後のジョージ2世）の愛人、そしてハノーヴァー宮廷を巧みに操るヘンリエッタ・ハワードは、芸術の保護者でもあり、賞賛し親しくなった作家に助力の手を差しのべることもあった。ジョナサン・スウィフトの傑作『ガリバー旅行記』が出版された1726年10月の時点では、彼女とスウィフトの間のゴシップに満ちた手紙のやりとりは、すでに数年続いていた。スウィフトは出版当初、著者の名を伏せたままにしようと思っていた。この本は、レミュエル・ガリバー船長が語るリリパット*1やブロブディングナグ*2などへの旅の実話という触れ込みだが、読者は疑念を抱いた。スウィフトは才気煥発で、しばしば手厳しく風刺することで広く知られており、『桶物語』（1704）などの作品で匿名を用いてきた実績があった。ハワードは、『ガリバー旅行記』を気に入った1人で、作者のトリックを見抜いていた。

この刊行翌月にハワードから届いた手紙には、『ガリバー旅行記』第4部に出てくる野蛮な人間に似た生き物ヤフーと超理性的な馬フウイヌムへの言及が、からかい交じりにさんざん連ねてあった。11月27日にスウィフトは、ハワードが言っている「不可解な」ことを理解するためにその本を1冊購入せねばならなかった、と返事をしてしらを切った。しかしその翌日に彼女に届いたこの手紙は、差出人の署名に「レミュエル・ガリバー」とあり、投函場所がこの人物の居住地ノッティンガムシャー、ニューアークなのも一目瞭然で、ガリバーらしい、追従的でピントがずれた文体で書かれていた。スウィフトならではのジョークで、ハワードが「慈悲深くもこの著者が誠実で真実を開陳していると保証くださった」ことに感謝を述べ、リリパット王国のものだとする玩具の小さな王冠を同封した。

ジョージ2世が戴冠したとき、スウィフトがハワードに期待していたのは愉快な手紙以上のものだったらしいと判明した。彼は聖パトリック大聖堂の主席司祭だったが、ダブリンでは不満で、他の土地の役職をハワードが斡旋してくれるだろうと望みをかけていた。その期待に彼女が応えなかったとき、スウィフトは辛辣になった。ハワードには「淑女、廷臣、寵臣にあると期待されるほどの美徳」しかないとスウィフトが述べて、二人の文通は途絶えた。

*1 訳注：『ガリバー旅行記』に登場する小人国の名前。　*2 訳注：巨人国の名前。

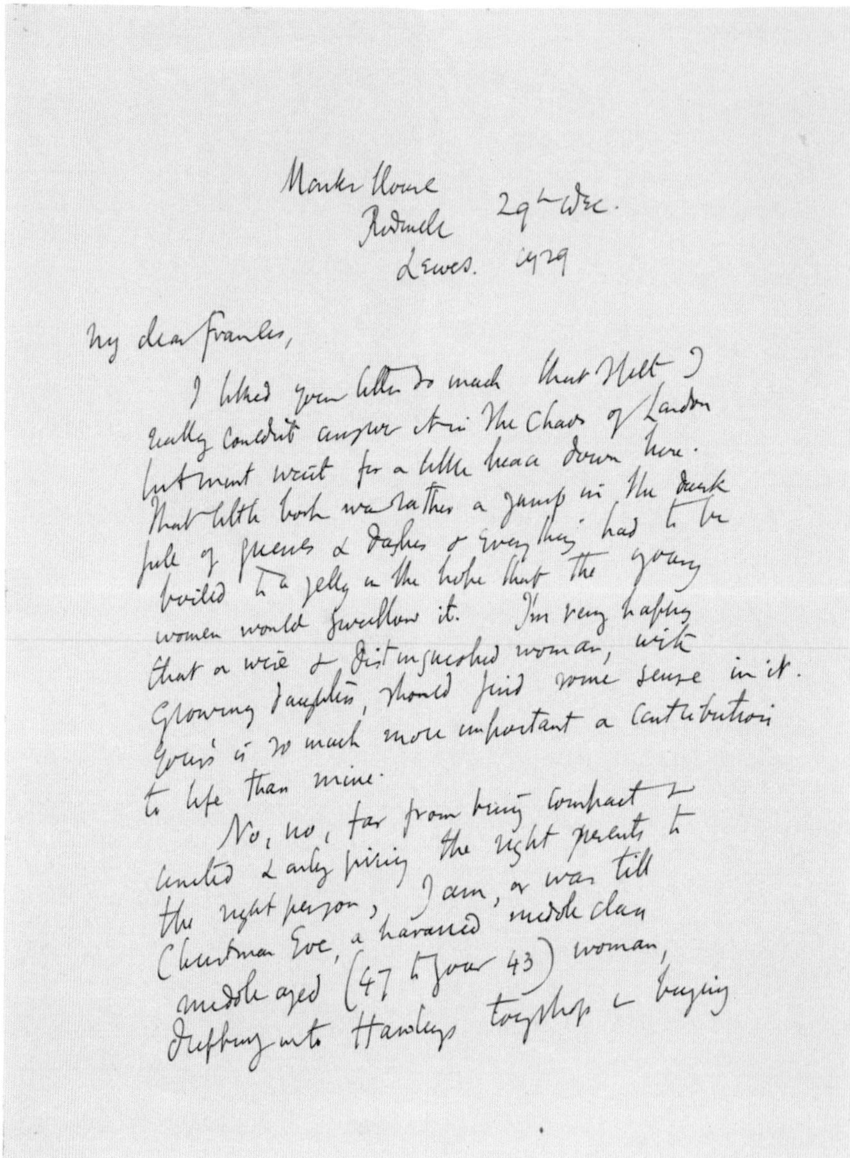

Monks House
Rodmell 29th Dec.
Lewes. 1929

My dear Frances,

I liked your letter so much that I felt I really couldn't answer it in the chaos of London but must wait for a little peace down here. That little book was rather a jump in the dark full of guesses & dashes & everything had to be boiled to a jelly in the hope that the young women would swallow it. I'm very happy that a wise & distinguished woman, with growing daughters, should find some sense in it. Yours is so much more important a contribution to life than mine.

No, no, far from being compact & limited & only giving the right presents to the right person, I am, or was till Christmas Eve, a harassed middle class middle aged (47 to your 43) woman, dropping into Hamleys toyshop & buying

VIRGINIA WOOLF DEC 1929

ヴァージニア・ウルフ（1882−1941）から フランシス・コーンフォードへ

1929年12月29日

Writers' Letters

フランシス様

あなたの手紙をとてもうれしく思ったので、ロンドンのカオスにいてはとてもじゃないけどお返事ができないだろうと、ささやかなここの平穏に落ち着くまで待たなければなりませんでした。拙著は、推測や勢いだらけの中でかなり飛躍があり、若い女性たちが丸飲みにしてくれるのを願って、すべてを煮詰めてゼリー菓子にしたものです。育ち盛りの娘さんたちと暮らす賢くて優れた女性が、ここに何らかの意味を感じてくださったのはうれしい限りです。あなたの方が私よりもずっと、命への貢献ではるかに重要な仕事をなさっています。

いえいえ、けっして簡潔でもなくまとまりがいいわけでもないのです。今の私は、というかクリスマスイヴまでの私は、しかるべき人にしかるべき贈り物をしようと悩み疲れた中産階級の中年女性（43のあなたに比べて、私はもう47です）で、玩具店ハムリーズをうろうろし、甥や姪に斑毛の馬を買って、そしたらその車輪が取れてしまい、またもやハムリーズに行って車輪をパットニーに送るよう頼まないといけない、というような、そんな有様なのです。こんなことを言うのも、あなたの詩的な感銘を正すためなのです。（……）

おそらく、あなたは詩をもっとお書きになるでしょう（……）そして私たちは、心の交流を続けることができます。私はあなたの詩が好きです――もっとたくさん書いていただきたいし、あるいは、お子さんたちが妨げになるのなら、散文はいかがですか？

ですが、ご存じの通り、私はあらゆる文を疑問符で終えています。これはどうとかあれはいかが、という具合に――ともあれ、あなたが私の本を気に入ってくださったというお手紙を拝読したときは、有頂天になりました。

いつもあなたの
ヴァージニア・ウルフ

ヴァージニア・ウルフは**1929**年**9**月に、評論『自分ひとりの部屋』を出版した。自作の小説『灯台へ』（**1927**）のチャールズ・タンズリー*の言葉「女には絵は描けません、女には文章も書けません」への反駁をする中で、英国の文化生活から女性を排除していた偏見やご法度を精査し、「女性が小説を書こうとするなら、お金と自分ひとりの部屋を持たなくてはならない」と結論づけた。

『自分ひとりの部屋』は、**20**世紀フェミニズムが生んだ優れたテクストの一つである。ウルフにとっては『灯台へ』の他、『ダロウェイ夫人』（**1925**）、『オーランドー』（**1928**）など、実り多き**10**年の最後を飾る作品だった。ところがウルフは、こうした自分の業績に対し、詩人フランシス・コーンフォードが送った称賛の手紙への返事の中で否定的な反応を見せている。コーンフォードは、ウルフ夫妻が経営するホガース・プレスが出版を担っていた著者の一人だった。「カオス」なロンドンのクリスマスからサセックスに戻ってほっとしたウルフは、自身の労作を、姪や甥への贈り物を探しに玩具店をうろついている「中産階級の中年女性」と表現した。ウルフは自身の社会的特権をわかっていなかった、という批判はしばしばある。しかし、コーンフォードの母親としての「命への貢献」の仕事は、自分の著作よりよほど重要だとするウルフの主張には、心からの謙遜がにじみ出ている。

＊訳注：『灯台へ』の登場人物。

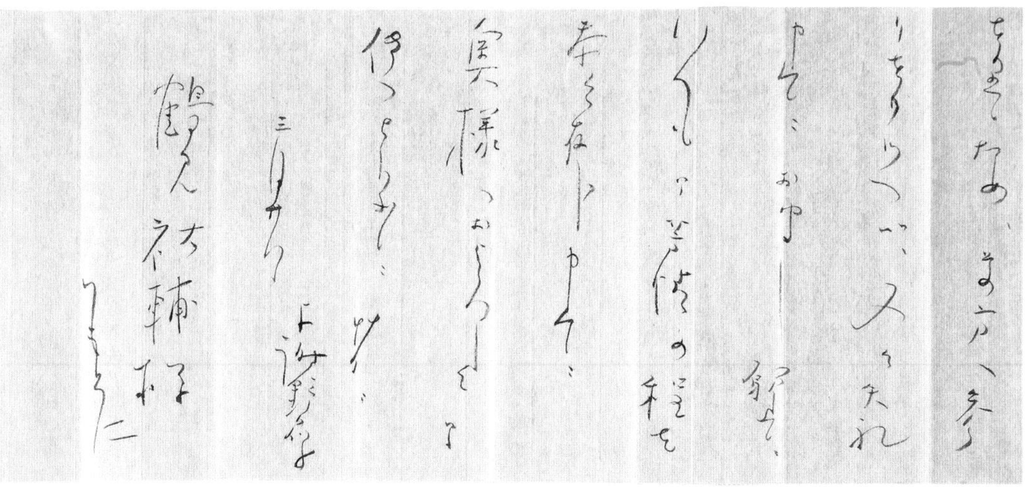

与謝野晶子（1878-1942）から鶴見祐輔へ

1927年3月28日

Writers' Letters

啓上(けいじょう)
忝(かたじけな)く奉存候(ぞんじたてまつりそうろう)。しかるに長
男が郊外にて病気致し
をり候ため、その方へ参
りをり候へば、又々失礼
申上候(もうしあげそうろう)。おゆるし願上候(ねがいあげそうろう)。
いつも御芳情の程を
忝く存じ申上候。
奥様へおよろしく御
伝へ被下度候(くだされたくそうろう)。艸々(そうそう)。
三月廿八日(にじゅうはち)
与謝野晶子
鶴見祐輔様
御(み)もとに

くずし字が読めるのでなければ（ちなみにくずし字は1900年以降日本の学校で教えられていない）、この手紙の優美な書体を見た人は、これは与謝野晶子の名を知らしめた恋歌のひとつでもあろうかと思うことだろう。実はこれは、東京の郊外に住んでいる長男光(ひかる)のところに行っていたので再び失礼してしまいましたとだけ記されている、どうということのない短箋である。元鉄道官僚で当時太平洋会議の日本代表を務めていた鶴見祐輔に対してどのような失礼があったのか、はっきりとしたことはわからない。何があったにせよrudenessと英訳するのはやや強すぎるのかもしれない。*1

与謝野晶子はそもそも人に詫びることで知られるような詩人ではなかった。厳格な家父長制を重んじる家庭に鳳(ほう)志やうとして生まれ、10代から詩歌の創作を手がけ、22歳のときに『みだれ髪』を世に出した。古典的な詩形式である三十一音の短歌を連ねて、自身の性への目覚め、そして詩人・編集者の与謝野鉄幹こと与謝野寛との恋愛をうたいあげた歌集である。『みだれ髪』刊行の年に鉄幹と結婚し、同年長男光を出産する。「クリスタルの子」を意味する「晶子」を自らのペンネームとした。

与謝野晶子の憚(はばか)ることのない性愛の賛歌は世間を大いに騒がすことになる。日本の伝統的な詩歌において、女性の身体は、おとなしさと従順さ、あるいは母性的なるものの理想形と結びつけられていた。そこに、晶子は、「乳ぶさおさへ（……）ここなる花の紅ぞ濃き」と、おのれの身体をさし出し、性愛関係に積極的に挑む自身の姿をうたいあげてみせたのである。

ふしませ*2とその間(ま)さがりし春の宵　衣桁(いこう)にかけし御袖(みそで)かつぎぬ*3

その後、晶子は20冊に及ぶ歌集を編み、11編の短編を残した。また3年の歳月を費やして、『源氏物語』の現代語訳を完成させた。その時期に、13人の子供のうちの7人目、8人目、9人目を出産している。1913年のパリ行きに際しては、自身の現代語訳を彫刻家のオーギュスト・ロダンに献呈したとされる。

晶子はその政治的な立ち位置をめぐってもさまざまな論議を巻き起こした人物である。1904-1905年の日露戦争では、初めておおやけに天皇を頂く体制への異議申し立てを行った詩人として名を馳せ、彼女の住む家は愛国者たちによる石投げの攻撃にさらされることになった。転じて後半生においては体制側になびき、軍の武勲を称える数々の詩を書いた。しかしこれらのすべてを含めて、与謝野晶子が近代日本文学の土台を築いた詩人の一人であり、フェミニズムの先駆的な存在であったことに変わりはないだろう。

*1 訳注：原書において英訳者は「失礼申上候」の「失礼」をrudenessと訳している。
*2 訳注：お休みなさい。　*3 訳注：（顔を）埋める。

CHAPTER3

THIS IS HISTORY

歴 史 の 証 人

Writers' Letters

その通り、私は急進的です

Yes I am radical

1st London General Hospital.
Camberwell, S.E.

Monday Nov. 8th 1915.

Most estimable, practical, unexceptional Adjutant,

I suppose I ought to congratulate you on the attainment of the position, even temporarily. But I don't know that I do. I suppose also I ought to thank you for your letter, since apparently one has to be grateful now-a-days for being allowed to know you are alive. But all the same, my first impulse was to tear that letter into small shreds, since it appeared to me very much like an epistolary expression of the Quiet Voice, only with indications of an even greater sense of personal infallibility than the Quiet Voice used to contain. My second impulse was to write an answer with a sting in it which would have

Writers' Letters

ヴェラ・ブリテン（1893-1970）から ローランド・レイトンへ

1915年11月8日

このうえなくご立派な、経験豊かで申し分なき副隊長殿

たとえ一時的とはいえ、昇進おめでとうと言うべきなのでしょう。だけど、実際言うかどうかは別。お手紙ありがとうとも言うべきなのでしょうね。当節は、生きてるよと知らせてもらえただけでもありがたいと思わないといけないようだから。だけど、同じく実際言うかどうかは別で、こんな手紙なんかビリビリに破いてしまえ、というのが私の最初の反応でした。（……）次の反応は、皮肉をこめた返事を書いてやろう、だった。（……）でもそんなこと、私にはできない。前線にいる人たちに対しては誰だって怒れない――それって有利よね、と、ときどき思うのだけど――だから、「明日、我々は塹壕に戻る」というくだりを読んだとき、あなたへの手紙としてふさわしいはずの文面を書く勇気は文字通り失せました。そんな仲たがいの手紙を手にした瞬間に、世界があなたの前で終わりを告げることになったら、と思ったのです。（……）

私は今の生活で、身体を動かして奉仕に勤しんでいる。そこで確かな、たいていは即時に得られる結果を、おそらくは満足されて当然の成果をあげている。でも、プラトンやホメロスで「時間を無駄にしていた」頃に感じていた、光や真実の近くにいるような感じは得られない。おそらく、いつか戦争が終わったら、その過去にも光と真実はあったと思うでしょう。でも現時点では、いくら私がいわゆる「世界を見ている」状態なんだとしても、見下されている古典の方が、世界の最上の部分を学ぶのにふさわしかったと思わずにはいられないのです。（……）

戦争は、肉体の命以外のものも殺します。だから、フランダースやフランスの塹壕の下に眠る肉体と同じように、あなたの個性も少しずつ確実に葬られつつある、と、ときどき感じてしまうのよ。でももうこの話題はやめます。どんな場合でも何の役にも立たないけど、やるとしたらおそらく泣くことぐらいで、それはいつもやっていること。だって、ここにいると個人的にも非個人的にも泣くべきことが多すぎて、四六時中涙を流しているみたいなものだけど、だからといってその涙だって、悲しみすべてを洗い流すには足りないのです。（……）

ヴェラ・ブリテンはオックスフォード大学での学業を中断し、志願看護師になった。婚約者のローランド・レイトンがフランス戦線の前線にいたのである。数日後、長らく音信不通だった彼から届いた手紙は、言い訳と退屈な陸軍内の話題ばかり。彼は副隊長代理に任じられたという。レイトンはいつ死んでもおかしくない――彼女は同情すべきところだ。だが、自制の効いた、ロマンスのかけらもない文面が「こんな手紙なんかビリビリに破いてしまえ」と思わせる。極限状態に必要なのは、自制心ではなくありのままの本心だ、と彼女は言いたいようだ。中傷と怒りをぶつけたからには、二人の間で遠距離恋愛ならぬ遠距離喧嘩が始まるのも間近だ。

だが**12**月**27**日、レイトンが狙撃兵に撃ち殺されたとの知らせが届く。ブリテンは、成就できなかったこの愛の事情を、**1933**年刊の自叙伝『若者たちの遺言書』*でよみがえらせることになる。

* 訳注：映画化され、日本では「戦場からのラブレター」のタイトルで**DVD**が発売された。

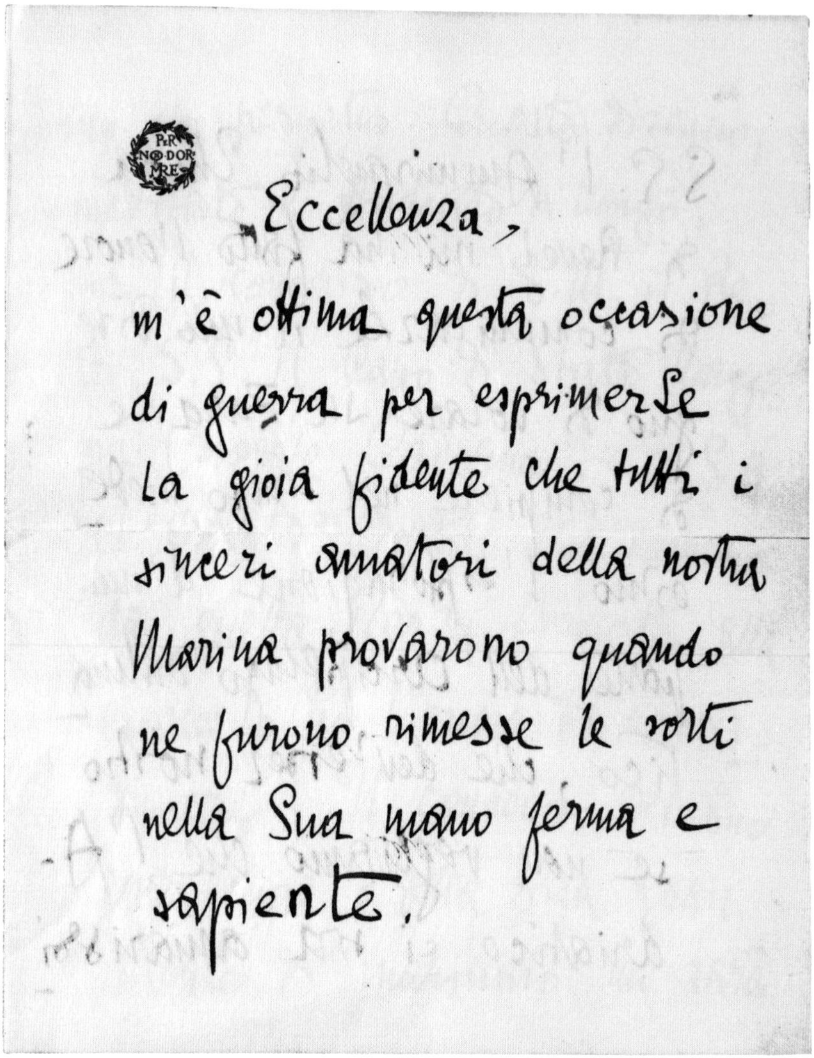

PER NON DORMIRE

Eccellenza,

m'è ottima questa occasione
di guerra per esprimerLe
la gioia fidente che tutti i
sinceri amatori della nostra
Marina provarono quando
ne furono rimesse le sorti
nella Sua mano ferma e
sapiente.

GABRIELE D'ANNUNZIO NOV 1915

ガブリエーレ・ダンヌンツィオ（1863–1938）から カミッロ・マリーア・コルシへ

1915年11月10日

Writers' Letters

閣下

この戦時に、運命が閣下の確かで賢明なる手に委ねられたことに、海軍の忠実なる親衛隊一同より心からのお慶びを申し上げます。

この度は、タオン・ディ・レヴェル海軍大将の貴重なご配慮により、私のザラへの飛行計画ならびに、アドリア海が永遠に苦水と化すことを我々が望まない限り、我らが領地であるはずのダルマチア諸島の部分的探索計画をお伝えするよう仰せつかりました。丹念に構想され準備を重ねた当計画には、国王殿下、カドルナ将軍閣下に加え、私が所属の名誉を預かっている第3軍を指揮するアオスタ公閣下のご賛同も賜っております。これに加え、閣下の広い御心と海軍の御支援をお寄せいただければ、私にとり（……）

詩人、小説家、劇作家、魅力あふれるショーマンであり、第一次世界大戦時には戦闘機の操縦桿も握ったガブリエーレ・ダンヌンツィオが、海軍大将カミッロ・マリーア・コルシに宛て、当時オーストリア（すなわち敵国）の支配下にあったクロアチアのザダル（ザラ）港上空への偵察飛行許可を求めて書いた手紙である。コルシはイタリア海軍の司令官とみられるが、ダンヌンツィオは計画に難色が示された場合に備え、コルシの同僚や上官がすでに賛意を呈した旨を明記している。この一見して実務的な手紙において、ダンヌンツィオは媚びと強気をともに示しつつ、飛行とウルトラナショナリズムという、その名を世に知らしめた二つのこだわりを垣間見せている。

作家としては早熟で、そのキャリアは16歳での処女詩集出版をもって開始し、その後、『罪なき者』をはじめとした小説群や、著名な女優である恋人エレオノーラ・ドゥーゼのために書かれた「フランチェスカ・ダ・リミニ」を含む数々の戯曲により、1900年頃に頂点に達した。並行して展開した政治活動は、国会議員に選出された1897年に開始している。しかし1910年には、負債がかさんだため、フランスへの逃亡を余儀なくされた。当地では、クロード・ドビュッシーやピエトロ・マスカーニ*1といった作曲家たちと交流を深めた。華麗なるロマンチシズムにより世紀末に確固たる地位を占める作家である。その他、動力飛行（航空パイオニアのウィルバー・ライトから手ほどきを受けた）や、分極政治といった面でもモダンの精神を育んだ。

第一次世界大戦が勃発した1914年にイタリアに帰国すると、海軍の飛行士として名乗りを挙げ、新時代の国家的英雄にその名を連ねる。この手紙で提案されたダルマチア奇襲に続く戦功のうちもっともよく知られるのは、1918年8月のウィーン上空飛行である。その際、イタリア語で「運命は鉄のごとく我々に向き直る」と書かれたプロパガンダ用のビラを5万部撒布した。ヴェルサイユ条約に反発してアドリア海の港湾都市フィウメのイタリア帰属を主張し、黒シャツ姿の突撃隊「アルディーティ」*2を伴ってフィウメに進軍した。そしてこの地で、ファシズムの先駆となる独裁制小国家を創設し、16ヶ月にわたって君臨した。ダンヌンツィオの虚栄に満ちたカリスマ性（その口癖は「構うものか」だった）、右翼ポピュリズム、「戦争がもたらした機会」を余さず掴み取る才はのちにベニート・ムッソリーニを触発し、近い轍へと導くこととなった。

*1 訳注：イタリアのオペラ作曲家、指揮者。 *2 訳注：第一次世界大戦中のイタリアの特別攻撃隊。

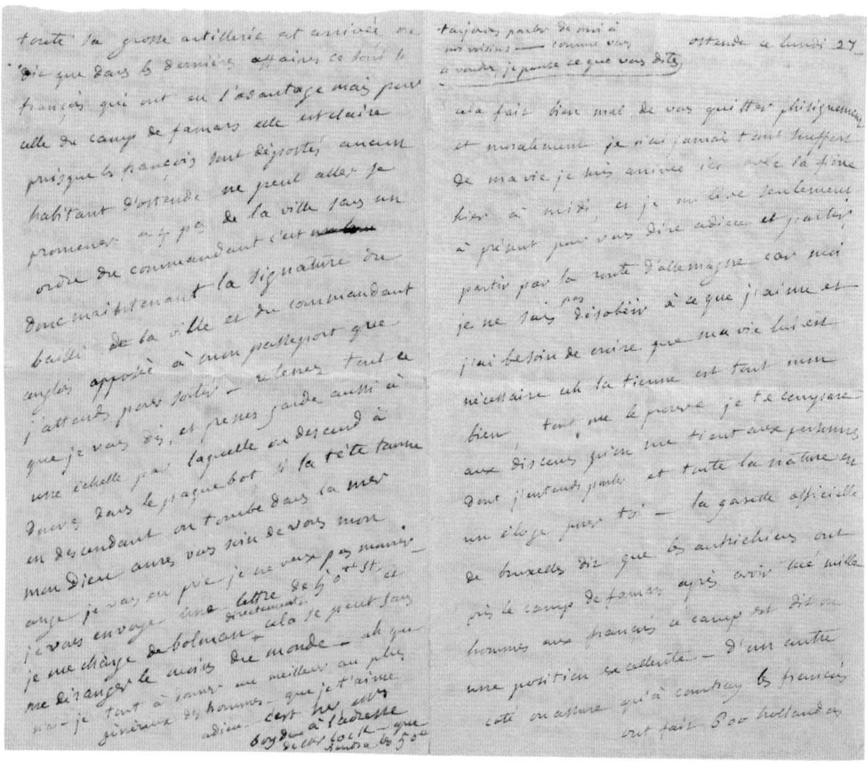

toujours parler de moi à nos voisins — comme vous le voulez, je pense ce que vous dites

ostende ce lundi 27

cela fait bien mal de vous quitter phisiquement et moralement je n'ai jamais tant souffert de ma vie je suis arrivée ici avec la fièvre hier à midi, et je me lève seulement à présent pour vous dire adieu et partir partir par la route d'allemagne car moi je ne sais pas désobéir à ce que j'aime et j'ai besoin de croire que ma vie lui est nécessaire ah la tienne est tout mon bien tout me le prouve je te conjure aux discours qu'on me tient aux personnes dont j'entends parler et toute la nature est un éloge pour toi — la gazette officielle de bruxelles dit que les autrichiens ont pris le camp de famars après avoir tué mille hommes aux français ce camp est dit on une position excellente — d'un autre côté on assure qu'à courtray les français ont fait 500 hollandais

toute la grosse artillerie est arrivée on dit que dans les dernières affaires ce sont les français qui ont eu l'avantage mais pour celle du camp de famars elle est claire puisque les français sont déportés aucun habitant d'ostende ne peut aller se promener à 4 pas de la ville sans un ordre du commandant c'est donc maintenant la signature du bailli de la ville et du commandant anglais apposée à mon passeport que j'attends pour sortir — retenez tout ce que je vous dis, et prenez garde aussi à une échelle par laquelle on descend à bord dans le paquebot si la tête tourne en descendant on tombe dans la mer mon dieu aurez vous soin de vous mon ange je vous en prie je ne veux pas mourir — je vais envoyer une lettre de l[illegible] directement cela se peut sans je me charge de bolman + me déranger le moins du monde — ah que n'ai-je tout à sauver au meilleur au plus généreux des hommes — que je t'aime adieu c'est lui [illegible] boydon à l'adresse de [illegible] cock — que [illegible] les 50

GERMAINE DE STAËL
MAY 1793

Writers' Letters

スタール夫人（1766-1817）から ルイ・ド・ナルボンヌへ

1793年5月27日

あなたと離れるのはとてもつらい。精神的にも肉体的にも、こんなに苦しんだことは、いまだかつてありません。昨日の正午、ここに着いたとき、熱がありました。今やっと起き上がって、あなたに別れを告げ、出発することができます。ドイツを通って行きます。愛するものには従わずにはいられないし、私の命が相手にとっても大切なものであると信じたいからです。あなたの命は私のすべてです。（……）自然界のすべてがあなたを賛美しています。（……）

オーストリア軍はフランス兵1000人を殺害し、ファマールの野営地を占領しました。ここは絶好の陣地だそうです。他方、コルトレイクでは、フランス人が600人のオランダ兵を捕虜にしたと言われています。（……）

スタール氏はロンドンに来るつもりはないようです。むしろ、スウェーデンに戻って、シニュールが考えているような、民主化の一大計画に加わりたいようです。彼らがそのつもりでも、私にその手助けはできないことは、あなたにはおわかりですね。フランスにはうんざり。それに言うまでもなく、あなたの考えとあなたの行くところに、私の心はしっかりと結びつけられているのですから。（……）

イギリス軍がオステンデを支配しています。ほとんどすべての国の兵士が和平を望んでいると言われています。しかし、連合軍はここからルクセンブルクまでの間に12万の兵を展開しており、巨大な大砲も到着しました。最近まで優勢だったのはフランス軍だそうですが、ファマールの野営地に関しては、状況は明白です。フランス兵は退去させられたのですから。（……）

私の言うことは一言一句漏らさず覚えておいてくださいね。ドーヴァーで船に乗るときは梯子に注意してください。もし降りる途中にめまいを起こしたら、海へと真っ逆さまですよ。神様があなたを守ってくださいますように。あなたは私の天使。私は死にたくない。（……）

誰よりも心の広いあなたに、これ以上何もしてあげられないなんて。愛しています。さようなら。（……）

ルイ**16**世の財務大臣ジャック・ネッケルの娘、ジェルメーヌ・ネッケルは、パリの両親の家で先進的な思想家や政治家と幼い頃から交流を持った。**20**代前半、戯曲や評論を次々と発表。スウェーデン大使スタール=ホルシュタイン男爵と結婚後、彼女が開いたサロンは、フランス革命初期に政治的な影響力を持った。**1792**年の九月虐殺*の後、ジェルメーヌはスイスを経てイギリスへと亡命し、恋人で元軍事大臣のルイ・ド・ナルボンヌに合流した。**1793**年**5**月**26**日、彼女はオステンデに向けて出航、到着後まもなくナルボンヌに手紙を書く。フランス革命戦争の最新情勢、夫の秘書を務める急進派ピエール・シニュールのこと、ドーヴァーの波止場の梯子が危険であることなどを語り、**50**ポンド（現在の約**4000**ポンド）を同封している。戦争についての記述に織り交ぜられた、情緒的な文章（「自然界のすべてがあなたを賛美しています」）からは、スタール夫人がジャン=ジャック・ルソー流のロマン主義に深い影響を受けていたことが見て取れる。

＊訳注：フランス革命時に、パリの民衆が監獄を襲って反革命派の囚人を虐殺した事件。

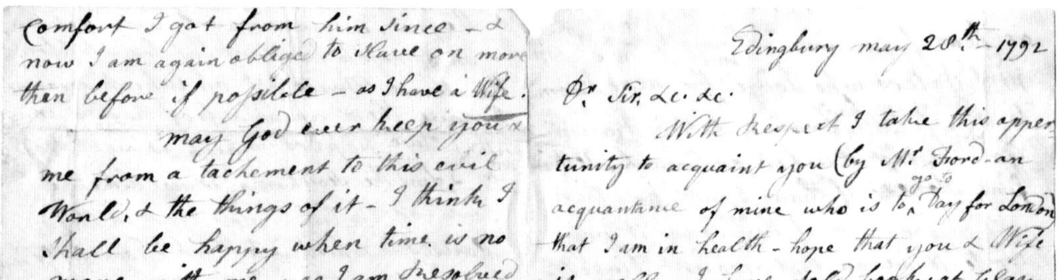

Comfort I got from him since – &
now I am again oblige to Rave on more
then before if possible – as I have a Wife.
may God ever keep you &
me from a tachement to this evil
World, & the things of it – I think I
shall be happy when time is no
more with me, as I am resolved
ever to Look to Jesus Christ – & submit
to his Preordainations –
Dr. Sir – I am with Christian
Love to you & Wife – &c.
Gustavus Vassa
The African

J. Gurnell

Edingbury may 20th – 1792

Dr. Sir. &c. &c.
With respect I take this apper-
tunity to acquaint you (by Mr. Ford – an
acquantance of mine who is to go to Day for London
that I am in health – hope that you & Wife
is well – I have sold books at Glasgow
& Paisley, & came here on the 10th ult;
I hope next month to go to Dunde, Perth,
& Aberdeen – – Sir, I am sorry to tell you
that some Rascal or Rascals have asserted in the
news parpers Viz. oracle of the 25th of april,
& the Star. 27th – that I am a native of a
Danish Island, Santa Cruz, in the Wt. Indias.
the assertion has hurted the sale of my
Books – I have now the a foresaid oracle
& will be much obliged to you to get me
the Star. & take Care of it till you see or

オラウダ・イクイアーノ（1745?-1797）から友人へ

1792年5月20日

Writers' Letters

拝啓

この機会をもちまして謹んでお知らせ致します（……）私は元気でおります――貴殿と奥様もご健勝のことと存じますが――本をグラスゴーとペイズリーで売り、先月18日にここに参りました。来月はダンデ〔ィー〕、パース、アバディーンを回れたらと思っております。ところで、誠に遺憾なことですが、見知らぬ野郎もしくは野郎たちが、新聞紙上で（……）私の生まれが西インド諸島のデンマーク領サンタクルス島だと言い張ったのです。それが本の売り上げにも響きました。（……）お願いがあります。私の隣の部屋にいたピーターズ夫妻に、丸くて小さな金の胸留め、つまりブローチを見なかったでしょうか、とお訊ねください。宝石がついているブローチです（もしご夫妻が見つけていたら、十分なお礼を致します）。そして、ご夫妻が見つけていたなら、すぐに私にお知らせください。（……）現在開会中のスコットランド教会の総会に出まして、そこで嘆願書、つまり奴隷貿易廃止の上院への請願書に対する満場一致の賛同をいただき、そしてそのお礼の演説が2紙に掲載されました。（……）あなたと別れてから12日以内にルイス氏から手紙が来まして、私から200ポンド以上借りていた、あのならず者のことを知らせてくれました――4月17日に死んだとのことです。奴のことでは、これが唯一の慰めと言えましょう。今や私は、以前にもまして奴隷のように働かなくてはなりません――というのも妻がいますので（……）

キリストの愛とともに
グスタヴス・ヴァッサ

元奴隷で今は自由の身分となっているある男が、**1789**年に自伝を出版した。『アフリカ人、イクイアーノの生涯の興味深い物語』の内容は、囚われの身のアフリカ人が自らの体験を通して大西洋奴隷貿易を説明した、最も古い記録の一つである。英国の反奴隷制運動にとって、この本は論戦上、非常に有力な武器となった。イクイアーノは西アフリカで生まれ、子どものときにさらわれてヴァージニアへと送られた。そこで彼を買ったイングランド人船長から、新たにグスタヴス・ヴァッサと名づけられた。七年戦争*の英仏の戦闘を経験し、読み書きを身につけ、ロンドンに到着し、再び奴隷として売られてカリブ諸島で働き、その後ついに自由の身分を買った。地中海や北極への旅の後、ロンドンに戻って奴隷制廃止の第一人者となった。**1788**年には、アフリカ人奴隷を代表してジョージ**3**世の妃シャーロットに嘆願書を送った。

この嘆願書がきっかけで、彼は執筆をするようになった。そしてまもなく、本を書き上げたのである。『興味深い物語』はよく売れて、所得と名声を手にした。手紙では、スコットランドでのブックツアーを話題とし、彼がアフリカ生まれではないとする新聞記事への怒りや、宿泊先で紛失した大事なブローチのことなどを述べている。当時、ケンブリッジシャーの若い女性スザンナ・カレンと結婚したばかりだった。かなりの額の貸倒金という損失と、新たに担った大黒柱としての責任から、今は著者として称賛されていても、「以前にもまして奴隷のように働かなくてはなりません」と述懐している。

* 訳注：オーストリアとプロイセンを軸にヨーロッパ列強を巻き込んだ戦争（**1756–1763**）。これと同時に北米とインドでは、植民地をめぐって英仏が戦った。

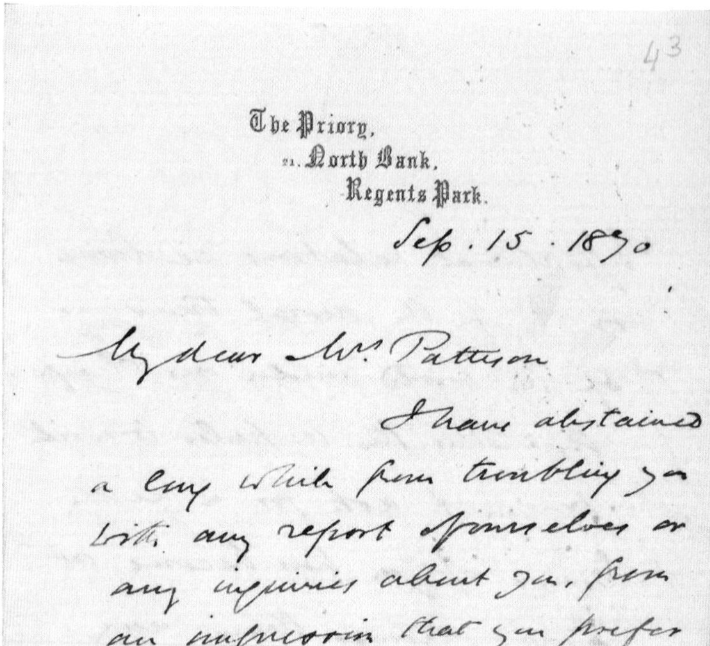
The Priory,
21. North Bank,
Regents Park.

Sep. 15. 1870

My dear Mrs Pattison

I have abstained a long while from troubling you with any report of ourselves or any inquiries about you, from an impression that you prefer being left uninterrupted by such small claims on your attention. But the painful, too engrossing thoughts raised by the War urge me to counteracting thoughts of all friendly bonds. It seems to me more than ever that in all our

ジョージ・エリオット
(1819-1880)から
エミリア・フランシス・パティスンへ
1870年9月15日

Writers' Letters

親愛なるミセス・パティスン

私は長い間、近況をお知らせしたり、お訊ねしたりしてあなたにご迷惑をおかけすることを控えてきました。そんな些細なことのご連絡であなたを煩わせてしまうのはいかがなものかと考えていたからです。けれども、戦争のせいで痛ましい、ひどく心を奪われる考えが高まり、あらゆる友情の絆に逆らう思いに駆られるのです。今まで以上に、私たちの親愛にあふれた関係の中に、この世の道徳上の宝のいくつかがあるように思えてなりません。それゆえ、あなたにお手紙を書いて、ちょっとご様子を伺いたいという衝動が、ついに遠慮よりも強くなりました。(……)

あなたも私どもと同じように、1日の多くを、新聞を読んだり、電信や通信にある出来事について議論したりして過ごしていらっしゃることでしょう。私は「タイムズ」と「デイリーニュース」の、日刊紙2紙をくまなく読みます――かつてないほど過剰に新聞を読んでおります。

あなたとお別れした直後に、私どもは再び放浪を始めました。夫の健康増進を求めて、まずは北部地域へ、その後南部へと行きました。やっといくらか良くなりましたので、長年にわたって我が家として享受できればとの願いをもって、ここに落ちついております。あなたには同じように落ち着いていただきたくないと願うのは、虫のいい話なのかもしれませんが、ぜひ機会を見つけてロンドンにいらしてください。(……)

親愛の気持ちをこめて
M・E・ルーイス

マリアン・エヴァンズとエミリア・フランシス・パティスンは、ロンドンの文芸界の同時代人だった。フランシスは批評家で、マリアンはジャーナリストとして世に出た後、ジョージ・エリオットの筆名で小説をいくつか発表していた。『アダム・ビード』、『フロス河の水車場』、『ロモラ』と成功が続いたエリオットは、ヴィクトリア時代のイングランドでもっとも稼ぎのいい作家の一人になった。彼女とそのパートナーの著述家ジョージ・ヘンリー・ルーイスは、**1863**年にリージェント・パーク近くの邸宅に引っ越し、豪奢に客をもてなした。同棲を始めて**10**年間につきまとったスキャンダル――ルーイスには離婚への法的な障害があったにもかかわらず、二人は大っぴらに夫婦として暮らした――は徐々におさまった。エリオットは、慢性の頭痛と吐き気に悩まされている「夫の健康増進を求めて」最近旅行に出かけたと述べている。

彼女は次回作に向けて、書きかけの二つの短編に取り組んでいた。**2**編を統合し、**1830**年代のイングランド中部の架空の町を舞台にした小説に仕上げる目的だった。だが、フランシスに手紙を書いている彼女の頭の中は、普仏戦争*のニュースでいっぱいになっている。セダンでのフランス軍惨敗に続き、パリがプロイセン軍に包囲され、**1870**年**9**月**14**日の「タイムズ」紙には悲惨な報道記事が掲載されていた。エリオットの「私たちの親愛にあふれた関係の中に、この世の道徳上の宝のいくつかがある」との考えは、傑作となった次回作『ミドルマーチ』において彼女が探求することになる、普通の人の高潔さと優しさが救いであるというテーマを先んじて示した形になっている。

＊訳注：**1870-1871**年の、プロイセン(普)とフランス(仏)の戦争。

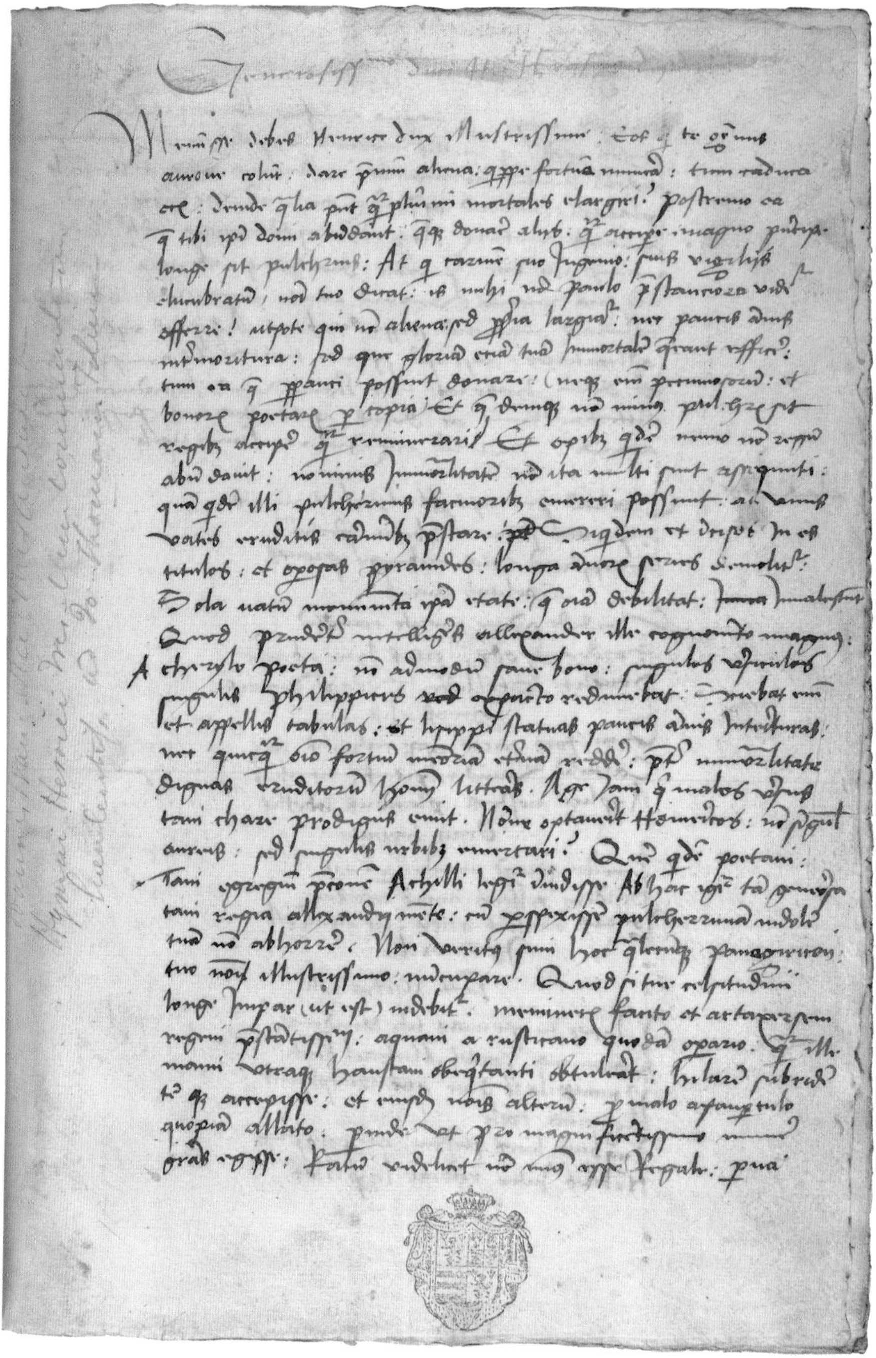

DESIDERIUS ERASMUS
AUT
1499

デシデリウス・エラスムス（1466-1536）から
ヘンリー王子へ
1499年秋

Writers' Letters

いとも高貴なるヘンリー王子に、神学者エラスムスが御挨拶申しあげます。

御名いや高きヘンリー殿下、まず第一にお心にとどめおかれたいことは、殿下に宝石や黄金を奉呈する者たちは、自身のものならぬもの、つまりは運命女神の賜物であり、しかもはかないものを捧げるものだということ、次いでは、さようなものはこの世の多くの人間たちが気前よく捧げることができるのだということ、最後には、さようなものは殿下御自身が余り有るほど所有しておられ、御自身が受け取られるよりは他の者たちに御下賜くださるほうが、偉大な王侯にははるかにふさわしいものだということでございます。さればみずからの才知によって腐心して書き上げた詩を捧げまつる者は、はるかに勝る贈り物を殿下に捧げているように思われます。なぜとてその者は他からの借り物ではなく、みずから生み出したものを、わずかな歳月の間に消滅してしまうものではなく、殿下に不滅の栄光さえももたらしうるのはごく少数の者たちのみでありまして、詩人たちが贈るものの豊かさは、富裕な者たちのそれとは比較になりませぬ。（……）有り余る富を抱えた王はあまたおりましたが、不滅の名声を勝ち得た王となるとさほど多くはおりませぬ。王侯たちは輝かしい事績によって名声を得ることはできますが、詩人たちのみが粒粒辛苦して賦した詩によって、それを赫赫たるものとすることができるのでございます。蝋細工や肖像画や系図や黄金の立像や銅板に刻まれた刻文や労力を傾けたピラミッドが、長い歳月の間に破壊されてしまうのに対して、詩人たちが築いた記念物のみが、なべてのものを弱めてしまう歳月に抗して、強固な姿を保つのです。（……）

また当節の多くの王侯方が文学を楽しまれることが少なくなり、それを解さなくなっているということも、承知しております。まるで高貴な方は文学の心得があったり、学者に讃えられたりすることが、ほとんど馬鹿げたことであり、恥でさえあるとお考えのようなのです。（……）詩人たちに称賛されることが馬鹿げていると考えるのは、称賛に値する行為をしなくなったからであり、そのくせ食客どものお追従を避けようとはなさいません。（……）御名いや高き殿下よ、私めがかような頌詩*を捧げまするのは、殿下の高貴なお人柄が、さような愚行を厭っておられるからでございます。殿下の光輝により、よき文学に輝きを添えてくださり、その威信により御護りくださいますように（……）

1499年イギリスに招かれたオランダの哲学者にして作家であるデシデリウス・エラスムスは、トマス・モア卿によって、当時**18**歳だったヘンリー王子（後にヘンリー**8**世）の知遇を得ることとなった。モアは自作の詩を添えて王子への紹介状を書いたのだが、そのことをあらかじめエラスムスに告げておかなかったので、空手で謁見する羽目となり、彼は気まずい思いをさせられた。そこでエラスムスは丁度**3**日間を費やして**150**行の詩を書き上げ、それをこの書簡に添えて、改めて王子に奉呈した。この書簡でエラスムスは、まだ子供であった王子に向かってというよりも、将来の王に向かって呼びかけている感があり、物質界において文学が持つ価値がさらに認められるべきことを主張し、「すぐれた詩人たちが王者に供するものは、富裕な者たちが供するものとは比較にならぬ」と述べている。

＊訳注：人徳・功績などを褒めたたえる詩。

Hauteville house — 24 juin 1862

à Lamartine

Mon illustre ami,

Si le radical, c'est l'idéal, oui, je suis radical. Oui, à tous les points de vue, je comprends, je veux et j'appelle le mieux ; le mieux, quoique dénigré par un proverbe, n'est pas l'ennemi du bien, car cela reviendrait à dire le mieux est l'ami du mal. Oui, une société qui admet la misère, oui, une religion qui admet l'enfer, oui, une humanité qui admet la guerre, me semblent une société, une religion et une humanité inférieures, et c'est vers la société d'en haut, vers l'humanité d'en haut, et vers la religion d'en haut que je tends ; société sans roi, humanité sans frontières, religion sans livre. Oui, je combats le prêtre qui vend le mensonge et le juge qui rend l'injustice. Universaliser la propriété (ce qui est le contraire de l'abolir) en supprimant le parasitisme, c'est à dire arriver à ce but : tout homme propriétaire et aucun homme maître, voilà pour moi la véritable économie sociale et politique. Le but est éloigné. Est-ce une raison pour n'y pas marcher ? J'abrège et je me résume. Oui, autant qu'il est permis à l'homme de vouloir, je veux détruire la fatalité humaine ; je condamne l'esclavage, je chasse la misère, j'enseigne l'ignorance,

Writers' Letters

ヴィクトル・ユゴー（1802-1885）から アルフォンス・ド・ラマルチーヌへ

1862年6月24日

私の高名な友人へ

急進的であることが理想的であることだとしたら、その通り、私は急進的です。そうです、私があらゆる観点において、理解し、期待し、要求するのは、最善です。ことわざで言われているように、最善は善の敵ではありません。もしそうだとしたら、最善は悪の友になってしまうでしょう。貧困を認める社会、地獄を認める宗教、戦争を認める人類は、下等な社会、宗教、人類であると私は思います。私が目指すのは、もっと高みにある社会であり、人類であり、宗教です。すなわち、王のいない社会、国境のない人類、経典のない宗教です。そうです、私は嘘を売り物にする司祭や不正な裁きをする裁判官と戦います。所有権を広めるのは、それを廃止するのとは反対に、寄生者を排除することによって、以下のような目的に達するためです。皆が所有者であり、誰も主人にはならないこと。これこそが私にとって、真の社会的・政治的な経済制度です。目的地が遠く離れているからといって、歩みを止める理由になるでしょうか? 要約します。そうです、人間に何かを望むことが許されている限り、私は人間の不運をこの世から消し去ることを望みます。奴隷を禁止し、貧困を撲滅し、無知を教育し、病気を治療し、闇夜を照らし、憎悪を憎みます。

これが私です。そしてこれが『レ・ミゼラブル』を書いた理由です。

私の考えでは、『レ・ミゼラブル』は友愛を土台とし、進歩を頂点にいただく書物に他なりません。

さあ、判断を下してください。文学者同士の文学論争は滑稽ですが、詩人同士、つまり哲学者同士が、政治や社会について議論するのは、重大で実り多い行為です。少なくとも大筋においては、私が望むことを、あなたも明らかに望んでいます。ただし、あなたはもっと緩やかな傾斜を願っているのでしょう。(……)

親愛なるラマルチーヌ、遥か昔、1820年、私が若き詩人として最初に上げた産声は、あなたという眩いばかりの夜明けの光が世界に現れるのを前にした、歓喜の叫び声でした。(……)どうぞ、私の本と私自身を好きなようにしてください。あなたの手から出てくるのは光だけです。

あなたの古い友人ヴィクトル・ユゴー

ヴィクトル・ユゴーは詩人アルフォンス・ド・ラマルチーヌに、ガーンジー島のセント・ピーター・ポートから手紙を書く。ナポレオン3世治下のフランスを逃れて、1855年から1870年までの間、政治亡命者としてこの島に住んでいたのである。ユゴーは、1848年に保守派の一員として国民議会に当選したが、次第に左派寄りになり、教育改革、普通選挙、死刑廃止、貧困撲滅のために活動していた。

1862年に出版された小説『レ・ミゼラブル』は、ジャン・ヴァルジャンの波乱の人生を、19世紀前半の激動する政治情勢を背景に描いている。この小説は、1832年の六月蜂起*の際、政府軍がパリで起こった蜂起を容赦なく鎮圧する場面で、クライマックスを迎える。『レ・ミゼラブル』に対する新聞・雑誌の冷淡な反応に憤慨していたユゴーは、ラマルチーヌ――若き日のユゴーにとっては「眩いばかりの」憧れの存在だった――に対して、この小説は「友愛」や社会の進歩に対する確固たる信念を反映していると説明する。ラマルチーヌは急進的なユゴーが考えるよりも、「もっと緩やかな傾斜」で改革が進むことを望むだろう。それでも、この年長の作家に理解してもらえることを、ユゴーは願っていたのである。

* 訳注：パリ市民が王政打倒のために起こした暴動。

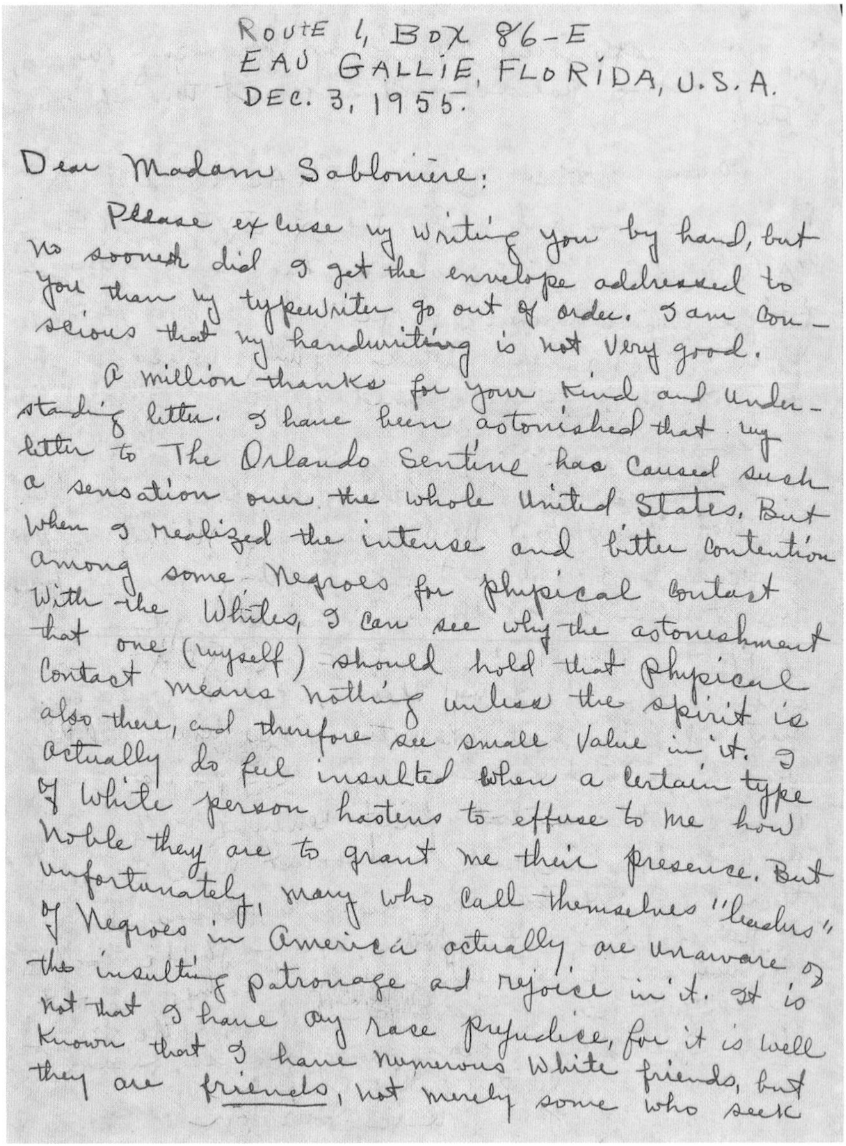

Route 1, Box 86-E
Eau Gallie, Florida, U.S.A.
Dec. 3, 1955.

Dear Madam Sablonière:

Please excuse my writing you by hand, but no sooner did I get the envelope addressed to you than my typewriter go out of order. I am conscious that my handwriting is not very good.

A million thanks for your kind and understanding letter. I have been astonished that my letter to The Orlando Sentinel has caused such a sensation over the whole United States. But when I realized the intense and bitter contention among some Negroes for physical contact with the Whites, I can see why the astonishment that one (myself) should hold that physical contact means nothing unless the spirit is also there, and therefore see small value in it. I actually do feel insulted when a certain type of White person hastens to effuse to me how noble they are to grant me their presence. But unfortunately, many who call themselves "leaders" of Negroes in America actually are unaware of the insulting patronage and rejoice in it. It is not that I have any race prejudice, for it is well known that I have numerous White friends, but they are <u>friends</u>, not merely some who seek

ZORA NEALE HURSTON DEC 1955

ゾラ・ニール・ハーストン（1891－1960）から マルグリット・ド・サブロニエールへ

1955年12月3日

ゾラ・ニール・ハーストンは、ハーレム・ルネサンスの中心的人物だった。**1920**年代から**1930**年代にかけて、マンハッタンのハーレム地区を中心にアフリカ系アメリカ人の文学、音楽、芸術活動が隆盛を極めた。バーナード・カレッジで、アフリカ系アメリカ人初の卒業生となったハーストンは、まさにルネッサンスの万能人だった。小説家、人類学者、そして映像作家でもあった彼女は天才的な活動家で、黒人側と白人側の双方から攻撃を受けた。**1937**年発表の小説『彼らの目は神を見ていた』では、生き生きとした口語を用いてアフリカ系アメリカ人の現実を描き出したが、多くの黒人読者から批判を受けた。なかでもラルフ・エリソンからは「戯画的で滑稽な駄作」と非難された。

挫折や方向転換を重ねた末、**1955**年までには作家としてのハーストンの業績に、終止符が打たれていた。彼女は故郷のフロリダ州に戻り、質素に暮らしていた。しかし彼女は再び世間の注目を集めることになる。**1954**年、アメリカ合衆国連邦最高裁判所は、教育機関での人種隔離を違憲であるとした。ハーストンは「オーランド・センチネル」紙に手紙を投稿し、この判決に異論を唱えたのだ。形だけ変えても意味がなく、人種分離の是非よりも、黒人の子どもたちが受ける教育の質の方をこそ問題にすべきというのが彼女の論点だった。「私と一緒にいたくないという人が、裁判所の命令で私といるようになったとして、私は一体、どれだけ嬉しいでしょうか」と彼女は問うたのである。

オランダの翻訳家マルグリット・ド・サブロニエールに宛てた手紙の中で、ハーストンはこの議論を再び持ち出すが、好意的な白人たち、すなわち自己満足のために「善意を押しつけてくる」人たちについて、辛辣な意見を述べている（彼女はこのような人を別のところで「ニグロタリアン」*1と呼んでいるが、今で言うなら「美徳シグナリング」*2という言葉がこれにあたるだろう）。彼女はまた、次の執筆の構想にも触れている。古代ユダヤの王ヘロデに新しい光をあてる野心的な企画であるが、これによって彼女が再び脚光を浴びることはなかった。

Writers' Letters

マダム・サブロニエール様

手書きにて大変失礼いたします。封筒に宛先を打ったところで、タイプライターが壊れてしまったのです。下手な字で申し訳ございません。

大変ご丁寧なお手紙をいただき、本当にありがとうございます。「オーランド・センチネル」紙に送った文章がこんなに反響を呼び、とても驚いています。（……）しかし一部の黒人たちが、物理的な人種統合を求めて激しい議論を繰り広げていることからすれば、この反響も理解できます。私は、心が伴っていない物理的な人種統合は無意味で、あまり価値がないと考えているのです。実のところ、ある種の白人が、自分の徳の高さをさかんに見せつけようとするのは、とても失礼だと思います。しかし残念なことに、アメリカ黒人の「指導者」を自認する人たちの多くは、この失礼さに気づかず、むしろ喜んでしまいます。私は人種的偏見の持ち主ではありません。ご存知のように、白人の友人もたくさんいます。でもそれは真の友人たちであり、黒人を支援することで不純な「功徳」を積もうという人たちとは違うのです（……）

こころより感謝をこめて

ゾラ・ニール・ハーストン

*1 訳注：「ニグロ」（黒人）と「ヒューマニタリアン」（人道主義者）を合わせた造語。
*2 訳注：自分の道徳的価値を顕示すること。ダーウィンのシグナリング理論に由来する。

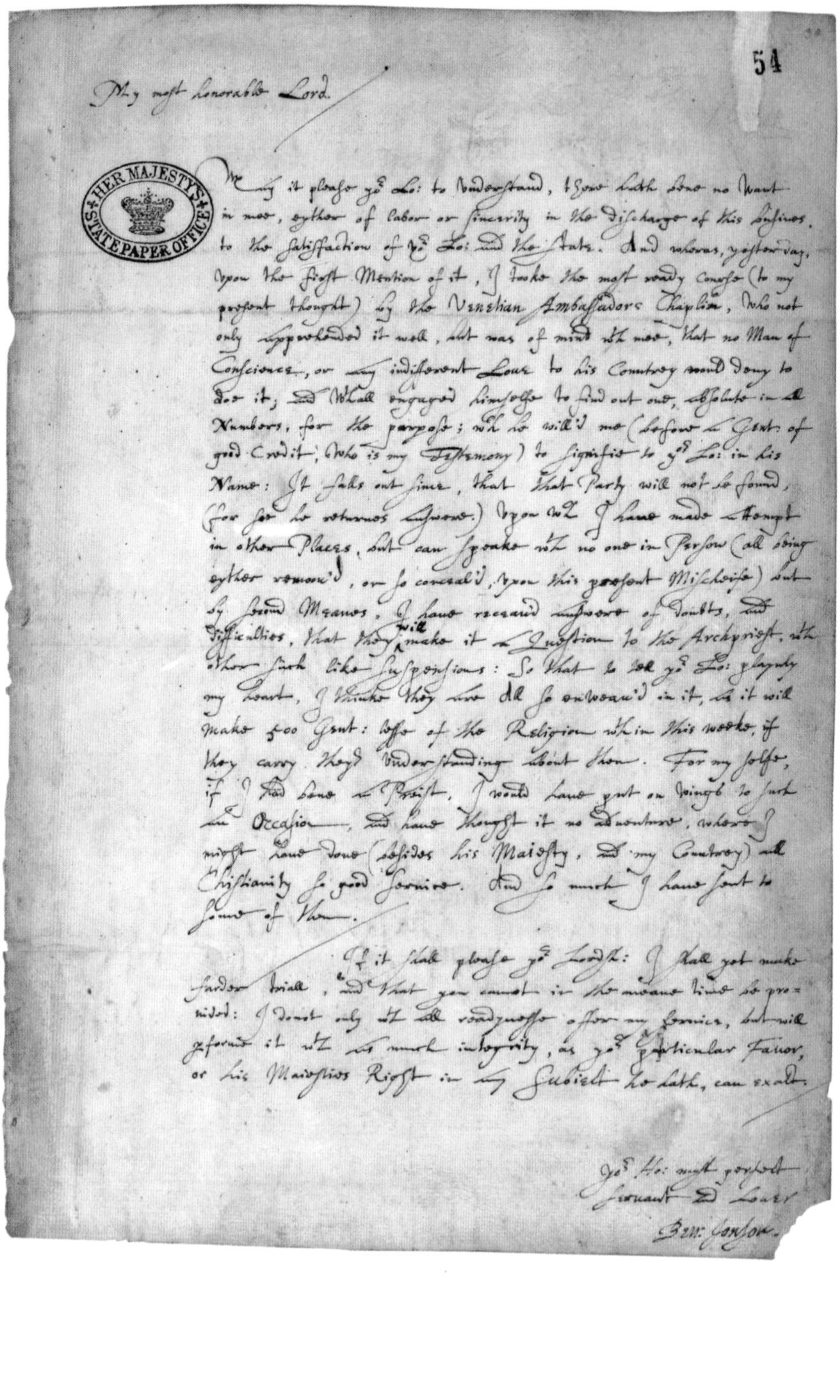

54

HER MAJESTY'S STATE PAPER OFFICE

My most honorable Lord.

May it please yor Lo: to understand, there hath beene no want in mee, eyther of labor or sinceritie in the discharge of this busines, to the satisfaction of yor Lo: and the State. And wheras, yesterday, upon the first Mention of it, I tooke the most readie course (to my present thought) by the Venetian Ambassadors Chaplin, who not only apprehended it well, but was of mind wth mee, that no Man of Conscience, or any indifferent Love to his Countrey would deny to doe it; and withall engaged himselfe to find out one, absolute in all Numbers, for the purpose; wch he will'd me (before a Gent: of good Credit, who is my Testemony) to signifie to yor Lo: in his Name: It falls out since, that that Party will not be found, (for soe he returnes answere.) Upon wch I have made attempt in other Places, but can speake wth no one in Person (all being eyther remov'd, or so conceal'd, upon this present Mischeife) but by second Meanes, I have receiv'd answere of doubts, and difficulties, that they will make it a Question to the Archpriest, wth other such like Suspensions: So that to tell yor Lo: plainely my heart, I thinke they are All so enweav'd in it, as it will make 500 Gent: lesse of the Religion wthin this weeke, if they carry theyr understanding about them. For my selfe, if I had bene a Priest, I would have put on wings to such an Occasion, and have thought it no adventure, where I might have done (besides his Maiesty, and my Countrey) all Christianity so good service. And so much I have sent to some of them.

If it shall please yor Lordsp: I shall yet make farder triall, and that you cannot in the meane time be provided: I doe not only wth all readinesse offer my service, but will performe it wth as much integrity, as yor particular Favor, or his Maiesties Right in any Subiect he hath, can exact.

Yor Ho: most perfect
servant and Lover
Ben: Jonson.

Writers' Letters

ベン・ジョンソン（1572／3?-1637）から
ロバート・セシルへ
1605年11月8日

このうえなくお慕い申し上げます閣下

閣下並びに政府のご満足がいくよう、本件業務遂行におきましては、尽力、誠意ともに私には何ら不足のなきことを、ぜひともご理解いただきたく存じます。そして最初に申し上げますことには、昨日、ヴェネツィア大使付きの司祭によるもっとも着実な（と愚考する）方針をとることに致しました。司祭は本件をよく承知しておられるだけでなく、分別ある者や自国をごく平凡にも愛する者であれば、協力に応じないことはなかろうとの私の見方にも賛同下さいました。（……）今までのところ、あの連中は見つからないだろうということになっております。（……）それを受けて、私は他の複数の場所を当ってみたのですが、誰とも直接話ができておりません（いずれも逃げたか隠れたかで、これが目下の不行き届きの原因です）（……）忌憚なく閣下に申し上げますと、彼らは皆この事件に非常に深く関与していますので、このことが周知されれば、今週中に当該宗派から紳士500名が減ることになりましょう。私に関して申し上げれば、もし私が聖職者だったなら、そのような機会には翼をつけて馳せ参じたでしょうし、それを意外とも思わないでしょうし、その場所で（国王陛下と我が国民のみならず）すべてのキリスト教徒のために心をこめた祈りを捧げたかもしれません。（……）閣下にご満足いただけるよう、その間に何も収穫がないとしても、私はさらなる努力を続けてまいります。私は進んでご奉仕申し上げるだけでなく、閣下の格別なるご厚意もしくは陛下にそなわる正当性を高めるに至るほどの完全さをもって業務を遂行する所存です。

閣下の下僕中の下僕、
かつ讃美者たる
ベン・ジョンソン

1605年**11**月**5**日、国会開会式に国王ジェイムズ**1**世もろとも貴族院を吹っ飛ばす陰謀は、かろうじて阻止された。続く犯人さがしの中で、ガイ・ホークスが拷問されて共謀者の名前を白状する一方で、劇作家ベン・ジョンソンは、あるカトリックの司祭を捜索する役目を担った。この捜査を率いていたのが、政治家でスパイ網を操る親玉、かつ王家の腹心の重臣であるロバート・セシル卿だった。ジョンソンはセシル卿へのこの手紙で、かなり用意周到で礼儀正しい文章を用いて、件の聖職者は逃げ足がはやく、確保に至っていないが、できる限りのことはやっていると状況を説明している。

この前の月に、ジョンソンは陰謀事件のメンバーたちと会食をしていた。彼らもジョンソンもカトリックで、当時のイングランドでは迫害されていたマイノリティーだった。ジョンソンは、ひそかなシンパではなく政府のスパイとして参加したのかもしれないが、セシルに対して明らかに、自分の忠誠とこの任務への取り組みが真剣であることを納得させる必要があった。ジェイムズ**1**世の宮廷のために仮面劇を書いたことで、ジョンソンは王室びいきになったのだろう。しかし当時は危険な時代で、ひとつ間違えればジョンソンだって、絞首後にはらわたを引き出され、四つ裂きにされるという残忍な処刑で死を遂げた、火薬陰謀事件のメンバーたちと同じ運命をたどることになったとしても不思議はなかったのである。

Sambrook Ward.
4th London Hospl.
Denmark Hill.

Tuesday. 24th.

My dear Uncle.

I was very nearly your (late) nephew, as the sniper only just failed to make a good job of it, & the bullet missed my jugular by a fraction of an inch, & the spinal column by not too much. But, as I wrote in the Head Sister's album, (by request),

"Good luck to the Hun
Who got out his gun
And dealt me a wound so auspicious;
May a flesh-hole like mine
Send him home from the Line
And his Nurses be just as delicious"—

(An effort which aroused delighted simpers of female gratification).

"The Line" was the Hindenburg (not the "Siegfried"!) & we were trying to take Fontaine-lez-Croisilles, (which is still holding out, curse it) (7 m. South of Arras).

This is Lotus-Land, with Ross & Mrs Gosse & other sweet people drifting in of an afternoon laden with gifts & the only bad thing a bad Gramophone which grinds out excruciations of Little Grey Homes in the West etc. Mother is busy being massaged, & is not allowed to come up. I expect to be here another week or more. It has healed up all right in front; but not behind. I think another dose of the war will just about send me dotty. I get the horrors at night

(when I see the corpses again; last week was beyond anything I had been up against before. I should love to have the Hardy letter. The book of poems will really be out next week they say. Binders were slow.

love from Sieg.

SIEGFRIED SASSOON APR 1917

シーグフリード・サスーン（1886-1967）から ウィリアム・ハモ・ソーニクロフトへ

1917年4月24日

Writers' Letters

伯父様

僕はもう少しで、あなたの「（故）甥」となるところでした。狙撃兵がちょっとやり損ねて、弾は僕の頸部をほんの何分の一インチか外し、脊柱も至近ながら外したのです。しかし、看護婦長のサイン帳に（頼まれて）書いたように

「あのドイツ兵に幸いあれ
あいつは銃を取り出して
僕に見舞った
かようにめでたき傷を
願わくば
同じく穴開きの身体となり
前線から故国に
帰されればいい
そしてかの国のナースたちも
また甘美ならんと」——
（ご婦人を喜ばせてにやにや笑いを引き出した労作）

「前線」というのはヒンデンブルク線（「ジークフリート線」ではない！）のことで、我々はフォンテーヌ＝レ＝クロワジル（アラスの7マイル南）を攻め落とそうとしていました。（……）

ここは桃源郷です。（……）唯一いやなのは、いやな蓄音機の存在。「リトル・グレイ・ホームズ・イン・ザ・ウェスト」などの曲を鳴らして、拷問するんです。（……）身体の前面はすっかり癒えたのですが、背面はまだです。戦争という薬をもう一服のんだら、きっと気がふれちゃいますね。夜になると気持ちがぞっとするんですよ（兵士たちの屍が目の前にまた現れるんです。先週は、今までで一番ひどかった。ハーディのお手紙をいただくのは嬉しいですね。詩集は、本当に来週出るらしいです。のろまな製本業者でした。

シグより愛をこめて

シーグフリード・サスーンが英陸軍に入隊したのは、**1914**年**8**月の宣戦布告当日だった。その前の彼は、ロマン派的な詩を書いたり、狩りをしたりして過ごすカントリー・ジェントルマンの文人だった。ロイヤル・ウェルチ・フュージリア連隊の将校になった「マッド・ジャック」サスーンは、西部戦線で命知らずの豪胆な兵士と評判になった。**1916**年**7**月には、戦死・戦傷兵士を表彰する戦功十字章を受勲。将校仲間の詩人ロバート・グレイヴズの助言で、それまでの抒情性を捨て、戦争の残酷な現実を率直に描くことにした。トマス・ハーディ(p.161)への献辞を添えて**1917**年に出版した『年老いた猟犬係』は、サスーン初の戦争詩集であり、今に残る彼の名も戦争詩人としてのものである。

『年老いた猟犬係』が印刷段階にあったとき、サスーンは首を撃たれ、辛うじて麻痺や死を免れた——と、ロンドンの病院から母方の伯父に手紙を書く。ウィリアム・ソーニクロフトは公共のモニュメントを手がける著名な彫刻家で、ハーディの友人だった。手紙の中のサスーンは、屈託ない風を装い、看護師を呼ぶベルの音を再現したり、蓄音機がやかましいと文句を言ったりしている。だが、トラウマ的なフラッシュバックに苦しんでいるとの告白もしている。この数週間後には、戦争に対する国の偽善的行為を糾弾する公開書簡を新聞社に出して、下院で朗読されもした。サスーンは軍法会議にかけられるものと思っていたが、代わりに「シェル・ショック」（今でいう**PTSD**）の先駆的治療を行っていたクレイグロックハート陸軍病院に転院となった。同時期の入院患者にウィルフレッド・オーウェンがいて、戦後、彼の詩の出版にサスーンは大いに尽力した。

La Favière, par Bormes
(Var)
Villa Wrangel
6го июля 1935 г., суббота

Милый Тихонов,

Мне страшно жаль, что не удалось с Вами проститься. У меня от нашей короткой встречи осталось хорошее чувство. Я уже писала Борису: Вы мне предстали идущим навстречу — как мост, и — как мост, заставляющим идти в своем направлении. (Ибо другого — нет. На то и мост.)

Что Вам этот край — по сердцу и по силам — я верю и вижу. Вы сам — этот край. Факт своего края, а не свидетельство о нем. Вы сам — тот мост, — из тех, что сейчас так много строят. Вообще — начав с иносказательного моста, кончая Достоевским, и рада, как всему, что — само.

С Вами — свиделись.

От Б. — у меня смутное чувство. Он для меня неразрешим тем, что всё, что для меня — право, для него — его, Борисин, порок, болезнь.

Как мне тогда (Вас, вероятно, не было, — тогда

Writers' Letters

マリーナ・ツヴェターエワ（1892–1941）から ニコライ・チーホノフへ

1935年7月6日

親愛なるチーホノフへ

お別れの挨拶ができなくて、とても残念です。短い間でしたが、お会いできて、晴れやかな気持ちになりました。ボリスには、すでにこんな手紙を書いています。「あなたは私を迎えに現れました、橋のように。そして橋のように、自分のもとへ来させてくれました」(なぜなら道は一つしかないから。それが橋というものです)。

この土地がお気に召したでしょう。それに、あなたにぴったりだと思います。あなたご自身が、この土地なのです。(……)あなたご自身が、いま至るところに建造されている橋の一つです。ご覧ください、寓意的な橋から始めて、本物の橋で終わりました。私は嬉しいです。それ自体であるものすべてに対し、そう感じるように。

あなたと、またお会いできるでしょう。

(……)

私はそのとき涙に暮れていました(ちなみに、あなたはいらっしゃいませんでしたが、いらっしゃれば涙も流れなかったでしょう)。「どうして泣いてるんだい」とボリスは訊きました。「泣いてるのは私じゃないの。目なの」「もし僕がいま泣いてないのなら、それはヒステリーとノイローゼを絶対に我慢しようと決めたからだよ」(私はとてもびっくりして、すぐ泣きやみました。)「君は、コルホーズが好きになるさ!」

私の涙への答えが、「コルホーズ」!

(……)

私が泣いたのは、現代のもっとも優れた抒情詩人であるボリスが、目の前で抒情詩を裏切り、自分と自分の中にある一切を指して、病と名づけたからです(「高次の病」としておきましょう。しかし彼はそんなことさえ言いませんでした。この病は自分にとって健康より貴いとも言いませんでした(……))。

お便りをくだされば嬉しいですが、気分が乗らなかったり、書けなかったら構いません。 M. T.

1935年**6**月、文化擁護のための国際作家会議がパリで開催された。ファシストがドイツとイタリアで優勢に立ち、ヨーロッパでさらなる戦争の勃発が危惧される状況に抗し、左翼作家が連帯を示すため一堂に会したのである。フランスに亡命中のロシア詩人マリーナ・ツヴェターエワは、同世代のもっとも偉大な抒情詩人の一人ボリス・パステルナークと会えそうなことに大喜びしていた。二人は**1918**年にほんの少し顔を合わせたことがあるだけだが、**1922**年にツヴェターエワがロシアを去ってから、熱烈で創造的な手紙のやり取りを続けていた。しかしパステルナークは、自分の殻に閉じこもり、陰鬱で、スターリン・ロシアの政治的底なし沼の中で身動きできないようだった。この不幸な再会の後、「自分のことをあまり考えないように」と、彼女はアドバイスを書き送った。

翌月ツヴェターエワは、国際作家会議の代表で、すでにロシアに帰国していたニコライ・チーホノフに宛て、南仏から手紙を書いている。故郷が恋しくなり、パステルナークとの再会に気落ちした彼女は、チーホノフが二人の架け橋となってくれたことに礼を述べている。元赤軍兵士であるチーホノフは、パステルナークやツヴェターエワと違い、ソビエトで支持を得ていた。彼女はコルホーズ(集団農場)に触れることでチーホノフをからかっている。

3年後、ヨーロッパが戦争への道をひた走る中、ツヴェターエワはロシアに帰国する。その後すぐに、夫のセルゲイ・エフロンと娘のアーリャがスパイ容疑で逮捕された。孤立し、**NKVD**(秘密警察機関)への情報提供者となるよう圧力をかけられそうになったツヴェターエワは、**1941**年**8**月**31**日に首を吊った。

Hartford, May 24/89.

To Walt Whitman:

You have lived just the seventy years which are greatest in the world's history & richest in benefit & advancement to its peoples. These seventy years have done much more to widen the interval between man & the other animals than was accomplished by any five centuries which preceded them.

What great births you have witnessed! The steam press, the steamship, the steel ship, the railroad, the perfected cotton-gin, the telegraph, the telephone, the phonograph, the photograph, photo-gravure, the electrotype, the gaslight, the electric light, the sewing machine, & the amazing, infinitely varied & innumerable products of coal tar,

マーク・トウェイン（1835–1910）から ウォルト・ホイットマンへ

1889年5月24日

Writers' Letters

ウォルト・ホイットマン殿

あなたは70歳をお迎えになられました。それは世界の歴史上もっとも偉大であり、もっとも豊かな恩恵と進歩がもたらされた70年間でした。そのおかげで、過去のどの500年間よりも、人間と動物の差が大きく広がったのです。

あなたが目にしてこられた発明品の数々! それは、蒸気機関による印刷機、蒸気船、鋼船、鉄道、改良版の綿繰り機、電信、電話、蓄音機、写真、グラビア印刷、電気版、ガス灯、電灯、ミシン（……）さらにもっとすごいものが登場するのも見てこられました。手術における麻酔の使用。これにより、人類はじまって以来、我々を支配してきた肉体的苦痛に永遠の終止符が打たれたのです。それから奴隷解放。フランスにおける帝政の崩壊。英国における君主の役割の制限。この結果、英国王は政治に尊厳を与える象徴的な存在となり、実際の政治への関与が薄れることになったのです。あなたはまさに、さまざまな局面を見てこられました。でも、しばしお待ちください。本当に素晴らしいことが、これからまだまだ起こるのです。もう30年してから、世界を見渡してみてください! これまであなたが見てこられたものに加え、驚くべきことが次々に実現し、目を見張るような結果を生み出すでしょう。ついに人類は大躍進をとげるのです!（……）

マーク・トウェイン

ウォルト・ホイットマンはその晩年、現存する最も偉大なアメリカの詩人とみなされていたが、その栄誉は一夜にして得られたのではなかった。**1855**年の詩集『草の葉』は、実験的な手法や同性愛的な含みが問題視され、「愚かしく卑猥な本」との烙印を押された。ホイットマンへの誹謗中傷は続いたが、無骨で探究心にあふれ、個人主義を高らかに歌いあげる彼の詩は、**1889**年ごろまでに着々と、アメリカの芸術の模範とみなされるようになった。

ホイットマンの体は弱っていた。**1873**年に発作で倒れたあと、ニュージャージー州のカムデンに移って静かに暮らし、執筆量もわずかになった。しかし**70**歳の誕生日を前に、ファンから沢山の手紙が届き、その中には**53**歳のマーク・トウェインが含まれていた。そのころまでに、トウェインもまた大物作家になっていた。『ハックルベリー・フィンの冒険』（**1884**）は、「偉大なアメリカ小説」との称賛を受けていた。ホイットマンは荒削りで哲学的であり、「博学な天文学者」*に懐疑的だったが、他方トウェインは都会的でシニカルであり、科学の進歩の応援団長だった（彼はニコラ・テスラと交友があり電気の実験を援助したこともあった）。トウェインは手紙のなかで、ホイットマンが生まれて以降、**70**年の間に起こった技術革新の数々について、宗教的なまでに熱く語る。そのうえで**30**年後には、その技術のおかげで人類が「大躍進をとげる」だろうと（若干無邪気に）予言する。

トウェインは、過去**1**世紀の間にアメリカで起こった劇的な変化についても熱弁をふるう。かつて植民地の寄せ集めだったアメリカは、ついに世界の大国への道を歩んでいた。そして**20**世紀の米文学の隆盛については、トウェインとホイットマンのふたりが、その土台づくりに重要な役割を果たしたのである。

＊訳注：ホイットマン『草の葉』所収の詩 **"When I Heard the Learn'd Astronomer"** からの引用。

Print the complete address in plain letters in the panel below, and your return address in the space provided on the right. Use typewriter, dark ink, or dark pencil. Faint or small writing is not suitable for photographing.

To: KURT VONNEGUT
WILLIAMS CREEK
INDIANAPOLIS, IND.

From: PFC. K. VONNEGUT, JR.
12102964 U.S. ARMY
PAGE ONE

(CENSOR'S STAMP)

See Instruction No. 2

(Sender's complete address above)

DEAR PEOPLE: (1)

I'M TOLD THAT YOU WERE PROBABLY NEVER INFORMED THAT I WAS ANYTHING OTHER THAN "MISSING IN ACTION." CHANCES ARE THAT YOU ALSO FAILED TO RECEIVE ANY OF THE LETTERS I WROTE FROM GERMANY. THAT LEAVES ME A LOT OF EXPLAINING TO DO — IN PRÉCIS:

I'VE BEEN A PRISONER OF WAR SINCE DECEMBER 19TH, 1944, WHEN OUR DIVISION WAS CUT TO RIBBONS BY HITLER'S LAST DESPERATE THRUST THROUGH LUXEMBURG AND BELGIUM. SEVEN FANATICAL PANZER DIVISIONS HIT US AND CUT US OFF FROM THE REST OF HODGES' FIRST ARMY. THE OTHER AMERICAN DIVISIONS ON OUR FLANKS MANAGED TO PULL OUT: WE WERE OBLIGED TO STAY AND FIGHT. BAYONETS AREN'T MUCH GOOD AGAINST TANKS: OUR AMMUNITION, FOOD AND MEDICAL SUPPLIES GAVE OUT AND OUR CASUALTIES OUTNUMBERED THOSE WHO COULD STILL FIGHT — SO WE GAVE UP. THE 106TH GOT A PRESIDENTIAL CITATION AND SOME BRITISH DECORATION FROM MONTGOMERY FOR IT, I'M TOLD, BUT I'LL BE DAMNED IF IT WAS WORTH IT. I WAS ONE OF THE FEW WHO WEREN'T WOUNDED. FOR THAT MUCH THANK GOD.

HAVE YOU FILLED IN COMPLETE ADDRESS AT TOP?

REPLY BY V···–MAIL

HAVE YOU FILLED IN COMPLETE ADDRESS AT TOP?

Writers' Letters

カート・ヴォネガット（1922-2007）から家族へ

1945年5月29日

皆様

ぼくが「行方不明者」になったということ以外、詳しいことはおそらく家族に知らされていないと聞きました（……）ならば、いろいろと説明せねばなりません（……）

1944年の12月19日、ぼくは捕虜になりました。ヒトラーが最後の猛反撃でルクセンブルクとベルギーに攻め込み、我々の部隊は散り散りになったのです（……）銃剣では戦車に歯が立ちません（……）

いかつい敵兵は、我々に食料も水も睡眠も与えず、リンブルクまで行進させました（……）到着すると、暖房も換気扇もない有蓋貨車の狭い車両に60人ずつ詰め込まれました（……）クリスマスイブに、英国空軍の爆撃と機銃掃射を受けました。貨車には捕虜収容のマークがついていなかったのです。約150人の仲間が命を落としました。クリスマスの日には少しだけ水の配給があり、ドイツ国内を少しずつ移動して、ベルリンの南にあるミュールブルクの大規模な捕虜収容所に到着しました。貨車から出られたのは1月1日のことでした。ドイツ兵は我々を家畜のように追い立てて熱湯のシャワーを浴びせ、シラミを駆除しました。何人もの兵士がそのショックで命を落としました（……）でもぼくは生き延びました。

ジュネーブ条約のもとでは、将校と下士官は捕虜になった際、労働を強制されません。ぼくは知ってのとおり、一兵卒です。そんな下っ端が150人、ドレスデンへ強制労働に送られました（……）ぼくはドイツ語が少し話せるので捕虜のリーダーになりました（……）2ヶ月の間、我々の労働環境改善を必死に訴え続けましたが、ドイツ兵はうすら笑いを浮かべるのみ。ぼくは番兵に、ソ連兵が到着したら目にもの見せてくれると言ったところ、少々殴られました（……）

2月の14日ごろ、アメリカ軍に続いて英国空軍が飛来し、24時間のうちに両軍合同して25万人を殺し、世界でも指折りの美しい街ドレスデン全域を破壊しました。でもぼくは生き延びました。

パットン将軍がライプツィヒを占領したとき、我々は収容所を出てザクセンのチェコ国境まで歩きました。そこで終戦を待ったのです（……）あの記念すべき日、ソ連軍はこの区域に拠点をもつ孤立したレジスタンスの掃討作戦に注力していました。我々はソ連の戦闘機（P-39）の爆撃と機銃掃射を受け、14人が命を落としました。でもぼくは生き延びました。

我々8人は馬ごと荷車を盗み、行く道で物資を調達しながら、ズデーテン地方やザクセンをさまよいました（……）ドレスデンで、ソ連軍が拾ってくれました。そこから、レンドリースで貸与されたフォードのトラックに乗って、ハレのアメリカ軍に合流しました。その後、飛行機でル・アーヴルに来たのです（……）

ヨーロッパが終戦を迎えた3週間後、カート・ヴォネガットはフランス北西部の赤十字の野営地にいた。そこで彼は、何ヶ月も便りを出していなかったアメリカ本国の家族へ手紙を書く。

ヴォネガットは**1944**年の**12**月、ドイツ軍最後の大攻勢となったバルジの戦いで捕虜になった。彼はその後の出来事を淡々と語るが、自分が生き延びた奇跡を手紙の随所で確認している。彼はドレスデンで連合軍の爆撃にあい、仲間の兵士とともに地下の生肉貯蔵庫に退避して生き延びた。**20**世紀の反戦小説の傑作といわれる**1969**年出版の『スローターハウス**5**』は、このときの体験がもとになっている。

CHAPTER4

ALL FOR LOVE

すべては愛のため

目が覚めたら横にあなたが

I turn to look on you

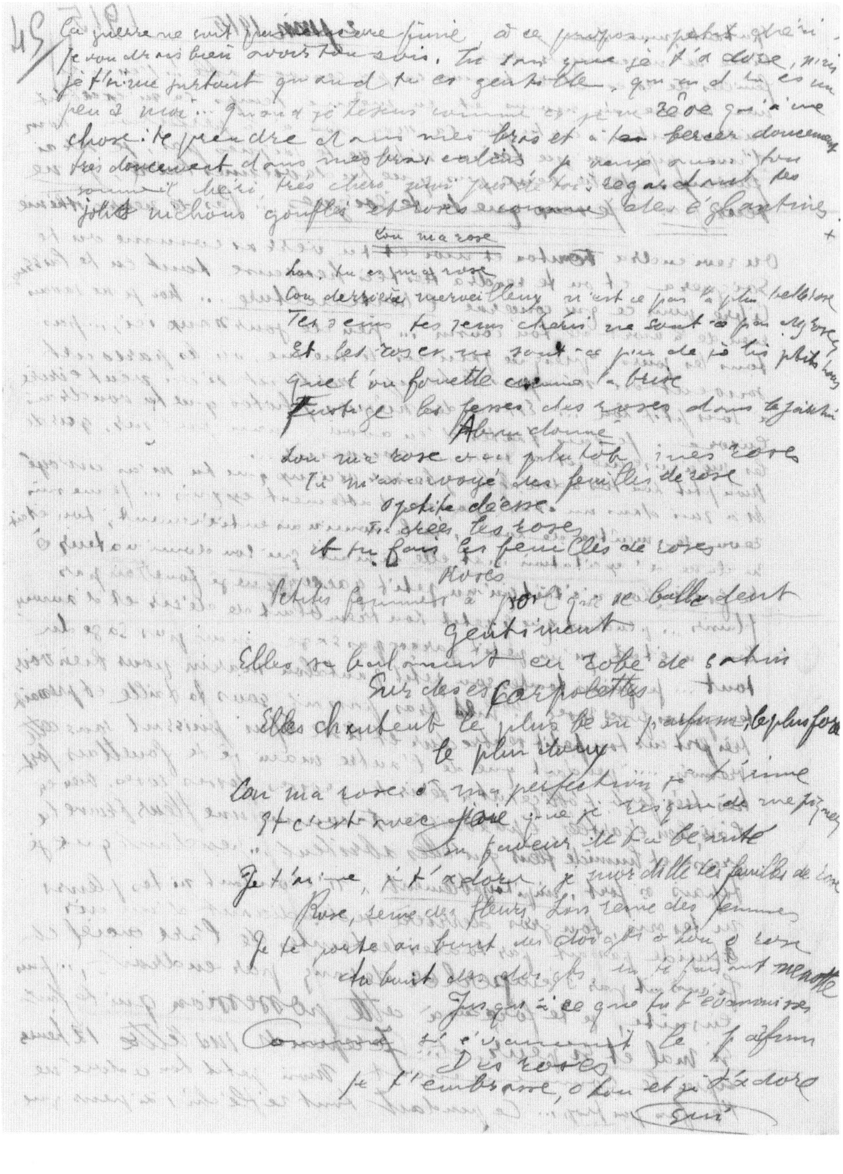
La guerre ne sera plus [illegible] bientôt finie, à ce propos petit chéri je voudrais bien avoir ton avis. Tu sais que je t'adore, mais je t'aime surtout quand tu es gentille, quand tu es un peu à moi... Quand je te serre comme ça je ne rêve qu'à une chose : te prendre dans mes bras et à te bercer doucement très doucement dans mes bras calins [illegible] sommeil chéri très chère [illegible] regardant tes jolis nichons gonflés et roses comme des églantines

Lou ma rose
Lou tu es ma rose
Lou derrière merveilleux n'est ce pas la plus belle rose
Tes seins tes seins chéris ne sont-ce pas [illegible]
Et les roses ne sont-ce pas de jolis petits [illegible]
que l'on fouette comme la brise
Fustige les femmes des roses dans le jardin
Abandonné
Lou ma rose ou plutôt mes roses
Tu m'as envoyé des feuilles de rose
O petite chérie
Tu sèmes tes roses
et tu fais les feuilles de roses
Roses
Petites femmes à [illegible] qui se balancent
gentiment
Elles se balancent en robe de satin
Sur des escarpolettes
Elles chantent le plus beau parfum, le plus fort
le plus doux
Lou ma rose ô ma perfection je t'aime
Et c'est avec joie que je reçois de ma [illegible]
ma faveur et tu le vois
Je t'aime, je t'adore je mordille les feuilles de rose
Rose, reine des fleurs Lou reine des femmes
Je te porte au bout des doigts ô Lou ô rose
au bout des doigts je te fais une menotte
Jusqu'à ce que tu t'évanouisses
~~Comment~~ s'évanouit le parfum
Des roses
Je t'embrasse, ô Lou et je t'adore
Gui

GUILLAUME APOLLINAIRE JUN 1915

ギヨーム・アポリネール（1880-1918）から ルイーズ・ド・コリニー＝シャティヨンへ

1915年6月2日

Writers' Letters

素晴らしい思い付きだよ、ぼくのルー、薔薇の花を送っておいて、それを不適切だって言うだなんて！ 少なくとも1時間は笑ったよ。それにものすごく興奮した。だって、ぼくのルー、君はそれを完璧にやってのけるのだからね。（……）ぼくもトゥトゥもきっと帰る。君の世話をして、君を幸せいっぱいにする。園芸については君の自由にしていいよ。ぼくの大好きなかわいいルー、君が送ってくれた淫らで濃厚なキスで、天にも昇る心地になった。ぼくがルーの主人だったときのことを思い出したよ。彼女はぼくの意のままだった。ルーは興奮を求めていて、支配者のギーを狂わんばかりに愛していた。ルーはまだ小さな男の子で、ぼくは気晴らしにこの子を鞭で打った。かわいいルーが愛と欲望に身を震わせているあいだ、ルーはいい子じゃなかった、全然お利口さんじゃなかった。ぼくは水夫のような小さなズボンをずりおろし、君の大きな薔薇色のお尻をよく見ようとした。片腕を股の下にくぐらせて、硬く滑らかな陰部に強く押し当てた。（……）その間も、もう片方の手で、君を強く鞭で打った。君がちゃんと大きな薔薇色のお尻を宙に突き出しているようにね。（……）

でも、よくよく考えてみたところで、戦争はまだ終わらないんじゃないかって心配している。かわいいルー、君の考えが知りたい。（……）君のことをこんな風に感じるとき、ぼくが夢見るのは一つのことだけ、君を腕に抱き、ぼくの心地良い腕の中で、優しく、とても優しく、君を揺らすことだけだ。そしてぼくのそばで眠ってほしい。野薔薇のようにピンク色をした、はちきれんばかりの、君の素敵なおっぱいを、眺めていたい。（……）

詩人で美術批評家のギヨーム・アポリネールは、**1914**年**12**月に仏軍に入隊する直前、最初期の飛行士の一人でもあった、魅惑的な女性ルイーズ・ド・コリニー＝シャティヨンと、燃えるような恋をした。ド・コリニーが長年の恋人ギュスターヴ・トゥータン（トゥトゥ）と別れるのを嫌がったため、二人の関係は**1915**年**3**月に終わりを告げた。アポリネールが西部戦線へ送られたのはこの頃である。彼は塹壕で、二人の短かった性的な関係をありありと思い浮かべながら、ド・コリニーに向けて執拗に手紙を書いた。彼はこの手紙で**rose**（薔薇、ピンク色）というフランス語の単語と戯れている。**feuilles de rose**（薔薇の葉）はド・コリニーの贈り物と性的な行為の両方を指しているのである（「ぼくのルー、君はそれを完璧にやってのけるのだからね」）。アポリネールの手紙は夢想が広がるにつれて生々しい描写から愛情の表現へと徐々に移っていく。彼は手紙を詩で締め括っている。「ルー、君はぼくの薔薇／君の素敵なお尻は極上の薔薇／君の愛しい乳房も薔薇／薔薇はきれいでかわいいルー／君は鞭に打たれる／薔薇のお尻が微風に打たれるように／打ち捨てられた庭で」

1916年**3**月、アポリネールは榴散弾によって頭部に傷を負った。パリに戻ると、非戦闘任務を割り当てられ、芸術活動に再び没頭した。しかし、頭部の負傷で衰弱し、**1918**年冬にヨーロッパで大流行したスペイン風邪によって亡くなった。

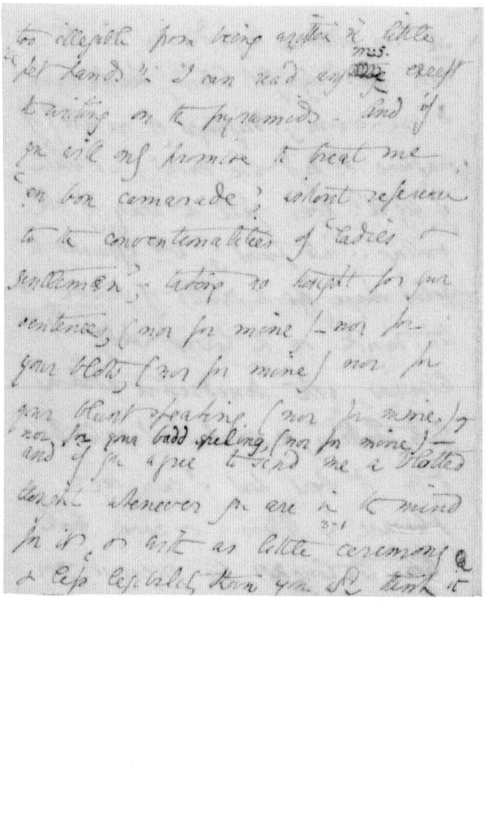
too illegible from being written in little fair hands!' I can read any MS. except writing on the pyramids. And if you will only promise to treat me 'en bon camarade,' without reference to the conventionalities of 'ladies & gentlemen,' taking no thought for your sentences (nor for mine), nor for your blots (nor for mine), nor for your blunt speaking (nor for mine), nor for your badd speling (nor for mine),—and if you agree to send me a blotted thought whenever you are in the mind for it, & with as little ceremony & less legibility than you would think it

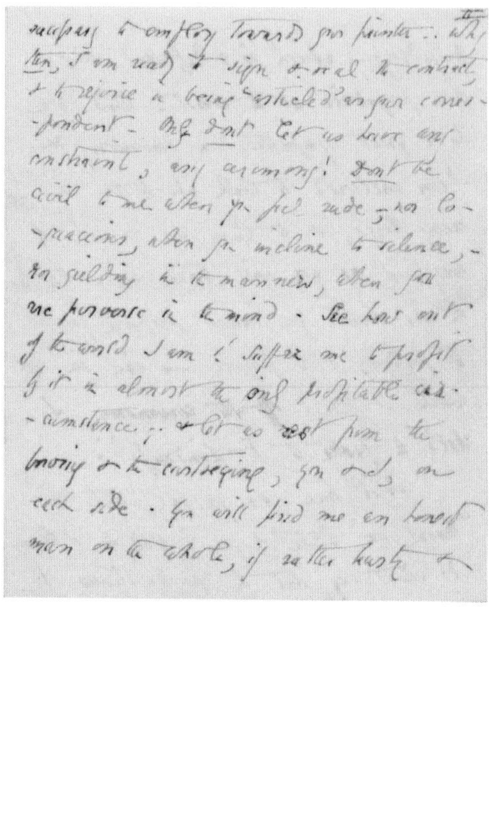
necessary to employ towards your printer . . why, then, I am ready to sign & seal the contract, & to rejoice in being 'articled' as your correspondent. Only don't let us have any constraint, any ceremony! Don't be civil to me when you feel rude,—nor loquacious, when you incline to silence,—nor yielding in the manners, when you are perverse in the mind. See how out of the world I am! Suffer me to profit by it in almost the only profitable circumstance,—& let us rest from the bowing & the curtseying, you & I, on each side. You will find me an honest man on the whole, if rather hasty &

Writers' Letters

エリザベス・バレット（1806−1861）から ロバート・ブラウニングへ

1845年2月3日

（……）こうして書いておりますのは、お手紙をいただくことがどんなにうれしいかをお伝えするためです。それに、今までのお手紙が長すぎるとか、頻繁すぎるとか、判読できないなどと思ったこともございません。（……）わたしくはどんな手書き文字でも読めます。ピラミッドに書かれているものは別ですけど。そしてもしあなたが、「紳士淑女の方々」の慣例には従わず、「オン・ボン・キャマラード（よき友として）」おつきあいくださり、（……）ご自身（とわたくし）の文章も——ご自身（とわたくし）のインクのにじみも、ご自身（とわたくし）のぶしつけな物言いも、ご自身（とわたくし）の綴りのまちがいも顧みないと約束してくださるのなら——そして、にじみのある考えでも思い浮かんだらいつでも、他人行儀にならず、印刷会社宛ならこれくらいは、とご自身でお思いになる程度よりも読みにくくて結構ですので、わたくしに送ると同意くださるのなら、それならもちろん、ただちにあなたの文通相手になる契約に署名捺印して、よろこんで「契約勤務」いたします。遠慮や他人行儀だけはやめましょう！ 失礼に感じたときは礼儀正しくしないでください。寡黙でいたいときは饒舌にならないで、虫の居所が悪いときには行儀よくなさらないでください。（……）全体としてわたくしが率直な人物だとおわかりになるでしょう。せっかちで早合点なところはありますけど。（……）早合点はどんなに悪くても、偏見とは違いますから。それにお互いとても気が合いますし、さまざまな物事においてわたくしはあなたを尊敬することが多いですし、ご教示くださることはできるかぎりすべて学びたいと思います。他方、あなたは我慢し、許す覚悟が必要になるのですよ——よろしいですか？（……）

エリザベス・バレットとロバート・ブラウニング（p.103）は、長らく互いに相手の作品の賞賛者ではあったのだが、1845年の到来と同時に突然手紙のやりとりが始まった。最初に手紙を出したとき、ブラウニングの方は何ら臆することはなかった。「私はあなたの詩を愛しています……そしてあなたのことも愛しています」。バレットの返事はもっと慎重だったが、まもなく毎日のように連絡し合うようになった。往復書簡を始めておよそひと月の2月3日、バレットはもっぱら文学上の話題に終始し、ブラウニングの考えを問うている。作品としての詩とその作者の人間性とは切り離せるか。書評をまじめに受け止めるべきかどうか（言外にあるのは、キーツ（p.113）が悪意ある書評のせいで死んだという、消え去らない噂のことだ）。ここに引用した手紙の中でバレットが未来のやりとりについて言及している箇所はふんだんにあることから、いずれは大切な間柄になるものと彼女は承知しているように読める。

ブラウニングは面会したがっていることを強くにおわせたが、バレットはつっぱねた。彼よりも6歳年上で、身体はますます虚弱になってきており、自身が生み出した詩以上の魅力は自分にはないと主張した。だが5月20日、ブラウニングはウェストミンスターにある彼女の自宅を訪問し、愛を告白した。その翌年、二人は結婚した。

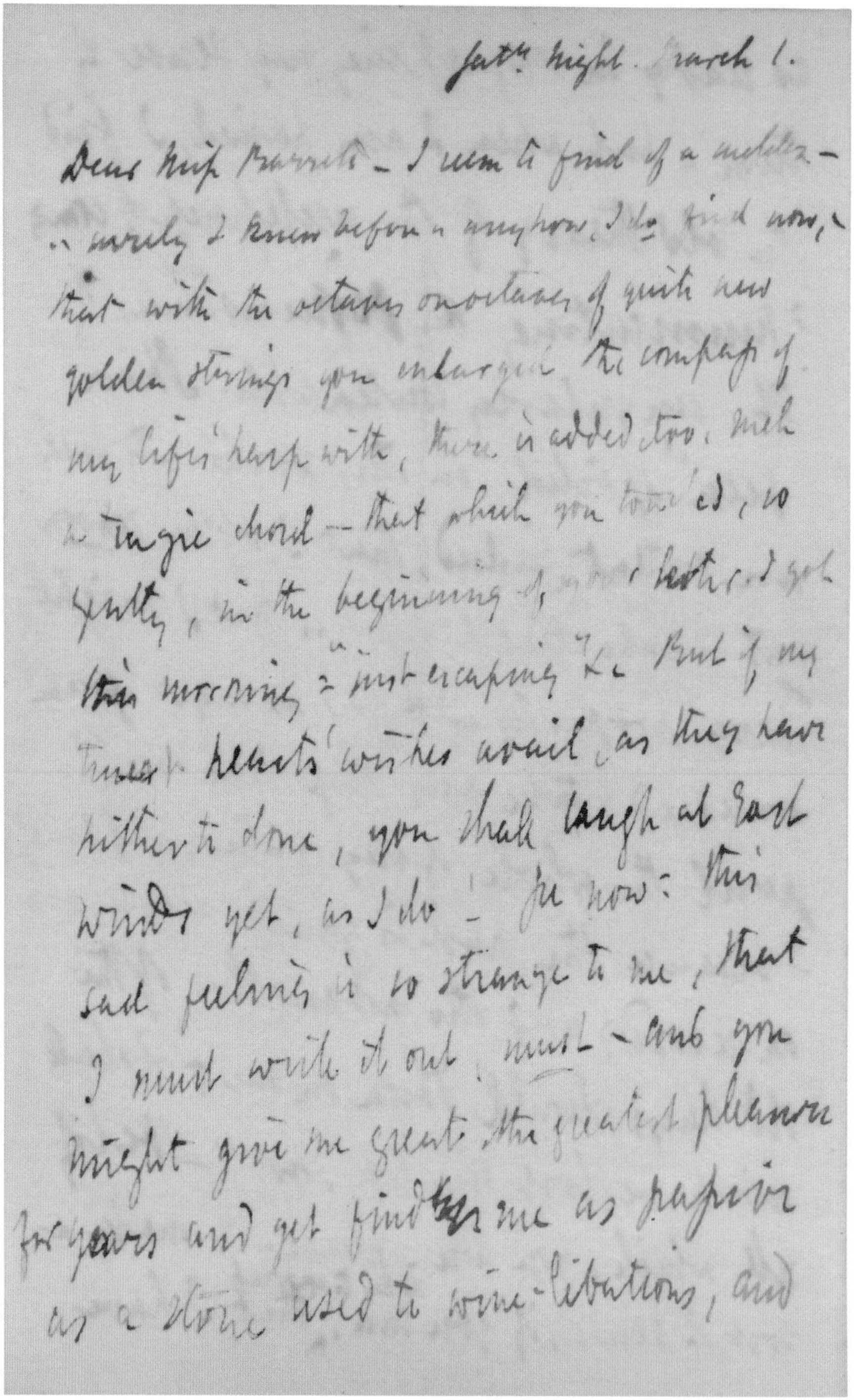
Sat^d. Night. March 1.

Dear Miss Barrett,—I seem to find of a sudden—surely I knew before—anyhow, I do find now, that with the octaves on octaves of quite new golden strings you enlarged the compass of my life's harp with, there is added, too, such a tragic chord, that which you touched, so gently, in the beginning of your letter I got this morning, "just escaping" &c. But if my truest heart's wishes avail, as they have hitherto done, you shall laugh at East winds yet, as I do! See now: this sad feeling is so strange to me, that I must write it out, must,—and you might give me great, the greatest pleasure for years and yet find me as passive as a stone used to wine-libations, and

ROBERT BROWNING
MAR
1845

ロバート・ブラウニング（1812-1889）から エリザベス・バレットへ

1845年3月1日

Writers' Letters

親愛なるミス・バレット――私は突然わかったようです――確かに前から気づいてはいたのですが――ともあれ、今はわかるのです。私の人生というハープは、全く新しい金の弦を得て、あなたのおかげで音域が何オクターブも広がったのですが、今やそこに、こんなにも哀しい琴線までもが加わっている、ということを。あなたはそれに、そっと触れましたね。今朝私が受け取った手紙の最初の方にあった、「九死に一生云々」というくだりのことです。(……)この悲しい気持ちは初めて味わうものなので、言葉にして書き記さねばなりません、絶対に。(……)私はこの世で「甘やかされて」きました――実は、よくこんな風に推測するほど――自分に言い聞かせるほどです――私は自分自身に関する限り、自分の将来の幸福を丸ごと賭するような行動も非常に立派になし得るのではないか、と――過去は得られ、固定され、記録になるのですから。そして、たとえ過去の幸せに気づかないとしても、私が自分の人生を失ったことにはならないでしょう。なりません！(……)

誠に奇しくも、私の心の中で、これがあなたの手紙にあった別の話題とつながるのです！ あの翻訳をちらっと拝見しましたが、本当にちらっとでしたし、しかも何年も前のことで、それについてもあなたについても何も知らない状態だったのです。(……)しかし、原典では（人間の幸福のために自身が授けた物事を話題にしている）プロメテウスに、こう言わせています(……)人間が*μη προδερκεσθαι μορον*〔自分の運命を予知〕しないようにした、と――コロスがこう問いかけます。*το ποιον εὑρων τησδε φαρμακον νοσου?*〔この悩みを癒すのに、どんな治療を見出したのですか〕――それに対して彼はこう答えます。'*τυφλας εν αυτοις ελπιδας κατἕωκισα*〔彼らの心の中に、盲目なる希望をしっかりと植えつけた〕と。(天啓とは別に、魂の不滅を立証しようとするのは、永遠なる切望であり、あきらめきれない願望であり、本能的な欲求であるが、それが叶うわけではないのなら、我々の中に植えつけるのは残酷だろう云々、と何時間もかけて論じる者もいます)(……)

敬具
R・B

ロバート・ブラウニングとエリザベス・バレット(p.101)は、**1845**年**1**月から文通を始め、実際に会ったのはその**5**ヶ月後だったが、二人の往復書簡は熱烈な文面を含んでいた。

この手紙のブラウニングは、バレットからの手紙にあった、厳しい寒さで「九死に一生を得たところ」だとの部分に動揺して、自分の悲しみを正確に伝えようと必死のあまり混乱している。バレットが若い頃に訳し、前回の手紙で触れていたアイスキュロスの『縛られたプロメテウス』の翻訳については、彼は自信を持って論じている。だが、この物語は両者にとって、悲しみという面で胸に響くものがあった。バレットの父親は、娘の創作活動には賛成していたが、**12**人いた子どもたち全員の結婚を禁じた。家に閉じこもっていたバレットは、岩に縛られたプロメテウスという神話上の人物に、しばしば自身を重ね合わせていた。

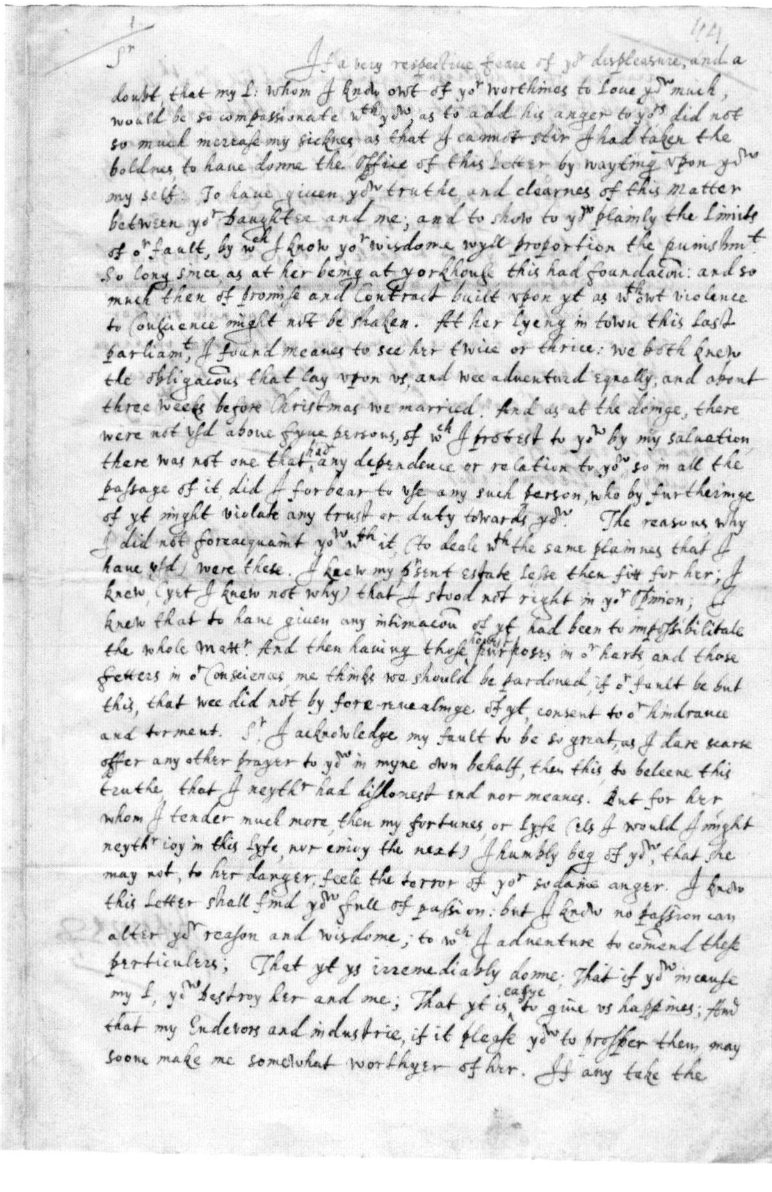
1 44

Sr

If a very respective feare of yr displeasure, and a
doubt, that my L: whom I knew owt of yr worthines to loue yu much,
would be so compassionate wth yu as to add his anger to yrs did not
so much encrease my sicknes as that I cannot stir I had taken the
boldnes to haue donne the Office of this letter by wayting vpon yu
my self. To haue given yu truthe and clearnes of this Matter
between yr Daughter and me; and to show to yu plainly the limits
of or fault, by wch I know yr wisdome wyll proportion the punishmt.
So long since, as at her being at yorkhouse this had foundacon: and so
much then of promise and Contract built vpon yt as wthowt violence
to Conscience might not be shaken. At her lyeng in town this last
Parliamt, I found meanes to see her twice or thrice: We both knew
the obligacons that lay vpon vs, and wee adventurd equally, and about
three weeks before Christmas we married. And as at the doinge, there
were not vsd above fyve persons, of wch I protest to yu by my salvation
there was not one that had any dependence or relation to yu so in all the
passage of it did I forbear to vse any such person, who by furtheringe
of yt might violate any trust or duty towards yu. The reasons why
I did not foreacquaint yu wth it, (to deale wth the same plainnes that I
haue vsd) were these. I knew my present estate lesse then fitt for her; I
knew (yet I knew not why) that I stood not right in yr Opinion; I
knew that to haue given any intimacon of yt had been to impossibilitate
the whole Mattr. And then having these honest purposes in or harts and those
fetters in or Consciences me thinks we should be pardoned, if or fault be but
this, that wee did not by fore-reuealinge of yt, consent to or hindrance
and torment. Sr I acknowledge my fault to be so great, as I dare scarse
offer any other prayer to yu in myne own behalf, then this to beleeve this
truthe, that I neythr had dishonest end nor meanes. But for her
whom I tender much more then my fortunes or lyfe (els I would I might
neythr ioy in this lyfe, nor enioy the next) I humbly beg of yu, that she
may not, to her danger, feele the terror of yr sodaine anger. I know
this letter shall find yu full of passion; but I know no passion can
alter yr reason and wisdome; to wch I adventure to comend these
particulers; That yt ys irremediably donne; That if yu incense
my L, yu destroy her and me; That yt is easye to give vs happines; And
that my Endevors and industrie, if it please yu to prosper them, may
soone make me somewhat worthyer of her. If any take the

Writers' Letters

ジョン・ダン(1572–1631)から ジョージ・モアへ

1602年2月2日

拝啓

あなたのご立腹を心底恐れるあまり、病気になってしまいまして、動けないほど重症でなかったならば、厚かましくも往訪申し上げ、この手紙の役目を自ら果たすつもりでおりました。ご息女と私の間の今回の件につきまして、明白な事実をご説明申し上げるという役目のことでございます。(……)この前の国会会期中に、ご息女がこちらに滞在していた間、二、三度お目にかかる機会がございまして、(……)クリスマスの約3週間前に結婚致しました。(……)このことを予めお報せしなかったわけには、(……)次のことが挙げられます。目下の私の地所は、ご息女にふさわしい広さを満たしていないと承知しておりました。私に対するあなたのご評価がよろしくないのも承知しておりました(が、その理由は承知しておりませんでした)。このことを少しでも漏らせば、すべては無に帰するだろうとも承知しておりました。そして、私たちの心には偽らざる目的が、意識上は足枷があるわけではございますが、私たちに過ちはあるにしても、このことを事前に明かすことによって、私たちの目的が妨げられ、苦しめられることには承諾できないということは、必ずやご勘弁いただけるだろうと考える次第です。私の過ちは非常に大きいものと理解しておりますので、このこと以外に私が自らあなたに嘆願致すことはまずございません。(……)邪な意図も手段もございません。私が自己の資産や命よりもずっと大切にしておりますご息女のためでございます。(……)恐れながらお願いがございますが、父上の突然のお怒りにご息女が恐れおののくようなことがあってはなりません。この手紙があなたの逆鱗に触れるものと承知しております。しかし、逆鱗に触れたからといって、あなたの理性とご見識が変わるわけではないとも承知しております。(……)本件につきましてありのままをお伝え致しました。そして、本能が、理性が、見識が、そしてキリスト教があなたに呼びかけるままにご対応下さいますよう、恐れながらお願い申し上げます。(……)

ジョン・ダンは1597年に、エリザベス朝後期の有力政治家サー・トマス・エジャトンの秘書に任命された。当時ダンはすでに詩を書いていて、それによって彼の名声は現代にまで残ることになったわけだが、生前には手書きの版が狭い文壇の中で出回ったに過ぎなかった。

エジャトンのロンドンの邸宅ヨーク・ハウスで、ダンが出会い、恋に落ちた10代女性のアンは、サー・ジョージ・モアの娘だった。サリーの地主で、世間の娯楽に不寛容なことで知られた(パブを閉鎖しようとしたこともあった)政治家である。モアの反対で仲を裂かれるのを恐れた2人は、1601年12月に秘かに結婚した。アンの里帰りの際、ダンはついにモアに事情を説明した。義父の「逆鱗」をなだめようと、その「理性とご見識」をほめそやしたり、父親としての良心に訴えたりして雄弁に説くも、徒労に終わった。モアは自らの影響力を行使して、ダンを監獄送りにした。「ジョン・ダン、アン・ダン、だいなしだん」という、持ち前のひとひねりあるダジャレで、ダンは多難だが意を決したこの結婚生活のスタートを要約してみせた。

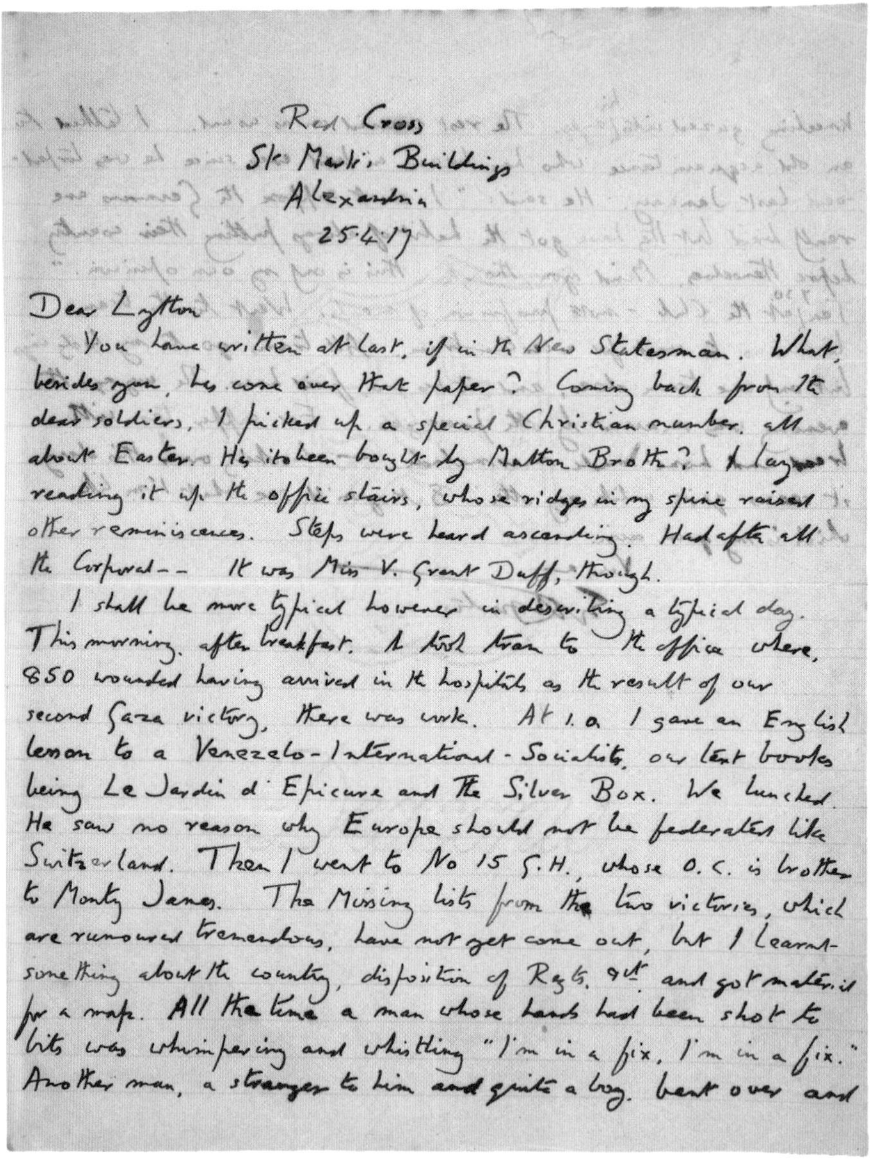

Red Cross
St Mark's Buildings
Alexandria
25.4.17

Dear Lytton

You have written at last, if in the New Statesman. What, besides you, has come over that paper? Coming back from the dear soldiers, I picked up a special Christian number, all about Easter. Has it been bought by Malton Broth.? I lay reading it up the office stairs, whose ridges in my spine raised other reminiscences. Steps were heard ascending. Had after all the Corporal -- It was Miss V. Grant Duff, though.

I shall be more typical however in describing a typical day. This morning, after breakfast, I took tram to the office where, 850 wounded having arrived in the hospitals as the result of our second Gaza victory, there was work. At 1.0 I gave an English lesson to a Venezelo-International-Socialist, our text books being Le Jardin d'Epicure and The Silver Box. We lunched. He saw no reason why Europe should not be federated like Switzerland. Then I went to No 15 G.H., whose O.C. is brother to Monty James. The Missing lists from the two victories, which are rumoured tremendous, have not yet come out, but I learnt something about the country, disposition of Regts. &c. and got material for a map. All the time a man whose hands had been shot to bits was whimpering and whistling "I'm in a fix, I'm in a fix." Another man, a stranger to him and quite a boy, bent over and

Writers' Letters

E・M・フォースター（1879-1970）から リットン・ストレイチーへ

1917年4月25日

リットン様

ついに君は書いたんだね。「ニューステイツマン」誌とは驚きだ。君の記事がなければ、こんな雑誌にお目にかかることはあるまい。数々の兵士殿との面会から帰ってきて、全巻イースター記事のキリスト教特集号を手にした。（……）事務所の階段の上で寝転がってこれを読んでいると、背骨の感覚から別の記憶が呼び覚まされた。階段を上ってくる足音がした。肉体上のあれこれの後で――もっとも足音の主は、ミス・V・グラント・ダフだったのだが。

通常の日を説明するにしても、今日の様子はことさら通常になりそうだ。今朝は朝食後、市街電車に乗って出勤した。第二次ガザ攻撃の勝利の結果として、各病院に総勢850名の負傷兵が送られてきたので、仕事があったのだ。10時にはヴェネズエロ社会主義インターナショナルで英語の授業。教科書として〔アナトール・フランスの〕『エピクロスの園』と〔ジョン・ゴールズワジーの〕『銀の箱』を使っている。（……）2回の戦勝による行方不明者リストは、噂では膨大な人数にのぼるらしいが、まだ出ていない。しかし、その土地や連隊などについていくらか学んだし、地図にする材料も集めた。銃撃されて両手が飛び散った男は、「俺は大丈夫だ、俺は大丈夫だ」と終始ひんひんヒューヒュー言い続けていた。彼とは見ず知らずの、立派な男がそばにいて、身をかがめてひざまずき、この負傷兵の目をじっと見つめていた。（……）市街電車の終着駅に行って、さる市街電車を待った。僕の下宿に行く全市街電車のうちのたった1台、それも時間は決まっていない。今日の夕方の運行は、乗客が他にいたからダメだった。（……）こうしてふりかえると、今日は他の日とは全然違うような気もする。とはいえ、君なら僕の状況がわかるだろう。僕の後ろ暗い目的が。

いつも君の
EM・フォースター

第一次世界大戦中の**E・M**・フォースターは、エジプトの赤十字に勤務し、戦闘中に行方不明となった英軍兵士の調査を担当していた。口うるさい上司ヴィクトリア・グラント・ダフ以外、アレクサンドリアでの生活が性に合っていたのは、主にセクシュアリティ上の理由だった。**1917**年**3**月、市街電車のエジプト人車掌のモハメド・エル・アドゥルと恋仲になった。彼が乗務する電車が来るまで、終着駅をうろつくのがフォースターの日課となっていた。

リットン・ストレイチーは、性的に自由なブルームズベリー・グループ*の中でも華々しい人物だ。その彼が宛先であっても、フォースターが非常に曖昧（「別の記憶」「さる市街電車」）に書いているのは、手紙の検閲を想定していたからに違いない。淡々とした手紙をよこすストレイチーは、『眺めのいい部屋』や『ハワーズ・エンド』など、すでに小説**4**作を発表していたフォースターをひそかに「二流」作家とみなしていた。

1917年**4**月、ガザの英軍駐屯隊がオスマン軍の攻撃部隊を撃退し、負傷兵がアレクサンドリアに到着したので、フォースターには「仕事があった」。とはいえ、現代文学の軽めの作品を教材に英語を教えたり、エル・アドゥルが乗務する市街電車に乗ったりする時間はあったのだ。

* 訳注：**20**世紀初頭、ロンドン中心部のブルームズベリー地区に集まった作家や芸術家、批評家、学者らのグループ。

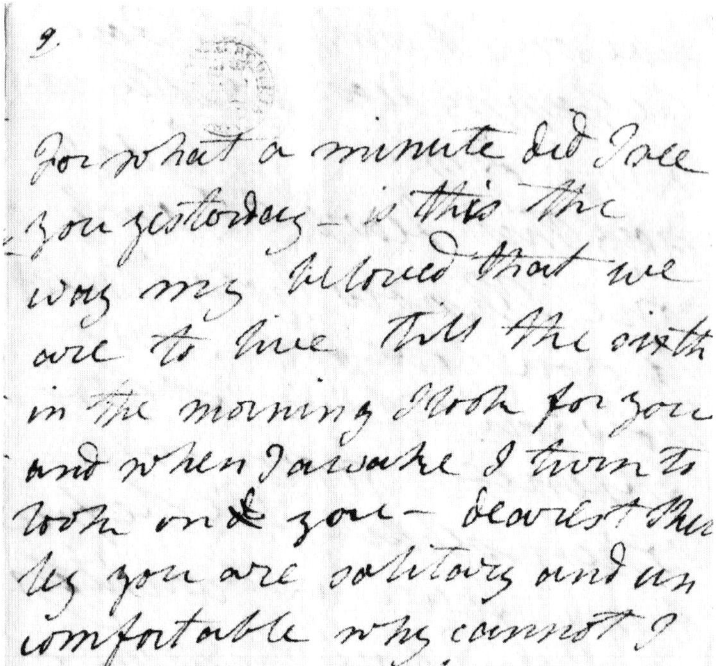
9.

For what a minute did I see
you yesterday – is this the
way my beloved that we
are to live till the sixth
in the morning I look for you
and when I awake I turn to
look on & you – dearest The
ley you are solitary and un
comfortable why cannot I
be with you to cheer you
and to wrap you to my heart
oh my love you have no
friends why then should
you be torn from the
only one who has affection
for you – But I shall
see you tonight and there
is the hope that I shall

MARY GODWIN OCT 1814

Writers' Letters

メアリー・ゴドウィン(1797-1851)から パーシー・ビッシュ・シェリーへ

1814年10月25日

(……)昨日はなんと束の間のことだったでしょう——愛するお方、朝6時まで一緒にいて、目が覚めたら横にあなたがいるのを目にする、それが私たちのあるべき生活ではありませんか　誰よりも愛しいシェリー、あなたは孤独で気も休まらないのに、なぜ私はあなたのそばで励ましたり、抱きしめたりすることができないのでしょう　ああ大好きな人、お友だちがいないのなら、あなたを愛する唯一の者からなぜあなたは引き離されているのでしょう。でも、今夜お会いしましょうね、私にとってそれが今日の生きる糧なのです　ご機嫌よくしてくださいな　愛しいシェリー　そして私のことを考えてください　この最愛にして私の唯一の人が、いかに私をやさしく愛してくれるか、私と一緒にいられないことにどう不平を言うか、なぜ私にわかるというの——いつになったら私たちは、裏切りを心配することから解放されるのですか?(……)

昨日私はひどく疲れたので、馬車で帰るほかありませんでした　こんな贅沢をして許してください　でも今は本当に弱っていて、昨日は1日ずっといらいらしていたので、我慢できずに今日の午前中は休んでいました　でもまた元気になるでしょうし、夕方お会いするときはすっかり良くなっているでしょう　5時にコーヒーハウスの入り口にいてくださいますか　ああいう場所に入るのは不快(デザグレアブル)ですから私は時間きっかりに参ります　そしてセントポール寺院へ向かいましょう　あそこの中なら座れますから(……)

メアリー・ウルストンクラフト・ゴドウィンは15歳だった1812年に、パーシー・ビッシュ・シェリーと知り合った。彼女は、急進的な哲学者ウィリアム・ゴドウィンと作家で女性の権利の主唱者(しゅしょうしゃ)メアリー・ウルストンクラフト(p.211)の娘である。シェリーはゴドウィンの弟子の一人で、「無神論の必要性」というパンフレットを発行したことでオックスフォード大学を放校されて間もなかった。1814年までには、二人は恋仲になっていた。だがシェリーは妻帯者だったし、多大な借金もあった。ゴドウィンも債権者のひとりで、娘の交際をひどく案じた。

二人は7月に駆け落ちし、メアリーの義妹のクレア・クレアモントと三人でヨーロッパへ渡り、フランス、スイス、オランダと移動した。しかし、シェリーがクレアモントとちょっと親密になりすぎた折には緊張が生まれ、9月までには所持金も尽きた。ロンドンに戻ると、志を同じくした友人たちからも背を向けられ、家から家へと渡り歩き、心身をすり減らす不安定な生活を送った。債権者や執行官から逃れるために、シェリーは妊娠中のメアリーを残したまま、大半は留守にしていた。この手紙の彼女は、コーヒーハウスの外で彼に会うのを楽しみにしており、近くのセントポール寺院の中なら人目につかないとしている。メアリーがたえず激動にさらされているのは明らかだが、「孤独で気も休まらない」シェリーを責めることはない。今も心から愛しているのだ。だがさらに不幸が訪れることになる。赤ん坊は生後間もなく亡くなったのである。

le 23.

Ah ma chere quel contretemps! Le Duc a changé de plan et nous ne partirons qu'en 8 jours. J'en serois assez content, car il y a encore toutes sortes de choses a voir ici et nous connoitrions mieux notre monde en partant, si ce n'etoit pas ces terribles six heures qu'il faut passer tous les jours a table.

Aujourdhui nous avons fait un tour forcé pour voir la galerie de Saltsdalen il y a de tres belles choses que je souhaitterois de contempler avec toi, surtout un Everdingen de la plus grande perfection, et quelques autres dont je te ferai un jour la description.

Je finis par un vers allemand qui sera placé dans le Poeme que je cheris tant, parceque j'y pourrai parler de toi, de mon amour pour toi sous mille formes sans que personne l'entende que toi seule.

Gewiss ich waere schon so ferne ferne
Soweit die Welt nur offen liegt gegangen
Bezwaengen mich nicht uebermaechtge Sterne
Die mein Geschick an deines angehangen
Dass ich in dir nun erst mich kennen lerne.
Mein Dichten, Trachten, Hoffen und Verlangen
Allein nach dir und deinem Wesen draengt
Mein Leben nur an deinem Leben haengt.

le 24 d'Aout 1784.

G.

ヨハン・ヴォルフガング・フォン・ゲーテ（1749－1832）から シャルロッテ・フォン・シュタインへ

1784年8月24日

Writers' Letters

おお、愛しい人よ、なんということでしょう。大公は予定を変更し、出発が8日間延びました。これは喜ばしいことです。ここにはまだ見るべきものがいくつもあり、毎日、机の前でひどく退屈な6時間を過ごすためでなければよいのに。出発する頃には、わたしはわれわれの世界のことをより良く知ることができるでしょうから。

今日、われわれはザルツダールムの陳列館をみるために遠出をすることになりました。美しいものが沢山あり、君と一緒に見たかった。なかでもエーフェルディンヘンのものは最高級で、ほかのものもいつか君に報告しようと思います。

ドイツ語の数節の韻文が完成しました。わたしの気持ちをもっとも良く表現する詩の一部に組み込まれるはずです。というのも、この詩でわたしは、君のことを、君への愛を詠むのですから。君だけがわかってくれるであろう、多くの方法で。

世界が開けてさえいる限り
きっとわたしは、もう遠くへ、遠くへと去っていただろう
わたしの運命を君と結びづけた力強い星々も
強いることはなかっただろう
わたしがいま君のなかで
初めて自分と出会うことを
わたしの詩作、望み、希望、欲求は
君だけを、本当の君だけを求めている
わたしの人生は、ただ君の人生とともにある

外交業務としての旅のさなか、ゲーテはブラウンシュヴァイク宮廷[*1]から、ヴァイマル宮廷[*2]にいたシャルロッテ・フォン・シュタインへ手紙を送っている。シャルロッテは女王の侍女で、ヴァイマル知識人界の寵児だったゲーテは、詩人、科学者、上級顧問官で、カール・アウグスト大公の信頼厚き相談役だった。1764年、恋愛とは無縁の上流社会の婚姻の後、シャルロッテは10年間で10人の子どもを設け、そのうち3人だけが無事に育った。1783年、彼女の息子フリッツは、教育を引き受けたゲーテとともに生活するようになった。ゲーテはシャルロッテを愛していた。シャルロッテは同じようにゲーテへ好意を寄せていたとはいえ、あくまでも気心の知れた異性として扱った。

1784年夏、カール・アウグストは、ハプスブルク朝のヨーゼフ2世の覇権への野望に対抗する同盟を説くため、ドイツ各地の宮廷を歴訪する。ゲーテも付き添った。ゲーテは主人がブラウンシュヴァイクへの滞在を8日間も延長し、退屈な夕食にさらに何時間も費やすことに不平を述べている。彼らはザルツダールム宮殿[*3]をちょうど訪れたところで、かの地の名高い美術コレクションを「君と見たかった」と打ち明けている。そのコレクションには、17世紀のオランダ人画家アラールト・ファン・エーフェルディンヘンの筆とされる風景画も含まれていた。

ゲーテは、外交や世界市民（コスモポリタン）の上流文化の言語だったフランス語で書簡をしたためているが、愛を告白するドイツ語の詩を添えた。シャルロッテに捧げたいくつかの詩のうちの一つである。その詩はきわめて私的だが（「君だけがわかってくれるであろう」）、ドイツ語をヨーロッパの偉大な文学の言語へと作りかえようとするゲーテの生涯を貫く企ての一端でもある。

*1 訳注：現在のニーダーザクセン州に位置する。
*2 訳注：ゲーテは宰相を務めた。
*3 訳注：ブラウンシュヴァイク近郊に建造された、バロック式庭園を備えた離宮。

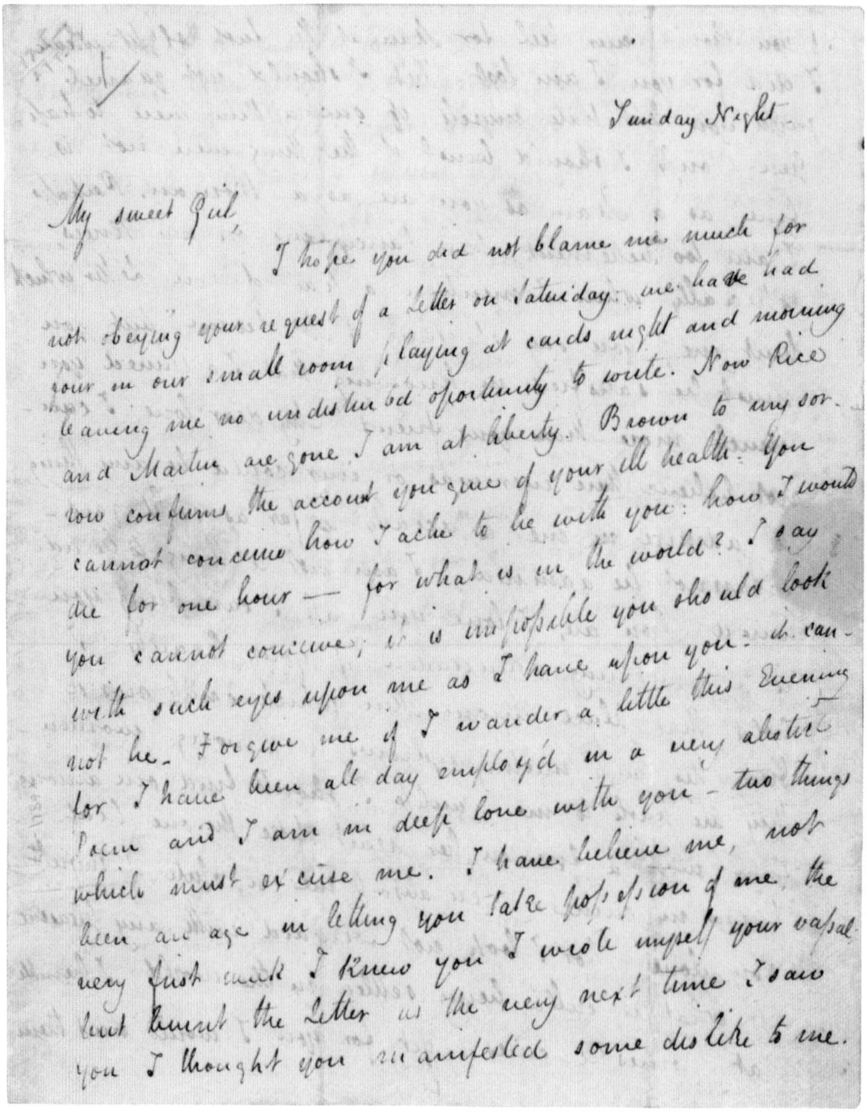

Sunday Night.

My sweet Girl,

I hope you did not blame me much for
not obeying your request of a Letter on Saturday: we have had
four in our small room playing at cards night and morning
leaving me no undisturbed opportunity to write. Now Rice
and Martin are gone I am at liberty. Brown to my sor-
row confirms the account you give of your ill health. You
cannot conceive how I ache to be with you: how I would
die for one hour — for what is in the world? I say
you cannot conceive; it is impossible you should look
with such eyes upon me as I have upon you: it can-
not be. Forgive me if I wander a little this Evening
for I have been all day employ'd in a very abstract
Poem and I am in deep love with you - two things
which must excuse me. I have, believe me, not
been an age in letting you take possession of me; the
very first week I knew you I wrote myself your vassal
but burnt the Letter as the very next time I saw
you I thought you manifested some dislike to me.

Writers' Letters

ジョン・キーツ（1795-1821）から ファニー・ブローンへ
1819年7月25日

愛する人へ

土曜日に手紙を、というきみの要望に応じなかったからといって、あんまりぼくを責めないでほしい。ぼくたち4人は小さな部屋で、夜通しトランプをしていたので、邪魔をされずに手紙を書く機会などなかったんだ。(……)きみに心を奪われるのに、長くはかからなかったことは本当だよ。知りあって最初の週には、きみのとりこだ、と書いたんだ。でも、次に会ったとき、ぼくが嫌いだというそぶりをしたように思ったので、その手紙は燃やしてしまった。初めて会ったときにぼくが感じたのと同じほど、きみも初対面の男性に強い思いを抱けるだろうか。もしそうなら、ぼくの負けだ。きみと言い争うつもりはないが、我が身を憎むことになる(……)きみはセヴァーン氏のことを「だけど私は、あなたの友だちよりもあなたの方がよっぽどすばらしいと思っているのよ。そう知って満足しないといけないわ」と言ってるね。愛しい人よ、特に見た目に関する限り、ぼくにすばらしいところがあったとか、あったかもしれないなどとは到底思えないよ。(……)

散歩しながらつらつらと考える二つの楽しみがある。きみのかわいらしさと、ぼくの臨終のとき。ああ、この二つを同時に持つことができたらなあ。世の中が嫌なんだ。ぼくの自我の翼を激しくうちのめすから。きみの唇から甘い毒を吸って、あの世へと送ってもらうことができたらいいのに。(……)今宵はきみがヴィーナスだと想像して、金星に向かって異教徒のように、祈って、祈って、祈ることにするよ。(……)

ジョン・キーツはロマン派第2世代を代表する詩人として、すでに(すべてが好意的とはいえないが)注目されていた。だが1819年には、今まで重ねてきた様式や題材における試行錯誤を脱し、声（ヴォイス）が円熟に達した。熱に浮かされたように詩作に励んだこの年に、「ナイチンゲールによせるオード*」「ギリシャの壺のオード」「秋によせる」の優れたオードを生んだ。

それに比べて私生活では、楽観的要素は少なかった。実際に診断されたのはその翌年だが、結核という、母や弟、おじを奪ったこの病気の症状は出ていたし、借金もかさんでいた。さらに、隣家の娘ファニー・ブローンと真剣に交際していたが、彼の大半の友人はブローンを嫌い、彼女の両親もキーツを認めなかった。

こうした数々の悩みは、衰退と死を底流とする「ラ・ベル・ダーム・サン・メルシ(非情の美女)」などの詩に表れた。この手紙にしてもそうで、熱烈な想いの告白と、かみしめる不安の吐露とが入り乱れている。キーツがブローンにこの手紙を送ったのは、友人たちとワイト島に行ったときのこと。手紙を書こうと思いながらも、何度も誘われて、結局徹夜でトランプをしたのだった。

キーツとブローンは、1818年のクリスマスに「合意」に達したと考えられており、1819年10月にはひそかに婚約したようだ。だがキーツの体調が悪化。1820年2月には喀血（かっけつ）した。外科医見習いだったこともあるキーツには、これが何を意味するかわかっていた。「この色は間違えようがない――この血はぼくの死亡証明書だ」

* 訳注:頌歌（しょうか）。ある対象を褒めたたえて詠う抒情詩のこと。

79

Queens Chambers
Belfast.
7 June 1951.

Dear graminivor~~ian~~e,

I'm not sure what you are doing in this picture except preparing supper. However, I'm sure you are comfortably off. Do you think you should have whiskers, or not? My whiskers are an integral part of me:

However. I am feeling very June-like tonight, that is, a pulp of my ordinary self. Hayfever has opened

Writers' Letters

PHILIP LARKIN
JUN 1951

フィリップ・ラーキン（1922-1985）から モニカ・ジョーンズへ

1951年6月7日

親愛なる草食系ちゃんへ

この絵の中できみがいったい何をしているのか、夕食の準備中ということ以外はわからない。とはいえ、何不足なく暮らしていることは確かだね。ひげがあった方がいいかね？ 僕のひげは大事な身体の一部だ。

ところで。今夜はすごく6月チックな気分。つまり、普段の僕のぐにゃぐにゃ状態。花粉症が攻撃を開始して、全軍を戦地に送り込んだわけじゃないけど、きわめて不快で、僕を忙しない状態に陥らせている。(……)

ところで昨日は午前休をとって、町でいくつか任務を終えたら、あいにくなことにブラッドリーにつかまってコーヒーに連れていかれ、その後自転車に乗ってラガン船曳(ふなひき)道まで行ったんだ。天気は暑くて申し分ないし、川辺には人気(ひとけ)がなく、馬曳(うまひ)きの平底荷船(ひらぞこにぶね)が一艘浮かんでいただけ。ほとんどだいなしにされずにちゃんと自然が残っている場所で、全然家もないし、あるのは水門と、軽食売りの臨時屋台（今は閉まってる）だけ。カササギかな、と思える何かの姿が目に入り、耳には川ねずみが浅瀬を出入りするちゃぽんちゃぽんという音。そして力いっぱいのくしゃみ。(……)　リズバーンという小さな町まで行ったけど、食事をするところがなかったから、パンにチーズ、玉ねぎ、りんご1個を買って、公園で座って『壁を跳び越える』を読んだ。タールが道路に染み出ていてね。全体として楽しい数時間だった。仕事から解放されると人の態度はこうもがらりと変わるんだから、驚きだよ。足取りがしっかりとして、目に力が戻り、声にもハリが出た。墓のことを考えなかったし、僕の住まいがいかにみじめかということも考えなかった。いや、僕は早起きして、花婿が花嫁を抱くように、この日を熱烈に抱きしめ、ヒキガエルのように自転車の車輪のノイズに合わせて歌った——すべては自分のためだけに数時間を使えたからだ。(……)

ベルファストのみすぼらしい共同住宅(フラット)に腰を据え、大学の図書館司書として働くフィリップ・ラーキンは、レスターで英文学講師をしている恋人のモニカ・ジョーンズに手紙を書く。二人はまだほやほやの時期だった。知りあったのは**1940**年代半ばだったが、ラーキンが別の女性との婚約を破棄した後、最近になって恋愛関係に発展したのだ。

表向きは陰気な印象のラーキンだが、優しくて滑稽な面もあった。付き合いだしてすぐに、自分を「アザラシ」、彼女は「ウサギ」の愛称で呼び合うことを提案した。そして、彼女宛の手紙の多くに、ここにあるような、彼女に見立てたビアトリクス・ポター風のウサギの絵を書き添えた。

ジョーンズとの関係は、ラーキンの生涯でもっとも重要なものだった。彼は深入りすることや繰り返し裏切られることを恐れていたが、ジョーンズは恋人、親友、批評家として、彼にずっと忠実だった。ラーキンがせつない後悔と不確かな希望が入り混じった独特の作風の詩人として本領を発揮したのは、ジョーンズの力添えを得たこのベルファスト時代だった。そして、ここにある孤独の喜びと仕事の重圧についての思いは、彼の有名な詩「ヒキガエル」に通じる最初のきざしであるように感じられる。**1955**年、この詩を収めた初の本格的な詩集『欺かれることの少ない者』は、ジョーンズに捧げられた。

I Know you are very busy
but may I nevertheless
point out that I haven't
had a letter from you since
(I think) July. I Know too
that I didn't write for a
long time, but I am hoping
that you are not cross with
me. Vous ne m'en voulez pas?

アイリス・マードック(1919-1999)から レイモン・クノーへ
1949年10月29日

Writers' Letters

あなたがとてもお忙しいのはわかっておりますが、それでもなお(思うに)7月からまったくお便りがないと言わせていただきとうございます。私とて長いこと書いていなかったのですけど、私にご立腹なさっているわけではないですよね。ヴ・ヌ・モン・ヴレ・パ?

私も今、仕事がとても多いのです——授業以外に、ですよ。それは勘定に入りませんから。この論文を早く仕上げたいと思っています。意味論に関するもので、ヘーゲルに基づき、サルトルを導入して、〔ギルバート・〕*ライルに反駁する内容です。(ライルはこっちでは全盛の学者です。彼はつい最近、心についての本を出しました。ポスト・ウィトゲンシュタインの経験論、これぞ現代イギリス哲学の概略を述べたものです。いずれ1冊お送りしますね。)(……)

平和について、パリでは今何が行われていますか。共産党が会議などを主催しているのでしょうね。でもそれは、共産党員の輪を超えて広がるでしょうか。(サルトルはそういう組織に力を貸したりしますか?)当地では残念なことに、平和は共産党員の専売特許とみなされているのです。誰もがだんだんとおかしくなってきているように思えます。(……)

手紙の返事をくれなかったと、アイリス・マードックがおどけた調子でレイモン・クノーを責めている。彼の気を引こうとする自分の姿と、それにはお構いなく、デスクに向かって次作『携帯用小宇宙開闢論』をせっせと書き進めているクノーの様子を挿絵にしている。

マードックとクノーが初めて出会ったのは、**1946**年のインスブルックだった。マードックは、戦争難民を支援する国際連合救済・復帰局で働いていた。彼女はまだ小説を出版できていなかったが、クノーの方は**1930**年代から実験的な小説や詩を発表し続けていた。戦時の閉鎖的な年月を経て、彼女は大陸の文学や哲学が示すものに興奮をおぼえた。二人は親しい友人となった——マードックの側には友情以上のものがあった。

1949年**10**月、マードックは母校のオックスフォード大学に戻り、哲学を教える。だが、カリキュラムは乏しく、イギリスで支配的な分析哲学の伝統にもうんざり。フランス実存主義を好ましく思い、クノーにジャン=ポール・サルトルのことをあれこれ訊ねる。そのサルトルについていずれ本を書き、それが彼女の第**1**作となるのだ。

手紙をしたためる極意は、「まじめさと、とほうもなくふまじめな印象」とのバランスだと述べた通り、その両方がこの手紙にはある。「ヴ・ヌ・モン・ヴレ・パ?(私に飽きたのですか)」と問いかけて、ふざけた調子でメロドラマを気取る一方で、拭いきれない不安もあり、既婚者であるクノーへの報われない思いを匂わせている。この後に続く複数の手紙から、希少な対面の機会に、マードックがことを先へ進めようとして不首尾に終わったらしいと読める(**1952**年の彼女の手紙にはこうある。「あなたのためなら何でもするつもりだった。私に望まれることは何でも。……あなたは、私があなたを必要としているようには私を必要だとは思っていないのですね」)。どうやら彼女は、クノーからの手紙を破棄してしまったらしい。

*[　]内は原注。

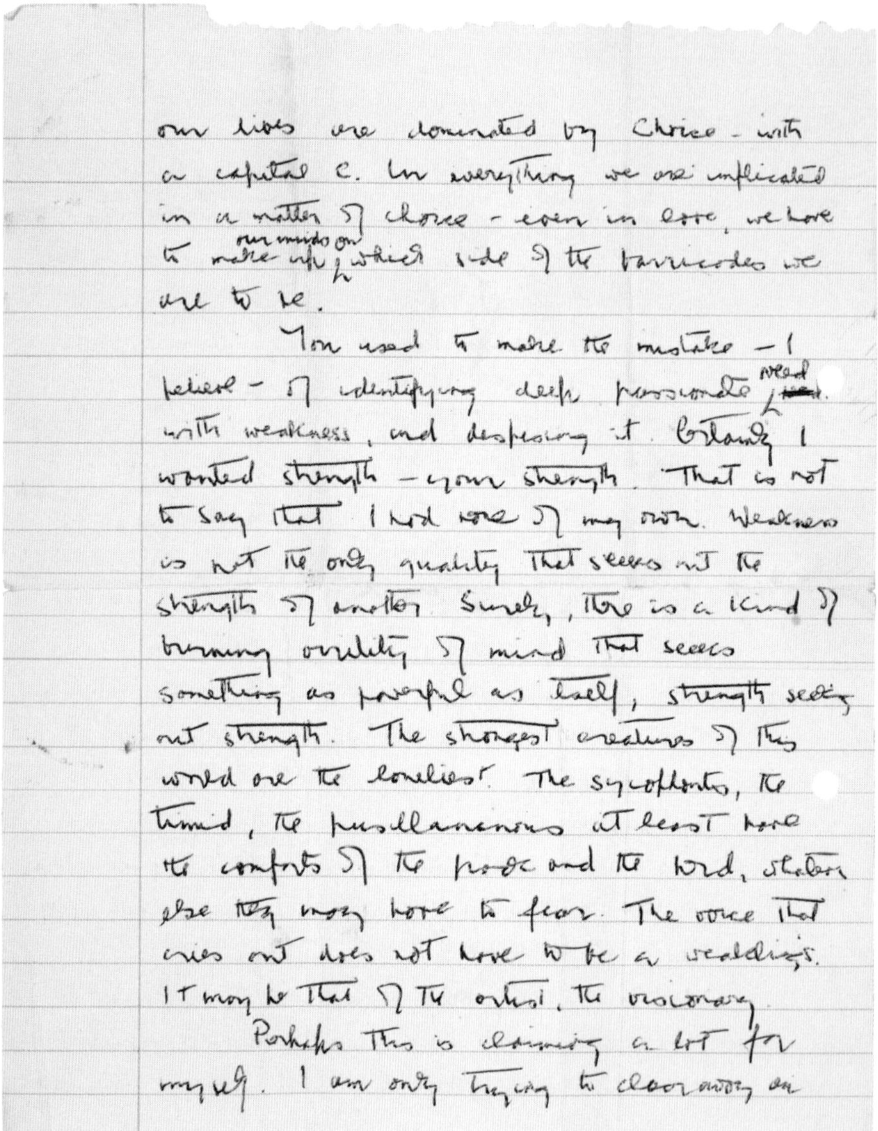

our lives are dominated by Choice - with a capital C. In everything we are implicated in a matter of choice - even in love, we have to make up our minds on which side of the barricades we are to be.

You used to make the mistake - I believe - of identifying deep passionate need with weakness, and despising it. Certainly I wanted strength - your strength. That is not to say that I had none of my own. Weakness is not the only quality that seeks out the strength of another. Surely, there is a kind of burning avidity of mind that seeks something as powerful as itself, strength seeking out strength. The strongest creatures of this world are the loneliest. The sycophants, the timid, the pusillanimous at least have the comforts of the pack and the herd, whatever else they may have to fear. The voice that cries out does not have to be a weakling's. It may be that of the artist, the visionary.

Perhaps this is claiming a lot for myself. I am only trying to clear away an

OSBORNE JOHN 1954

ジョン・オズボーン（1929-1994）から パメラ・レーンへ

1954年

Writers' Letters

最愛の人へ
　あの後、きみは無事戻ったことと思う。かわいそうに、すっかり疲れ切っていたんだね。背中は少しは良くなっているだろうか。僕は昨晩家に帰りついたんだが、頭はぼうっとして、とにかくもうくたくただったよ。（……）
　今日はすべてのことが違っている。これまでの何週間もの日々を取り戻せた者にとっては、全く違う日だ。きみも僕も、これ以上は望めないんじゃないかな。今後どうなるのかはわからない。お互いに相手を幸せにできるかどうかもわからない。少なくとも確かなのは、二度目の失敗はそこまでひどくはならない、ということだ。昨日きみに再会できたとき、おなじみの不安が胸の内でどんなにうずいても、もう一度きみとやり直したいという思いに駆られた。そしてこれまでの長い、長い月日の中で、今日が一番心の安らぎを感じている。僕にわかるのはこの二つだけだ。（……）
　愛することを学ぶのは簡単ではない。（……）
　きみはよく間違いを犯していた――と僕は思っている――けど、それは、痛切な感情的欲求を弱さとみなして軽蔑していたことだ。確かに、僕は強さが欲しかった――きみの強さがね。
僕に強さが全くない、と言っているんじゃないよ。他者の強さを求めるのは弱さだけではない。メラメラとした心の雄々しさみたいなものが、それと同じくらいパワフルな何かを求める、ということが確かにあるんだ。強さは強さを求める、というね。この世で一番の強者が一番孤独なのだ。おべっか遣い、臆病者、小心者は、他にどんな恐がることがあるにしても、群れて集団になることで、少なくとも安心は得られる。泣きわめく声の主は必ずしも弱虫とは限らない。芸術家や夢想家かもしれないのだ。（……）
　現時点で僕にわかるのは、僕の心の病が消え去ったということだけ。昨日の僕はひとりきり。今日の僕は、どうやら妻がいるようだ。きみに再会するのが待ちきれないよ。（……）
　ああ、僕の最愛の人、元気でいてくれ。（……）また手紙を書くよ。愛してる。

ジョニー

　ジョン・オズボーンは、別居中の妻パメラ・レーンに会いにダービーへ行き、その後ロンドンに戻る。目下ダービーで、レーンは芝居に出演し、地元の歯科医とデートしている。夫婦としてやり直したいと思い、この手紙を書いているオズボーンは、戯曲「怒りをこめてふり返れ」の主人公ジミー・ポーターを髣髴（ほうふつ）とさせる。ジミーは頭が良く、労働者階級の出身で、社会の現状にどうしようもなくいらついており、アッパーミドルクラス出身の妻アリソンに当たり散らす。耐えかねた彼女は実家に戻るが、ラストシーンで再びジミーの前に現れて、穏やかだがぎこちない和解を迎えるのだ。
　この長い手紙にある「臆病な」人々への嘲（あざけ）りや強者の孤独などのくだりは、彼がまもなく書き始める「怒りをこめてふり返れ」の中で繰り返される。**1956**年、ロンドンのロイヤル・コート・シアター*で初演されたとき、まさに今のリアルな現状と若者の反抗的な雰囲気に観客は魅せられた。こうして「怒れる若者たち」というフレーズが、戦後に改革された教育を受けて育ち、イギリスの階級制度に心底不満を抱いている世代を表わすことになった。

* 訳注：「怒りをこめてふり返れ」が上演されたことで、イギリス現代演劇革新の中心地となった劇場。

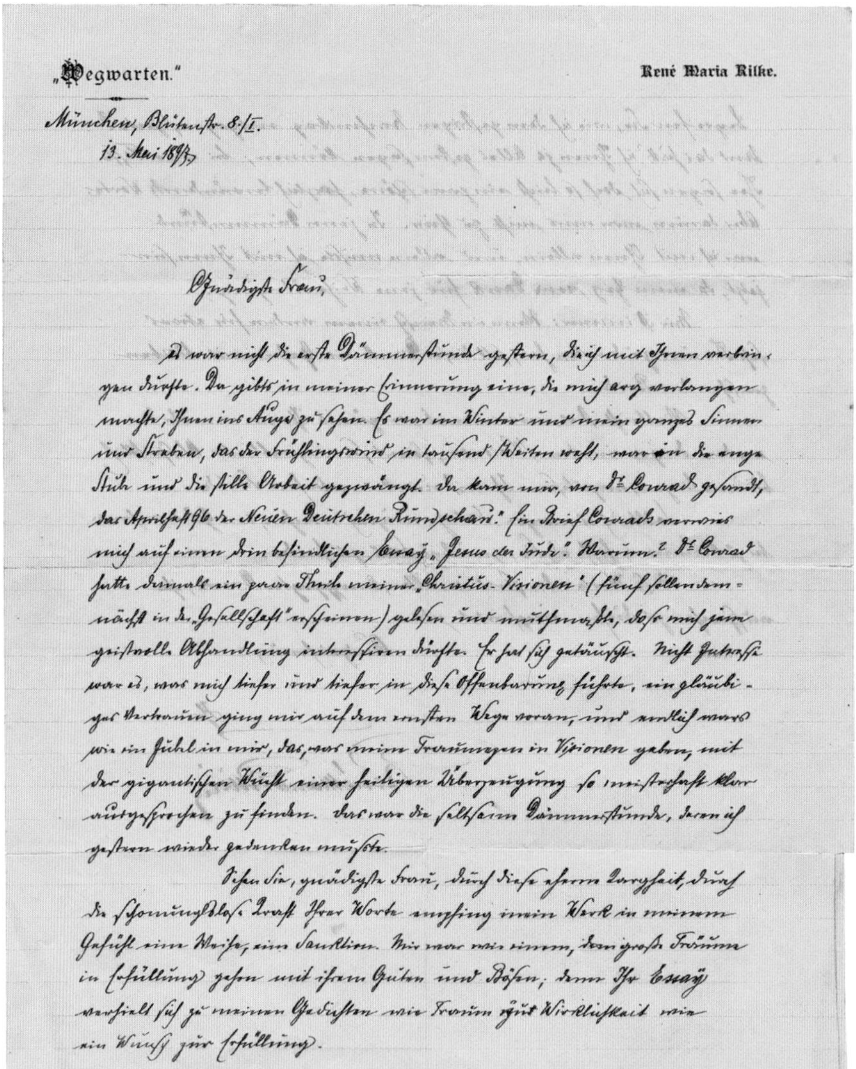

„Wegwarten."

René Maria Rilke.

München, Blütenstr. 8/I.
13. Mai 1897.

Gnädigste Frau,

Es war nicht die erste Dämmerstunde gestern, die ich mit Ihnen verbringen durfte. Da gibts in meiner Erinnerung eine, die mich arg verlangen machte, Ihnen ins Auge zu sehen. Es war im Winter und mein ganzes Sinnen und Streben, das der Frühlingswind in tausend Weiten weht, war in die enge Stube und die stille Arbeit gezwängt. Da kam mir, von Dr. Conrad gesandt, das Aprilheft 96 der Neuen Deutschen Rundschau". Ein Brief Conrads wies mich auf einen drin befindlichen Essay „Jesus der Jude". Warum? Dr. Conrad hatte damals ein paar Stücke meiner „Christus-Visionen" (fünf sollen demnächst in der „Gesellschaft" erscheinen) gelesen und muthmaßte, daß mich jene geistvolle Abhandlung interessieren dürfte. Er hat sich getäuscht. Nicht Interesse war es, was mich tiefer und tiefer in diese Offenbarung führte, ein gläubiges Vertrauen ging mir auf dem ernsten Wege voran, und endlich wars wie ein Jubel in mir, das, was meine Träumungen in Visionen geben, mit der gigantischen Wucht einer heiligen Überzeugung so meisterhaft klar ausgesprochen zu finden. Das war die seltsame Dämmerstunde, deren ich gestern wieder gedenken mußte.

Sehen Sie, gnädigste Frau, durch diese ehrne Klarheit, durch die schmucklose Kraft Ihrer Worte empfing mein Werk in meinem Gefühl eine Weihe, eine Sanktion. Mir war wie einem, dem große Träume in Erfüllung gehen mit ihrem Guten und Bösen; denn Ihr Essay verhielt sich zu meinen Gedichten wie Traum zur Wirklichkeit, wie ein Wunsch zur Erfüllung.

RAINER MARIA RILKE MAY 1897

Writers' Letters

ライナー・マリア・リルケ(1875-1926)から
ルー・アンドレアス=ザロメへ

1897年5月13日

愛する方へ

あなたとともに夕暮を迎えることができたのは、昨日が初めてではありません。あなたに会いたいと思わずにいられなかった、あの時を思い出します。冬でした。狭い部屋の静かな作業に押し込められていたわたしのすべての思索と努力を、春風がはるかかなたへと吹き飛ばしたのです。その時、コンラート博士から、「ノイエ・ドイチェ・ルントシャウ」誌の春季96号が送られてきました。コンラート博士の手紙は、この号に掲載されているエッセイ「ユダヤ人イエス」(あなたの文章です)を読むようにとありました。なぜでしょう? (……)こんな才気に満ちた論考に、わたしが関心を持つのではないかと彼は推測したのです。それは彼の見当違いでした。わたしを深く深く啓示へと導いてくれたのは、関心どころではありませんでした。(……)夢の叙事詩のヴィジョンが、聖なる確信に満ちた巨大な力で、あれほどにもみごとに明確に表現されていることが、わたしについに大きな喜びをもたらしたのです。この不思議な夕暮を、昨日、また思い出してしまいました。

愛するあなたはご存知でしょう。あなたの文章の青銅のような簡素さと無慈悲な力で、わたしの作品は、浄(きよ)められ、認められたと感じました。(……)というのも、あなたの小論は、わたしの詩にとって、夢が現実となり、願望が充足されたのと同じようなものだったからです。

昨日の午後を、わたしがどれほど待ち望んでいたかご存知ですか。昨日、それをすべてお話できたらよかったのですが。お茶を1杯ご一緒しながら、ひと言ふた言、美しい、心からの賛辞がさらりと口をつきます。しかし、そんな言葉はどうでもよいものです。あの夕暮に、わたしはあなたと二人きりでした。あなたと二人きりでなければならなかった。いま、わたしの心は、その至福への感謝であふれています。

わたしはつねづね、人へとても大切な感謝の気持ちを告げる場合、それは二人だけの秘密であるべきだと考えています。(……)

この言葉はただ、かねてから抱きつづけてきた感謝の気持ちです。それをあなたにお伝えすることができれば光栄です。

あなたのルネ・マリア・リルケ

1897年春、とある友人とミュンヘンに滞在していたルー・アンドレアス=ザロメのもとに、匿名で、称賛の手紙と詩がつぎつぎと届いた。そして**5**月**12**日、若き詩人のルネ・マリア・リルケ本人が姿を現した。リルケはその翌日、彼女への手紙で、エッセイ「ユダヤ人イエス」を雑誌で読み、創作上の親近感を心の底から感じたと語っている。ルーは**20**代にフリードリヒ・ニーチェら多くの男に言い寄られ、東洋学者(オリエンタリスト)のフリードリヒ・カール・アンドレアスと結婚した。しかし彼はカリスマ的だが、信頼できず暴力的で、結婚生活は不幸なものだった。彼女とリルケは、アルプス山脈のヴォルフラーツハウゼンに身をくらまし、恋人となり、それから**3**年間、片時も離れぬパートナーとなった。年長のアンドレアス=ザロメはリルケのよき相談相手で、母のようでもあり、教師でもあった。リルケのひ弱な身体と浮き沈みの激しい気性をなだめる支えとなった。彼女もそうした傾向を持っていたのだ。彼女はルネに、彼の名前を「立派なドイツ式の名前」である「ライナー」へ変えるよう説得した。二人の関係は**1901**年、リルケが芸術家のクララ・ヴェストホフへ結婚を申し込んだとき破局を迎えた。

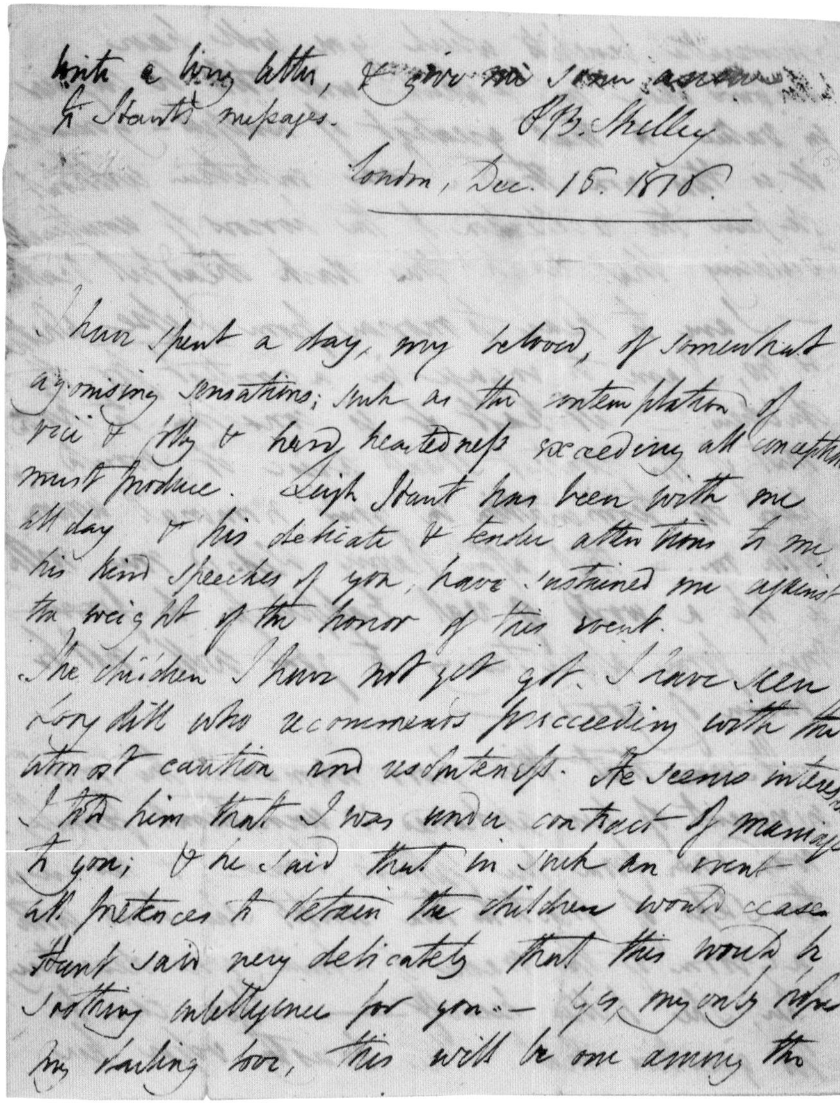
write a long letter, & ~~give me some account~~
of Hunt's messages.
P. B. Shelley
London, Dec. 16. 1816.

I have spent a day, my beloved, of somewhat agonizing sensations; such as the contemplation of vice & folly & hard heartedness exceeding all conception must produce. Leigh Hunt has been with me all day & his delicate & tender attentions to me, his kind speeches of you, have sustained me against the weight of the horror of this event.
The children I have not yet got. I have seen Longdill who recommends proceeding with the utmost caution and resoluteness. He seems interested. I told him that I was under contract of marriage to you; & he said that in such an event all pretences to detain the children would cease. Hunt said very delicately that this would be soothing intelligence for you. — Yes, my only refuge my darling love, this will be one among the

PERCY BYSSHE SHELLEY
DEC
1816

パーシー・ビッシュ・シェリー（1792–1822）から メアリー・ゴドウィンへ

1816年12月15日

Writers' Letters

愛しい人よ、僕は今日一日、ちょっと苦悶の思いで過ごしたのだ。考えないといけないことはすべてそっちのけで、不道徳な行為や愚行や無慈悲な行いを熟考したりしてね。(……)

子どもたちの件はまだだ。ロングディルには会った。彼の助言は、細心の注意と断固たる意志を持って進めるようにとのこと。関心は持ってくれているようだ。きみと結婚契約を結ぶと告げたら、そうなれば、子どもたちを引き取るためのすべての申し立ては停止になる、と言われた。ハントは非常に慎重に、きみが満足することになるだろうと言っていたよ。そう、僕の唯一の希望、僕の愛する人。結婚は、きみがもたらしてくれる数限りない恩恵の一つになるだろうね。(……)

この哀れな女性——彼女の家族は血も涙もない、ぞっとするような人たちなのだが、その中でもっとも穢れない人物——は、父親の家から追い出され、娼婦に身を落としたがスミスという奴と暮らすようになった。そいつに捨てられて、彼女は自殺したんだ。これは疑いの余地がないと思うんだが、獣のように腹黒い義姉は、僕との姻戚関係で甘い汁を吸えなくなり、自分の哀れな妹を救ってやらずに死に追い詰め、今死にかけてる老いた父親の財産を確保したんだろう。しかしながら、かつてはあんなに僕と近しい間柄だった人間が、あんなにひどい結末を迎えたことはショック以外の何ものでもないが、どのみち僕にはほとんど悔いることがないのはすべて証明されるだろう。フーカム、ロングディル、誰もが請け合ってくれる。彼女に対して僕が公正な心で、寛大にふるまったと証言してくれる。(……)

パーシー・ビッシュ・シェリーは、著述においては熱心な男女平等論者だったが、私生活においてはその理想も絵に描いた餅だった。**1814**年夏、ハリエット・ウェストブルックとの結婚生活に見切りをつけ、妻と娘(と、いずれ生まれる息子)を残して**16**歳のメアリー・ゴドウィン(p.109)と駆け落ちした。**1816**年**12**月——このときまでには、シェリーはゴドウィンとともに暮らしていたが、他数名の女性たちとも関係を持っていた——ウェストブルックはハイドパークのサーペンタイン池で入水。「出産間近の状態で」発見された。

シェリーとウェストブルックは別居して**2**年が経っていたが、この手紙に書かれている妻の死に対する彼の反応——妙に冷静で、責任転嫁したがっている——に同情は寄せられない。名前で呼ぶこともせず、彼女の家族を攻撃する一方で、自分の対応を自画自賛している。彼女が窮状によって自殺に追い込まれたことよりも、この出来事が自分にどう影響するかを気にしているようだ。(シェリーは実子の監護権を得ようとするが、彼の事務弁護士ロングディルとウェストブルック家の弁護士デスとの間で揉めに揉めた結果、子どもたちは教区司祭に引き取られることになった。)

それでも、シェリーがウェストブルックから深く愛されていたのも事実である。彼女の自殺後、シェリーはたびたび「憂鬱なもの思い」に沈んでいた。その理由を友人から訊ねられたとき、ウェストブルックのことを考えているせいだと彼は認めたのだった。

CHAPTER5

WHEN TROUBLES COME

受難の時期

何もかもひどい

Everything is going badly

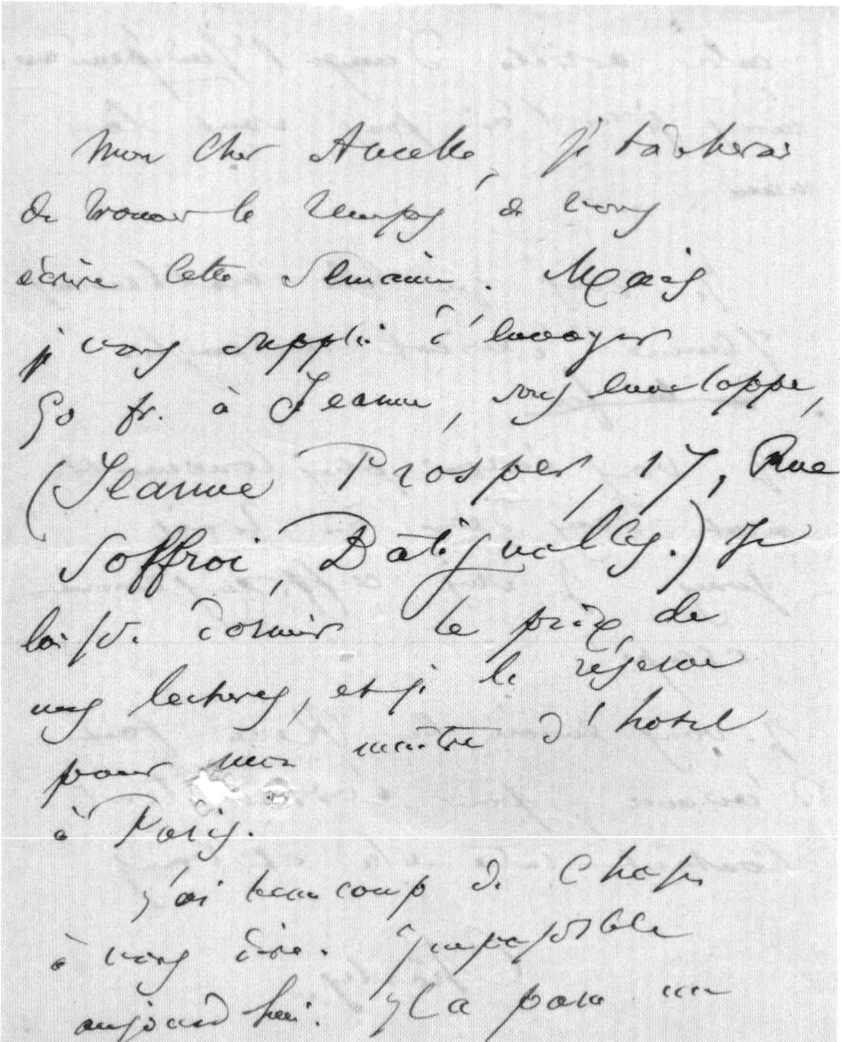
Mon cher Ancelle, je tâcherai
de trouver le temps de vous
écrire cette semaine. Mais
je vous supplie d'envoyer
50 fr. à Jeanne, sous enveloppe,
(Jeanne Prosper, 17, Rue
Geoffroi, Batignolles.) Je
laisse dormir le prix de
mes lettres, et je le réserve
pour mon maître d'hotel
à Paris.

J'ai beaucoup de choses
à vous dire. Impossible
aujourd'hui. Je la paie un

シャルル・ボードレール(1821-1867)から ナルシス・アンセルへ

1864年5月

Writers' Letters

私の親愛なるアンセル、今週はあなたに手紙を書く時間を見つけるように努めましょう。さしあたり、ジャンヌに50フランを、封筒に入れて送ってくださいますよう、どうかお願いします(ジャンヌ・プロスペール、ソフロワ街18番地、バティニョル)。私の講演の報酬は眠らせておいて、パリのホテルの主人への支払いに当てます。

申し上げることは山ほどあります。今日は不可能です。「ベルギー独立」紙に記事がもう一つ出ましたが、手元にありません。

あの不幸なジャンヌは失明すると思います。

2、3日後にはもっときちんとした手紙を差し上げます。ものすごく忙しいのです。

前もって作成した領収書をお送りします。彼女とあなたが一切接触せずに済むようにするためです。

シャルル

シャルル・ボードレールはブリュッセルにいた。フランスの芸術・文学についての講演をやって、金の工面をしようとしていたのだ。また、ベルギーの出版社から自作を刊行しようと目論んでいた。画家ウジェーヌ・ドラクロワについて、最初の講演をした数日後、**1864**年**5**月**6**日に、彼は母親に手紙を書いている。この手紙には「ベルギー独立」紙の記事も同封されていた。「大々的成功だったと言われています。しかし、ここだけの話ですが、何もかもひどいことになっています。着くのが遅過ぎました。ここにあるのは、大変な吝嗇、万事における限りのないのろさ、空っぽの脳みその大群です。要するに、この連中はフランス人よりも馬鹿なのです。」

ボードレールは心身に不調をきたしていた。**43**歳だったが、もっと老けて見えた。白髪でおどおどした詩人・批評家の姿は、聴衆が期待していた、パリの破廉恥な伊達男のイメージとは、似ても似つかなかった。元恋人のジャンヌ・プロスペール(デュヴァルやルメールとも呼ばれる)の健康状態も心配の種だった。彼の最も官能的な恋愛詩篇はこの詩の女神に捧げられている。詩篇「髪」において詩人が愛撫していたのは、ジャンヌの艶やかな黒髪である。「芳しい森」や「高波」に喩えられたその髪は、彼をエロチックな夢想へと誘った。ボードレールはジャンヌと数年前に別れていた。彼女の「兄」にも経済的な援助をしていたのだが、実は情夫だったことを発見してしまったのだ。

1864年にはボードレールの収入は微々たるものになっていた。若い頃は濫費生活を送り、ジャンヌを派手に着飾らせていたが、今は一家の弁護士のナルシス・アンセルが財産を管理し、本人の為にと財布の紐をしっかりと締めていた。通常であれば、ボードレールは金が必要なとき、ヌイイにいるアンセルを自ら訪ねなければならなかった。この走り書きの手紙で、彼は**50**フラン――講演のわずかな報酬の同じ額――を「不幸なジャンヌ」に至急送金するように求めている。彼女の名前に彼が触れるのは、この手紙が最後だった。

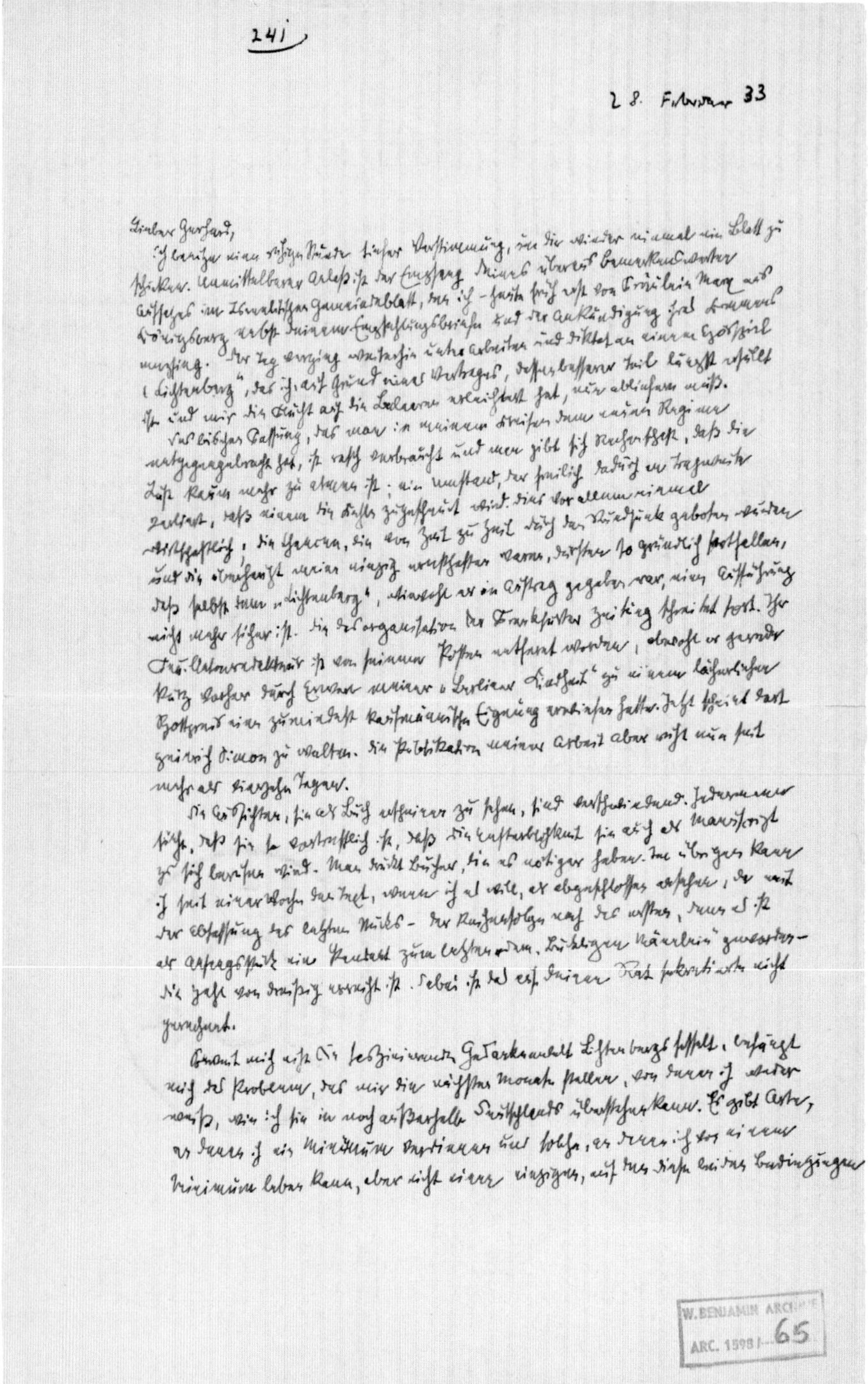

241

28. Februar 33

Lieber Gerhard,

ich benutze eine ruhige Stunde tiefer Verstimmung, um Dir wieder einmal ein Blatt zu schicken. Unmittelbarer Anlass ist der Empfang Deines überaus bemerkenswerten Aufsatzes im Israelitischen Gemeindeblatt, den ich – heute früh erst von Fräulein Marx aus Königsberg nebst Deinem Empfehlungsbriefe und der Ankündigung ihres Kommens empfing. Der Tag verging inzwischen unter Arbeiten und Diktat an einem Hörspiel „Lichtenberg", das ich auf Grund eines Vertrages, dessen besserer Teil längst erfüllt ist und mir die Flucht auf die Balearen erleichtert hat, nun abliefern muss.

Das bisschen Fassung, das man in meinen Kreisen dem neuen Regime entgegengebracht hat, ist rasch verbraucht und man gibt sich Rechenschaft, dass die Luft kaum mehr zu atmen ist; ein Umstand, der freilich dadurch an Tragweite verliert, dass einem die Kehle zugeschnürt wird. Dies vor allem einmal wirtschaftlich: die Chancen, die von Zeit zu Zeit durch den Rundfunk geboten wurden und die allerdings meine einzig ernsthaften waren, dürften so gründlich fortfallen, dass selbst mein „Lichtenberg", obwohl er in Auftrag gegeben war, einer Aufführung nicht mehr sicher ist. Die Reorganisation der Frankfurter Zeitung schreitet fort. Ihr Feuilletonredakteur ist von seinem Posten entfernt worden, obwohl er gerade kurz vorher durch Erwerb meiner „Berliner Kindheit" zu einem lächerlichen Spottpreis eine zumindest kaufmännische Eignung verraten hatte. Jetzt scheint dort gänzlich Simon zu walten. Die Publikation meiner Arbeit aber ruht nun seit mehr als vierzehn Tagen.

Die Aussichten, das Buch erscheinen zu sehen, sind verschwindend. Jedenfalls tröste ich mich, dass sie so vortrefflich ist, dass die Unsterblichkeit sie auch als Manuskript zu sich berufen wird. Man druckt Bücher, die es nötiger haben. Im übrigen kann ich seit einer Woche das Werk, wenn ich es will, als abgeschlossen ansehen, da mit der Abfassung des letzten Stücks – der Reihenfolge nach des ersten, denn es ist als Anfangsstück ein Pendant zum Schlussstück „Bucklicht Männlein" geworden – die Zahl von dreissig erreicht ist. Dabei ist das auf Deinen Rat fakultative nicht gerechnet.

Soweit mich nicht die faszinierende Gedankenwelt Lichtenbergs fesselt, umfängt mich das Problem, das mir die nächsten Monate stellen, von denen ich weder weiss, wie ich sie in noch ausserhalb Deutschlands überstehen kann. Es gibt Orte, an denen ich ein Minimum verdienen und solche, an denen ich von einem Minimum leben kann, aber nicht einen einzigen, auf den diese beiden Bedingungen

ヴァルター・ベンヤミン（1892-1940）から ゲルショム・ショーレムへ

1933年2月28日

Writers' Letters

親愛なるゲルハルト

　気分がすぐれない静かな時間を使って、また君に手紙を一通送るよ。(……)

　僕の仲間うちで、新政権に対して感じていたこれまでの平穏さはあっというまに消え去り、息もつけないような空気になったことに気づいている。喉元を抑えられて、むろん影響力をまったく失ってしまったような状況だ。とくに、まず経済的な面だ。ラジオから時々もらっていた、僕の唯一のまともな収入源は雲散霧消し、「リヒテンベルク」さえ、委嘱されたにもかかわらず上演されるか不確定になった。(……)

　「リヒテンベルク」の魅力あふれる思考の世界にとりこになっていないと、これから数ヶ月の問題で頭がいっぱいになる。この数か月を、ドイツ国外でさえどうやり過ごすことができるかわからない。最小限の稼ぎを得られる場所も、最低限の生活ができる場所もある。しかし、この二つの条件を同時に満たす場所がひとつもない。こんな状態にもかかわらず、小さな手書き原稿4ページくらいの新しい言語理論ができたことを、さらにいま君に伝えたら、ためらわずに敬意を表してくれるだろうね。この原稿は出版することはない。これをタイプ打ちにできるかさえも、僕にはまだまったく確かじゃないんだ。この原稿が『ベルリンの幼年時代』の最初の章を準備していたときに完成したことだけは、書き添えておきたい。(……)

　すぐに君の返事を聞けたら嬉しいよ。(……)

敬具　君のヴァルターより

　ヴァルター・ベンヤミンらドイツ・ユダヤ系の知識人は、変化のスピードにめまいを覚えていた。ポピュリスト*1による反ユダヤ主義がナチ・プロパガンダによって焚きつけられ、**1933**年**1**月**30**日にヒトラーが首相へ任命されて以降、公的な政策として実行に移されていく。自らの身の安全よりも、熱烈なシオニズム*2に駆られて、ベンヤミンより年少の友人で哲学的議論の良きパートナーだったゲルショム（出生時はゲルハルト）・ショーレムはエルサレムへ移住したばかりだった。ショーレムの出発から**7**年間、二人の書簡は続く。その間、ベンヤミンはベルリンを発ってパリへ向かい、**1940**年**6**月のフランスの陥落後はスペインに安全を求め、**9**月**25**日に難民の一団とともに国境を越えようとしていた。スペインのファシスト警察によって即刻フランスへ送還される危機に陥ったベンヤミンは、その晩、薬物の過剰摂取でみずからの命を絶った。

　ベンヤミンは、この手紙を生まれ育ったベルリンから書いている。彼が回想記『**1900**年頃のベルリンの幼年時代』で称えた都市・ベルリンで、突如、身の危険が差し迫っていた。ベンヤミンは同時代のもっとも独創的で影響力のある思想家の一人だったが、大学で職を得ることに失敗し続けていた。ユダヤ人であるため、主な収入源であった著作、講演、さらにドイツでの子供向けのラジオ番組などの職を失うことを予感している。彼が予想した通り、「リヒテンベルク」（委嘱（いしょく）されたラジオドラマで、月の住人が地球で生活することを試みる物語）は製作されなかった。不安にさいなまれながらも、彼はある種のユーモアを交え、最近仕上げた「新しい言語理論」のことなど、その苦楽を報告している。

*1 訳注：大衆迎合主義。エリートによる政治・経済体制を批判し、大衆の権利を守ることを名目とする思想。
*2 訳注：**19**世紀末にヨーロッパのユダヤ人の間で高まった、ユダヤ人国家の建設を目指す思想・運動。

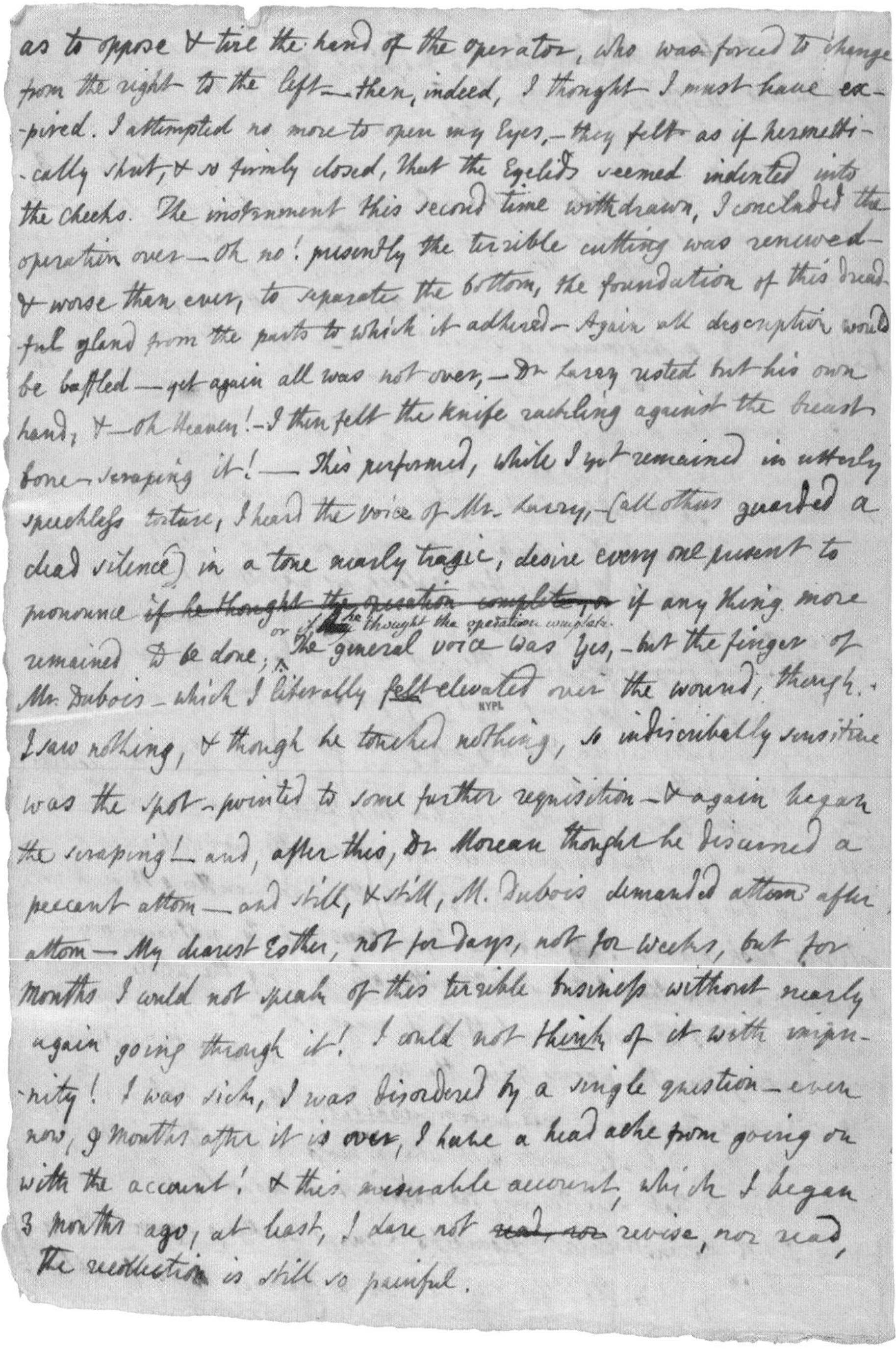
as to oppose & tire the hand of the operator, who was forced to change from the right to the left—then, indeed, I thought I must have expired. I attempted no more to open my Eyes,—they felt as if hermetti-cally shut, & so firmly closed, that the Eyelids seemed indented into the Cheeks. The instrument this second time withdrawn, I concluded the operation over—Oh no! presently the terrible cutting was renewed—& worse than ever, to separate the bottom, the foundation of this dread-ful gland from the parts to which it adhered—Again all description would be baffled—yet again all was not over,—Dr Larry rested but his own hand, & —Oh Heaven!—I then felt the Knife rackling against the breast bone—scraping it!—This performed, while I yet remained in utterly speechless torture, I heard the Voice of Mr. Larry,—(all others guarded a dead silence) in a tone nearly tragic, desire every one present to pronounce ~~if he thought the operation complete, or~~ if any thing more remained to be done; or if he thought the operation complete. The general voice was Yes,—but the finger of Mr. Dubois—which I literally felt elevated over the wound, though I saw nothing, & though he touched nothing, so indescribably sensitive was the spot—pointed to some further requisition—& again began the scraping!—and, after this, Dr. Moreau thought he discerned a peccant attom—and still, & still, M. Dubois demanded attom after attom—My dearest Esther, not for days, not for Weeks, but for Months I could not speak of this terrible business without nearly again going through it! I could not think of it with impunity! I was sick, I was disordered by a single question—even now, 9 months after it is over, I have a head ache from going on with the account! & this miserable account, which I began 3 months ago, at least, I dare not ~~read, nor~~ revise, nor read, the recollection is still so painful.

Writers' Letters

フランシス・バーニー（1752-1840）から エスター・バーニーへ

1812年3月22日-6月

準備万端となったとき、（……）メイドと看護師を呼ぶベルを鳴らしました——が、彼女たちに話しかける間もなく、私の部屋に、事前の断りもなく、黒い服を着た男7人が入ってきました。（……）デュボア氏が部屋の真ん中にベッドを据えるよう命じました。（……）私は立ったまま、一瞬ですが、このまま逃げてしまおうかと迷いました——ドアを見て、窓を見て——絶望を感じました——が、あくまでも一瞬のことで、そのあと理性が働きました。（……）それゆえ、自発的に、据えられたベッドに上がりました——デュボア氏（……）は私の顔に白い布をかけました。（……）でも、その布地から漏れ入る照明の光で、ギラッと光る磨かれた刃物が見えたので——目を閉じました——（……）それでも、そのおそろしい刃物が私の胸に差し込まれ——血管を——動脈を——肉を——神経を——切り開いたとき、大声をあげていいですから、との指示には及びませんでした。

この切除手術の間じゅう私の絶叫が途絶えることはありませんでした——それが自分の耳の中で、もう響いていないのが不思議なくらい！その痛みときたら、もうこのうえなくひどいものでした。できた傷口から器具が引き抜かれても、痛みの強さは和らぎそうもありませんでした。というのも、そのむき出しになった部分が突如空気にさらされて、小さいけど鋭い、先割れした短剣が束になって襲ってきて、切開部の周囲を引き裂いているかの如く感じられたのです。（……）再び器具が——曲線を描いて——横に切っているのを感じました（……）器具が引き抜かれるのはこれで2回目なので、手術は終わったんだと思いました——でも違った！すぐにあのおそろしい切り裂きが再開されて——さらにひどくなって、今度は底を、この病んだ乳腺の基部を、それがしっかりとくっついた部分から切り離すのが目的で——またもやすべて説明するのは憚られるけど——でもまた全部終わったわけじゃなくて（……）ああ、神様！——その後感じたのは、メスが胸骨にあたって音がして——ごしごしこすっている！（……）

2回、だと思うけど、失神しました。少なくともこの処置を受けたときの記憶には二度、全くの空白があり、そのせいで何が起きたのか実感できない部分があります。（……）

誰よりも大事なエスター、どうぞお幸せに——混乱した書き方になっているでしょうけど、読み直せないし——もうこれ以上は書けません。（……）

フランシス（ファニー）・バーニーは、20代で書簡体小説『エヴェリーナ』を発表、文学界で大評判になった。サミュエル・ジョンソン（p.53）の知己を得、ジェイン・オースティン（p.43）ら後世の英国女性作家には、一つの手本を与えることになった。50代にさしかかったバーニーは、フランス人の夫とパリで暮らしており、乳がんの診断を経て、1811年9月に乳房切除手術を受けた。見込みは薄かったが、麻酔なしで行われた壮絶な手術は成功し、回復した。

ナポレオン戦争下で会えずにいたイギリスの家族が、間違った噂で自分の病気を知るのは良くないと思い、バーニーは姉エスターに12ページもの手紙を書いて、自分の病気と手術について詳細に説明したのだった。

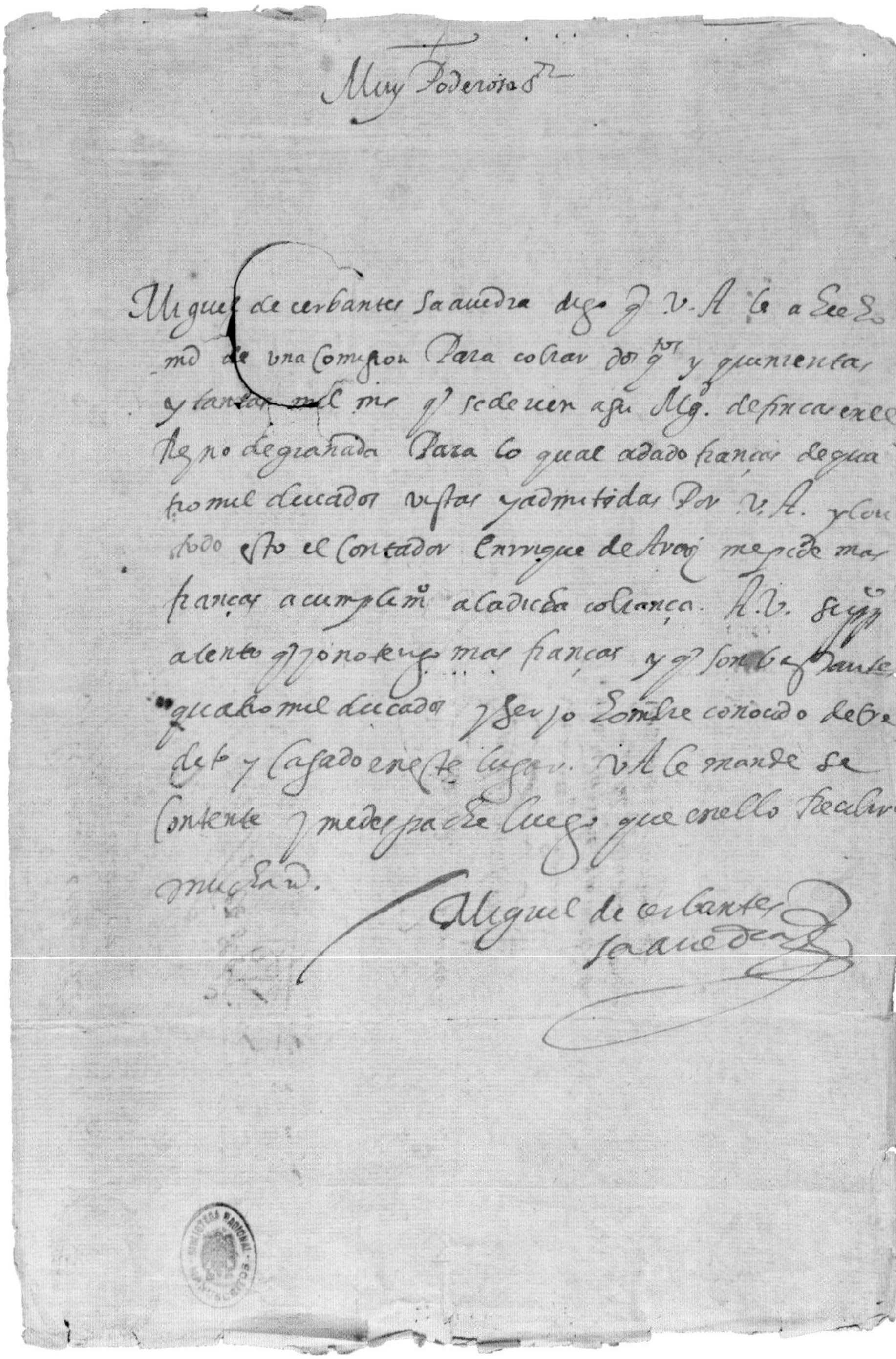
Muy Poderoso Señor

Miguel de Cervantes Saavedra digo que V. A. le a hecho merced de una comision para cobrar dos quentos y quinientas y tantas mil mrs que se deven a su Mg. de tercias en el Reyno de Granada para lo qual a dado fianças de quatro mil ducados vistas y admitidas por V. A. y con todo esto el Contador Enrrique de Araoz me pide mas fianças a cumplimiento a la dicha cobrança. A V. suplico que atento que yo no tengo mas fianças y que son bastantes quatro mil ducados y ser yo hombre conocido de credito y casado en este lugar V. A. le mande se contente y me despache luego que en ello recibire merced.

Miguel de Cervantes Saavedra

ミゲル・デ・セルバンテス（1547－1616）から ある貴族へ

1594年8月20日

Writers' Letters

私ミゲル・デ・セルバンテス・サアベドラが申しあげます。殿下は250万数千マラベディ[*1]をグラナダ王国[*2]の壮麗な地所から徴税するように委任してくださいました。その保証金としては4千ドゥカド[*3]を殿下が審理のうえお認めになっております。にもかかわらず、管財人のエンリケ・デ・アライは、前述いたしましたご依頼を完了するために、私により多くの保証金を要求しております。殿下もご承知の通り、私はこれ以上の保証金は持っておらず、4千ドゥカドは十分な額であり、私は信頼に足る男として知られておりますし、この地で結婚しております。殿下におかれましては、彼に満足するように申し遣わし、私に仕事をさせてくだされば、大いにありがたく存じます。

ミゲル・デ・セルバンテス・サアベドラ

[裏面に、別の筆跡で][*4]

1594年8月20日マドリード　管財人エンリケ・デ・アライス報告　（サイン）

1594年8月21日マドリード　任務はすでに提出された保証金によって遂行され、彼と彼の妻がその責務を負うこと　（管財人のサイン）

1594年、ミゲル・デ・セルバンテスは若き日の常軌を逸した冒険の後、スペインに戻った。**1570**年代には、地中海におけるオスマン帝国の勢力を抑止する任を負う海軍に兵士として仕えた。**1571**年のレパントの海戦[*5]で負傷し、彼は左手の自由を失った（彼は後に「右手の栄光のために失ったのだ」と冗談にしている）。**1575**年、スペインの海岸を目前にして、彼は海賊に捕まってアルジェに拘束された。**4**度逃亡に失敗したのち、**1580**年に身請けされた[*6]。

1585年、セルバンテスはいくつかの牧人小説を収めた最初の本『ガラテーア』を出版したが、商業的な成功はなかった。執筆による収入が見込まれないので、縁故と職歴を頼って公的な職を求めた。**1580**年代にはスペイン軍への兵糧の調達をする。**1594**年**6**月にマドリードに到着した際に、ドン・アグスティン・デ・セティナ[*7]と親交を結ぶこととなり、彼がセルバンテスに怪しげな収税吏の仕事を世話した。

仕事の規定は、予想徴税高に対する不足をセルバンテスが個人的に負わなければならないというものだった。保証人であったフランシスコ・スアレス・ガスコ[*8]（自分の妻を毒殺した疑いがあり、ほとんど破産状態だった）は信用がなかったので、セルバンテスは追加の保証を迫られた。そのため、王政の高官である大公へ手紙を書いて、自分が信頼に足ることを主張している。手紙の裏のメモが示唆するように、後日セルバンテスと彼の妻は「肉体も所有物も、現在も未来も」譲り渡すことに署名しなければならなかったので、目標額に届かなかったのだろう。セルバンテスの収税吏時代は、**1597**年に収監される結果に終わった。「ドン・キホーテ」の第**1**部が彼に富と名声を運んでくるまで、あと**9**年である。

*1 訳注:銀貨。　*2 訳注:中世スペインのイスラム王国。ナスル朝が支配したが15世紀に滅びた。
*3 訳注:金貨。4000ドゥカド＝約150万マラベディ。　*4 [　]内は原注。
*5 訳注:ヨーロッパ諸国（スペイン・ローマ教皇・ヴェネツィア）の連合軍とオスマン・トルコ帝国の間の戦争。地中海の制海権を競った。
*6 訳注:三位一体修道会（カトリックの慈善団体）によって。
*7 訳注:前財務官で、後に聴訴院司法官となった。　*8 訳注:相場師。

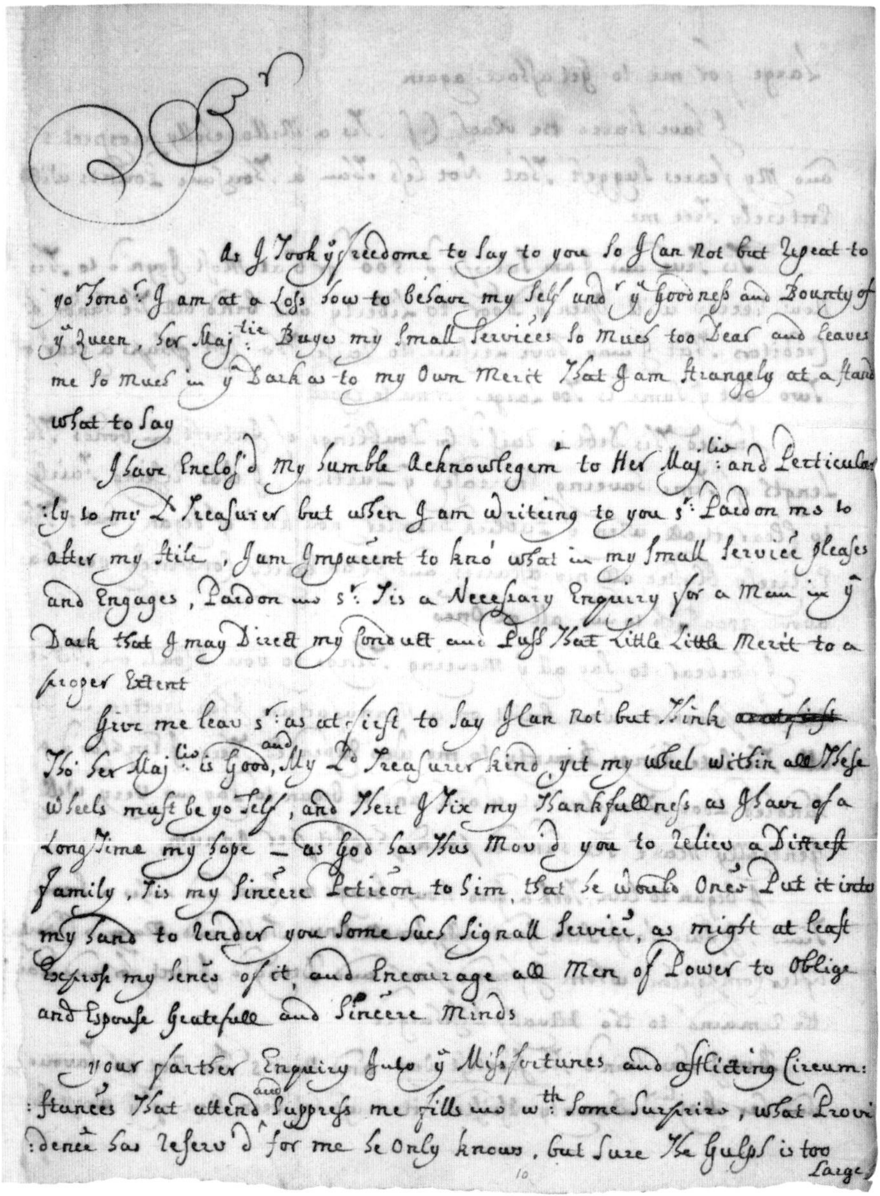

Sr

As I Took ye Freedome to Say to you So I Can Not but Repeat to yor Honor I am at a Loss how to behave my Self under ye Goodness and Bounty of ye Queen, her Majtie Buyes my Small Services So Much too Dear and leaves me So Much in ye Dark as to my Own Merit That I am Strangely at a Stand What to Say

I have Enclos'd My humble Acknowlegemt to Her Majtie and Perticularly to my Ld Treasurer but when I am Writeing to you Sr Pardon me to alter my Stile, I am Impatient to kno' what in my Small Service pleases and Engages, Pardon me Sr Tis a Necessary Enquiry for a Man in ye Dark that I may Direct my Conduct and Suit That Little Little Merit to a proper Extent

Give me leav Sr as at first to Say I Can Not but Think ~~at first~~ Tho' her Majtie is Good, and My Ld Treasurer kind, yet my Wheel within all These Wheels must be yo Self, and There I Fix my Thankfullness as I have of a Long Time my hope — as God has Thus Mov'd you to Reliev a Distrest Family, Tis my Sincere Peticon to him, that he would Once Put it into my hand to Render you Some Such Signall Service, as might at least Express my Sence of it, and Encourage all Men of Power to Oblige and Espouse Greatefull and Sincere Minds

Your farther Enquiry Into ye Missfortunes and afflicting Circumstances That attend and Suppress me fills me wth Some Surprize, what Providence has Reserv'd for me he Only knows, but Sure The Gulph is too Large

10

ダニエル・デフォー（1660−1731）から ロバート・ハーリーへ

1704年5月

Writers' Letters

（……）女王陛下並びにとりわけ我が大蔵卿殿への小生の謝意をしたためた書簡を同封いたしました。ですが、貴殿には文面を変えたお手紙になりますことをお許しください。小生のささやかなご奉仕の何がお気に召してご用命いただけるのか知りたいと存じます。憚りながら、これは闇の中にいる者にとっては必須のお伺いでございます。（……）

小生の身に降りかかり、破滅させたこの不運と苦境に対する貴殿の更なるお問合せに、いささか驚いております。小生に何を思し召しなのか神のみぞ知るでございますが、この入り江は深すぎて、二度と岸に上がることができないのは確実であります。（……）

唯一の望みは、エセックスに設けました工場でございました。（……）貧しい家の者たちを100名雇い入れて働かせ、大変結構な利益をもたらすようになったのでございます。概して年600ポンドの利益を生んでおりました。

生活が軌道に乗り、立派な家を手に入れ、もう一度4頭立て馬車と引き馬を買い入れました。（……）

しかし、小生はあっという間に破産してしまい、貴殿のご厚意と女王陛下の寛大なるご支援がなければ、最悪に類する破産になったに相違ございません。（……）

ダニエル・デフォーは40歳になるまでに、人並み以上の苦労を味わっていた。精力的に商売に取り組むも、常に賢明だったわけでもないので、彼の運はにわか景気に翻弄された。1680年代後半に、船舶、ワイン、たばこ、蒸留酒、牡蠣、服地に興味を持ち、れんが工場のオーナーにもなった。1693年頃には、負債が£17,000（現在の約£700,000）にも膨らんで監獄送りとなったが、交渉により出獄できた。だが1703年に、アン女王の宗教的不寛容を攻撃した『非国教徒撲滅便法』（1702）を発表すると、今度は扇動の罪で告発された。三度さらし台にかけられ、ニューゲイト監獄に収監されること半年、下院のトーリー党議員ロバート・ハーリーの尽力で釈放された。

その翌年、ハーリー宛の手紙に、自分は自由だが不幸であるとデフォーは書いている。れんが工場は破綻し、債権者たちの信用も地に落ちて、8人の子を抱えた家庭は不安定な生活を強いられている。彼は大げさなほどハーリーに感謝を述べるが、虎視眈々とチャンスを狙う。どんな「ささやかなご奉仕」でも致しますというデフォーの申し出を受け入れ、ハーリーは彼を雇ってプロパガンダとスパイをやらせた。その両方の役割に秀でていたデフォーは、スコットランドにたびたび派遣された。1707年の連合法成立を前に、大詰めの段階にあった時期である。1704年には「レヴュー」紙の創刊も手がけ、これがイギリスにおける本格的政治ジャーナリズムのはじまりとされた。

スパイ活動、商取引、文筆活動と、仕事でのトラブルは絶えなかったが、その合間を縫って生んだいくつかの文学作品が時を超えて残り、古典となる。『ロビンソン・クルーソー』（1719）はたちまち好評を博したが、帝国に対するその積極的な支持は、今日ではしっくりこない。1722年に出版した『ペストの記憶』は、約300年の時を経た2020年の必読の一冊となった。

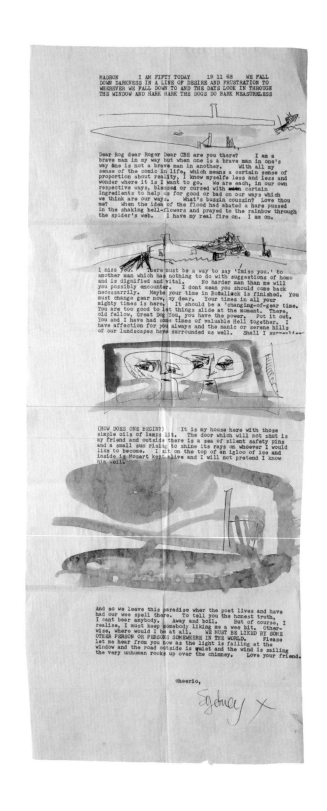

MADRON   I AM FIFTY TODAY   19 11 68   WE FALL DOWN DARKNESS IN A LINE OF DESIRE AND FRUSTRATION TO WHEREVER WE FALL DOWN TO AND THE DAYS LOOK IN THROUGH THE WINDOW AND HARK HARK THE DOGS DO BARK MEASURELESS

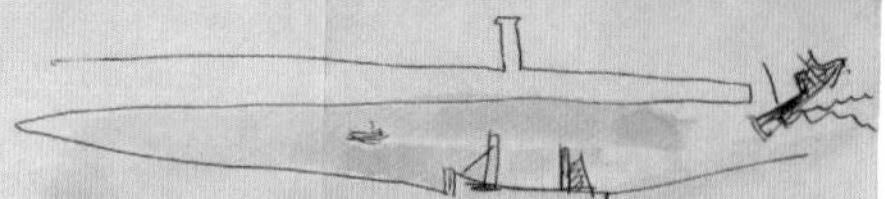

Dear Rog dear Roger Dear CBE are you there?   I am a brave man in my way but when one is a brave man in one's way one is not a brave man in another.   With all my sense of the comic in life, which means a certain sense of proportion about reality, I know myselfe less and less and wonder where it is I want to go.   We are each, in our own respective ways, blessed or cursed with ~~men~~ certain ingredients to help us for good or bad on our ways which we think are our ways.   What's buzzin couzzin? Love thou me?   When the idea of the flood had abated a hare pussed in the shaking bell-flowers and prayed to the rainbow through the spider's web.   I have my real fire on. I am on.

I miss you.   There must be a way to say 'Imiss you.' to another man which has nothing to do with suggestions of homo and is dignified and vital.   No harder man than me will you possibly encounter.   I dont mean you should come back necessarrily.   Maybe your time in Botallack is finished. You must change gear now, my dear.   Your times in all your mighty times is here. It should be a 'changing-of-gear time. You are too good to let things slide at the moment. There, old fellow, Great Dog You, you have the power.   Put it out. You and I have had some times of valuable Hell together. I have affection for you always and the manic or serene hills of our landscapes have surrounded us well.   Shall I surrealise-

(HOW DOES ONE BEGIN?)   It is my house here with those simple oils of lamps lit.   The door which will not shut is my friend and outside there is a sea of silent safety pins and a small sun rising to shine its rays on whoever I would like to become.   I sit on the top of an igloo of ice and inside is Mozart kept alive and I will not pretend I know him well.

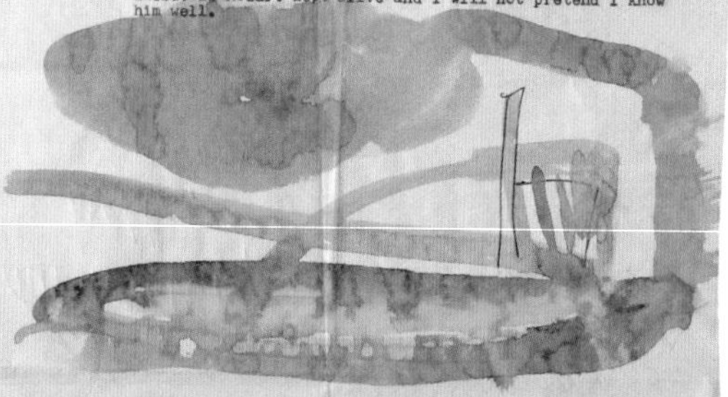

And so we leave this paradise wher the poet lives and have had our wee spell there.   To tell you the honest truth, I cant bear anybody.   Away and boil.   But of course, I realise, I must keep somebody liking me a wee bit. Otherwise, where would I be at all.   WE MUST BE LIKED BY SOME OTHER PERSON OR PERSONS SOMEWHERE IN THE WORLD.   Please let me hear from you now as the light is failing at the window and the road outside is quiet and the wind is sailing the very unhuman rooks up over the chimney.   Love your friend.

cheerio,

Sydney x

Writers' Letters

W・S・グレアム（1918–1986）から ロジャー・ヒルトンへ

1968年11月19日

マドロン今日デ50歳ノ俺1968年11月19日我々ハ皆ツマズク欲求ト不満ノ連ナル暗闇我々ガドコデツマズコウト窓カラ日ハ差スモノダサア行ケ行ケ犬タチヨ際限ナク吠エテ

親愛なるログ親愛なるロジャー親愛なる大英帝国三等勲爵士殿、まだそこにいるのかい？ 自分は自分なりに勇敢な男だが、人がある場合に勇敢な男であるとき、人は別の場合には勇敢な男ではない。いつもは人生に喜劇的要素を感じ取る俺、というのはつまり、現実に対するある種のバランス感覚なんだが、自分のことがだんだんわからなくなってきて、俺はどこへ行きたいのだろうかと考えている。我々は各自、それぞれのやり方で、自分で自分のだと思っている道の途中で、良くも悪くも役に立つある種の成分で恵まれたり呪われたりしている。どうだい、調子は。愛するか汝、我を？ 洪水がひいたとき、野ウサギが一羽、風にゆれるホタルブクロの群生に忍び入り、くもの巣を通して虹に祈りをささげた。火をくべる。俺の心にも。

君がいなくて寂しい。「君がいなくて寂しい」を他の男に、同性愛だとほのめかすわけじゃなくて、堂々と生命感あふれる言い方があるはずだ。俺より厄介な奴には今後お目にかからないかもよ。ぜひとも戻って来てくれ、と言うつもりはない。ボタラックでの君の時代は終わったのかもしれないし。（……）シュールレアリズム、しようか？

（人ハドウ始メルノカ？）これは我が家で、簡素なオイルランプが灯っている。閉まろうとしないドアは俺の友、外には静かな安全ピンの海があって、小さな太陽が昇っている。（……）

近況を知らせてくれよ。窓にあたる日の光は消えつつあり、外の道路は静かで、風が人間とは似ても似つかないミヤマガラスたちを煙突のはるか上方に運んでいる、そんな今。友を愛せよ。

さよなら、キスを送る　シドニー

詩人の**W・S**（ウィリアム・シドニー）・グレアムと画家のロジャー・ヒルトンは、始めたら止まらない知的論戦と手加減なしのユーモア、それに大酒呑みという共通点で友情を育んだ。**1960**年代に二人はコーンウォールに住んでいた。グレアムは**20**年も前に生まれ育ったスコットランドからやってきた。簡素なコテージを転々とし、詩作と肉体労働でのわずかな稼ぎで切り抜けていた。根気強い創作姿勢と、その詩が持つ厳密な音楽性で、グレアムは戦後のコーンウォールのボヘミアン界で伝説的人物となった。ロンドン出身で鉱山の村ボタラックに移り住んだヒルトンの方は、その強烈な芸術と口の悪さで有名だった。**1968**年秋、ヒルトンは依存症がひどくなり（飲酒運転で刑務所に入ったこともあった）、「アルコールを抜く」試みでロンドンにあるプライオリー病院に数週間入院したが、効果はなかった。

グレアムはヒルトンがいないのをとても寂しく思い、しばしば手紙を書いては友を元気づけ、同時に自身が抱える問題も打ち明けた。この手紙には、ヒルトンの仕事場兼自宅周辺の風景をいくつか水彩で描き入れ、海風が「人間とは似ても似つかないミヤマガラスたちを煙突のはるか上方に運んでいる」という、コーンウォールの冬がありありと目に浮かぶ言葉の情景でしめくくっている。

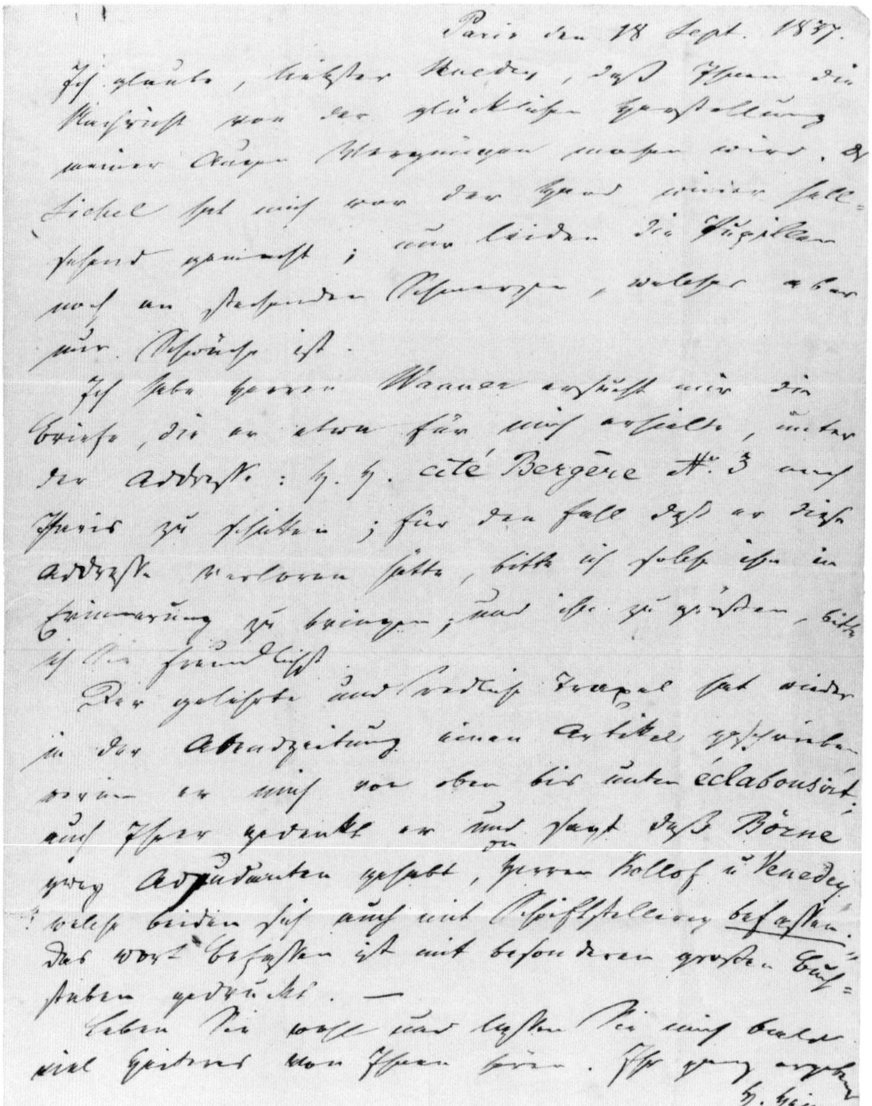

Paris den 18 Sept. 1837.

Ich glaube, liebster Venedey, daß Ihnen die Nachricht von der glücklichen Herstellung meiner Augen Vergnügen machen wird. Sichel hat mich von der Hand meiner [illegible] [illegible] gemacht; nur leiden die [illegible] noch an stechenden Schmerzen, welches aber nur Schwäche ist.

Ich habe Herren [illegible] ersucht mir die Briefe, die er etwa für mich erhielte, unter der Adresse: H. H. cité Bergère No. 3 nach Paris zu schicken; für den Fall daß er diese Adresse verloren hätte, bitte ich solche ihm in Erinnerung zu bringen; und ihn zu grüßen, bitte ich Sie freundlichst.

Der gelehrte [illegible] [illegible] hat wieder in der Abendzeitung einen Artikel geschrieben worin er mich von oben bis unten éclabousirt; auch Ihrer gedenkt er und sagt daß Börne zwey Adjudanten gehabt, Herrn Kolloff u. Venedey, welche beiden sich auch mit Schriftstellerey befassen. Das Wort befassen ist mit besonders großen Buchstaben gedruckt. —

Leben Sie wohl und lassen Sie mich bald viel Heiteres von Ihnen hören. Ihr ganz ergebener

H. Heine.

ハインリヒ・ハイネ（1797-1856）からヤーコプ・ヴェネディへ

1837年9月18日

Writers' Letters

親愛なるヴェネディさん、わたしの眼の治療が首尾よく済んだという知らせで、喜んでくれると思います。ズィヘル医師のおかげで、さしあたりわたしの眼はよく見えるように戻りました。瞳孔がまだ刺されたように痛みますが、ほんのわずかです。

ヴァネルさんに、わたし宛に届いた手紙を、「H.H.、シテ・ベルジェール3（cité Bergére）、パリ」まで送るよう依頼しておきました。彼がこの住所を忘れていたら、催促していただけないでしょうか。くれぐれも彼によろしくお伝えください。

頭でっかちで生真面目なトラクセルは、また夕刊で記事を書き、隅から隅までわたしを貶めていました。あなたにも言及して、ベルネには二人の取り巻きがいると書いています。すなわちコロフ氏とヴェネディ氏であり、両名は文筆稼業に「いそしんでいる」と。「いそしんでいる」というところは特別に大文字で刷られていました。では、健康に気をつけて、楽しい話をたくさん聞かせてください。（……）

敬具　H.ハイネ

ナポレオン占領下に育った多くのドイツの同時代人とおなじく、ハインリヒ・ハイネは、自らの国で、永い戦禍を終えて平等主義的な民主制が登場することを希求していた。この夢は実現せず、1830年に彼はフランスへ移住した。ハイネが20代に出版した抒情詩は評判を呼び、フランツ・シューベルト、フェリックス・メンデルスゾーンをはじめ多くのほかの作曲家が付曲し、ハイネの名声を長らくゆるぎないものとする。パリでは、家族からの金銭的庇護をえて、旅行記や政論をドイツの新聞・雑誌でも発表し、ルートヴィヒ・ベルネ*やヤーコプ・ヴェネディらのリベラルな亡命者とも親交を結んだ。ヴェネディは、1832年に扇動罪で逮捕されたが、脱獄しフランスへ難を逃れたジャーナリストである。

ハイネは偉大なヨーロッパ文学者としての立場と、ヴェネディのような急進的な若き先導者の支援者としての立場をたくみに使い分けて、1835年にフランス当局がヴェネディを追放した際は、彼を財政的に援助した。この手紙は、故国を捨てた者たちによる文学界のゴシップとして、アウグスト・トラクセル、エドゥアルト・コロフらジャーナリストに言及したり、5年前からの奇妙な左手の麻痺以来、ハイネにつきまとう一連の健康上の危機の近況報告を行っている。1837年9月初頭、彼は右目の視力を突然失い、左目がかすれてきたばかりだった。高名な眼科医ユーリウス・ズィヘル（彼もまたパリにおけるドイツ系知識人界の一員だった）によるヒルを用いた瀉血などの治療を終えて、視力が奇跡的に回復したことをヴェネディに報告している。

ズィヘルが「さしあたり」彼の視力を取り戻させただけではないか、というハイネの予感は的中し、12月には視力異常が再燃した。そののち数年のあいだ、たびたび眼に問題が生じ、さらに困難な顔面痙攣、鬱、手足の感覚喪失などが立て続けに起こった。1848年まで、彼が「墓布団」と呼んだ病床にあった。しかし、瞼を指で押し上げねばならない状態でも、彼は書き続けた。手紙の記述によれば、診断結果はさまざまだった。ハイネの死後にようやく医学的に認知された、多発性硬化症であった可能性が高い。

* 訳注：ドイツの政治哲学者、作家、文芸評論家。

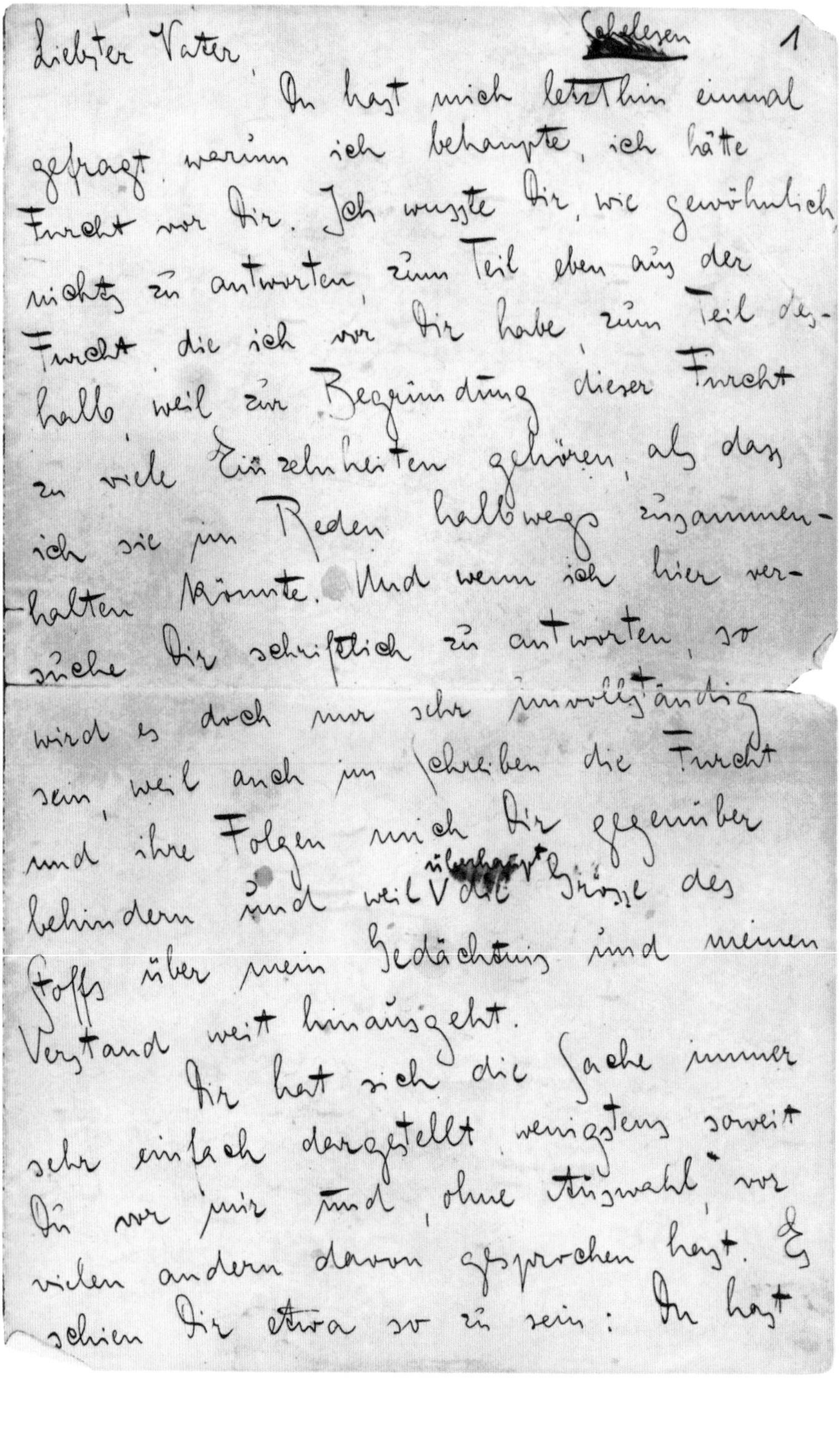
Liebster Vater, Gelesen 1
Du hast mich letzthin einmal
gefragt, warum ich behaupte, ich hätte
Furcht vor Dir. Ich wusste Dir, wie gewöhnlich,
nichts zu antworten, zum Teil eben aus der
Furcht, die ich vor Dir habe, zum Teil des-
halb, weil zur Begründung dieser Furcht
zu viele Einzelheiten gehören, als dass
ich sie im Reden halbwegs zusammen-
halten könnte. Und wenn ich hier ver-
suche Dir schriftlich zu antworten, so
wird es doch nur sehr unvollständig
sein, weil auch im Schreiben die Furcht
und ihre Folgen mich Dir gegenüber
behindern und weil überhaupt die Grösse des
Stoffs über mein Gedächtnis und meinen
Verstand weit hinausgeht.
Dir hat sich die Sache immer
sehr einfach dargestellt, wenigstens soweit
Du vor mir und, ohne Auswahl, vor
vielen andern davon gesprochen hast. Es
schien Dir etwa so zu sein: Du hast

FRANZ KAFKA 1919

Writers' Letters

フランツ・カフカ（1883-1924）から
ヘルマン・カフカへ
1919年

愛する父へ

あなたは僕に、この間たずねましたね。なぜ僕が、あなたを恐ろしいと言うのかと。いつもの通り、答えは何ひとつ浮かびませんでした。あなたを恐れているせいでもあるし、この恐れの原因に、あまりにも多くのこまごましたことが含まれているので、中途半端にまとめて話すことができなかったためです。こうして文章で答えようとしても、かなり不十分なものとなるでしょう。というのも、書いている最中にも、恐怖のためにあなたに対して筆が進まないし、題材の大きさが僕の記憶と理解力をはるかに超えているから。

あなたにとっては、いつも単純なことだったでしょう。（……）こんなようなことだと思います。生まれてこのかた、ずっと忙しく働いて、子供たちのために、とくに僕のために自分を犠牲にしてきました。僕はそのおかげで、何不自由ない生活を送り、望む通りのことを学び、食事の心配をすることもなかった。つまり、そもそも何かを心配するということがなかったんです。そのことであなたは見返りを求めることはなかったけど、少なくとも何らかの好意や、共感のしるしを求めていました。僕はその代わり、ずっとあなたから身を隠してきた。部屋の中に、本の中に、変わり者の友人たちに、そして極端な思想に。（……）もし、あなたが僕に評価を下すとしたら、僕の本当に不作法で悪意がある面ではなく（僕の最近の結婚の意志に関しては恐らく別にして）、冷淡さ、よそよそしさ、感謝の欠如を非難するでしょうね。しかもそれは、僕自身に咎があり（……）、あなたには少しも責任はないと。あなたは僕に対して善良すぎたのだから、と。

（……）

すぐに思い出すのは、幼い頃の事件です。夜中に、僕がめそめそと水が欲しいと言い出した。けっして喉が渇いたんじゃなくて、怒らせたり、ふざけたりしようとしたのでしょう。何度かきつく叱られても僕が言うことを聞かなかったので、あなたは僕をベッドから引っ張り出して、中庭のバルコニーまで連れていき、閉まった扉の前に、たったひとりで上着のまま立たせました。それが間違ったことだと言いたんじゃない。おそらく、当時、夜中に黙らせるほかの方法はまったくなかったのでしょう。ただ僕はこの事件が、あなたの教育方法と、その方法が僕におよぼした影響を特徴づけていると思います。

（……）

これはフランツ・カフカが父へ宛てた長大な手紙の冒頭ページである。説明というより告解（こっかい）と呼ぶのがふさわしい自己分析として書かれている。母に手渡されたが、宛先に届くことはなかった。カフカは家父長的なヘルマンのかずかずの過ちや、不肖の息子との関係を、家庭という「牢獄」のなかにいたと表現している。もし囚人が逃げたとすれば、「立ち直ることはできない。反対に、立ち直ったとしたら逃げられない」。カフカは「彼の著作に対する父の反感」に言及し、自身のフィクションは「父からの意図的な、長く引き延ばされた告別」であったことを認めている。カフカが予見していたかのように、この手紙は、父子関係の古典的なテクストとなった。

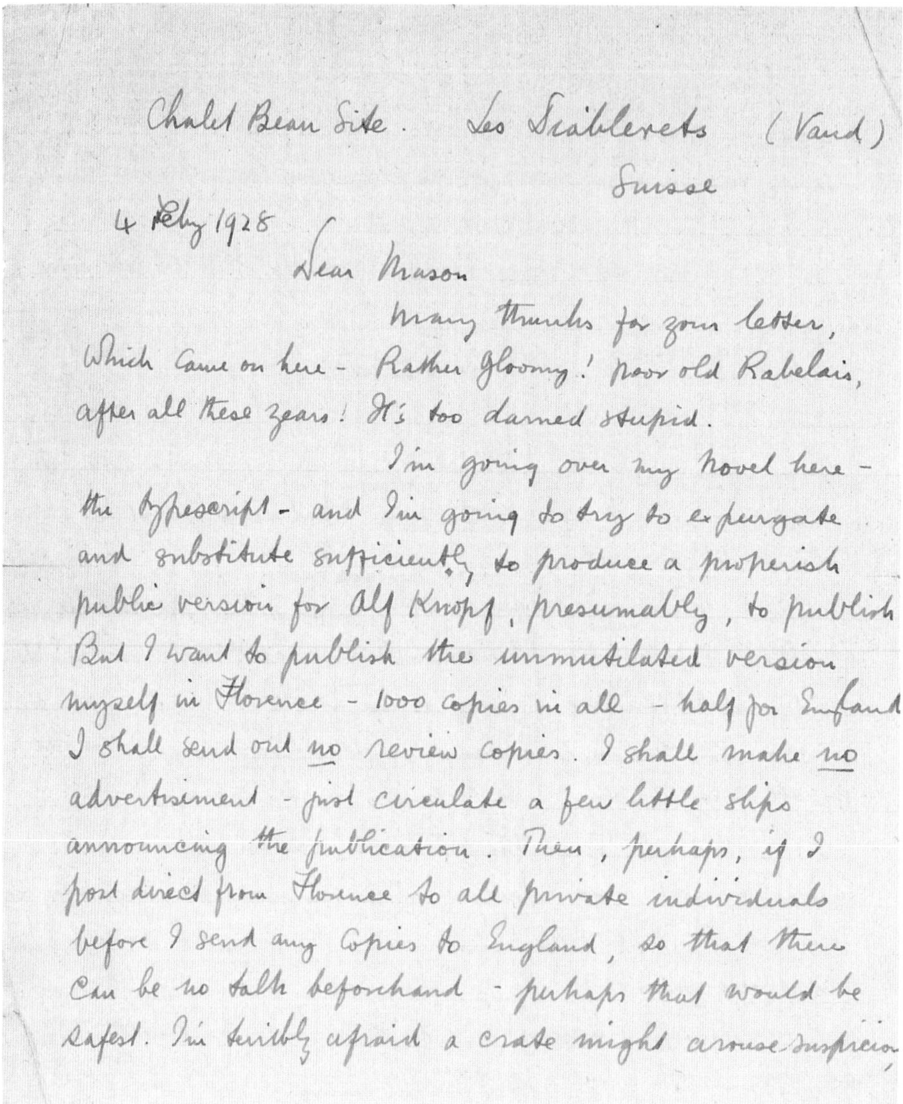

Chalet Beau Site. Les Diablerets (Vaud)
Suisse

4 Feby 1928

Dear Mason

Many thanks for your letter, which came on here – Rather gloomy! poor old Rabelais, after all these years! It's too darned stupid.

I'm going over my novel here – the typescript – and I'm going to try to expurgate and substitute sufficiently to produce a properish public version for Alf Knopf, presumably, to publish. But I want to publish the unmutilated version myself in Florence – 1000 copies in all – half for England. I shall send out no review copies. I shall make no advertisement – just circulate a few little slips announcing the publication. Then, perhaps, if I post direct from Florence to all private individuals before I send any copies to England, so that there can be no talk beforehand – perhaps that would be safest. I'm terribly afraid a crate might arouse suspicion,

Writers' Letters

**D・H・ロレンス（1885–1930）から
ハロルド・メイソンへ**
1928年2月4日

メイソン様

手紙をどうもありがとうございます。当地に届きました——なんとも気が滅入る話！ ラブレーも気の毒に。今さらこんな！ ばかばかしいにもほどがある。

当地で自分の小説を——タイプ原稿——見直して、おそらく、アルフ・クノップが出版する適切っぽい市販版を作成するべく、削除したり置き換えたりの作業をしています。しかし私としては、骨抜きにされていない私家版をフィレンツェで発行して（トータルで1000部）、半分をイングランド向けにしたいと思っています。書評用献本はしません。広告もやりません。出版を告知する2、3枚の小さなパンフを配布するだけです。それからおそらく、私がイングランドへ送る前にフィレンツェから直接個人に内密に郵送して、事前に噂が広まらないようにすれば——おそらく、それが一番安全でしょう。輸送途中の箱が疑われて、すべてが没収されるのではないかと非常に心配しています。貴方向けは50部か、あるいはもっと多いかもしれませんが、注文分とみなす必要はありません。おそらく、ご指摘いただいた他の書店の分も。しかし、全部を箱詰めする勇気はありません。どう思われますか？ ご助力いただけたらありがたいです。ともかく、いずれ校正刷りをお送りします。お返事は、ヴィラ・ミレンダへお願いします。3月上旬にはあちらに戻っていると思われます。雪の季節はここにいて、気候が私の胸にいいのかどうか様子を見ています。今のところはいいようです。（……）

改訂作業が終わり次第、原稿を出版社に送ります。無修正版の発行は、市販版とあまり間をおきたくないのですが——おそらく6月までは待たないといけないでしょう。

ご多幸をお祈りし、私へのご寛容を願いつつ。

D・H・ロレンス

「ラブレーも気の毒に。今さらこんな！」16世紀フランスの風刺家の本——1928年でも公序良俗に反するとみなされていた——が、アメリカの税関職員に押収された。フィラデルフィアの書籍商ハロルド・メイソンにスイスから手紙を送ったD・H・ロレンスは、自身の新作『チャタレイ夫人の恋人』も似たような悲運に見舞われるのではないかと案じていた。コンスタンス・チャタレイと、チャタレイ家の森番メローズとの情事を中心としたこの作品には、あからさまな性交為の場面があり、「アングロ・サクソン系の一音節語」も使われている。この掟破りは、性について偽りなく、そして美しく書くためにロレンスには必要不可欠だった。余裕がなく、発禁処分を避けたいロレンスは、タイプ原稿を編集して一般販売向けに部分的に削除した修正版を作成する一方、メイソンには無修正の私家版をアメリカで内密に販売してもらえないかと期待する。メイソンは25部分の宛先を教えてくれたが、この私家版を受け取った人は誰もいない。メイソン宛分自体が「捕まって」、没収されてしまったのだ。

ロレンスは、話のついでに自分の健康について触れている。すでに結核の末期だった。ロレンスの死から2年後の1932年、ついにアメリカの出版社アルフレッド・A・クノップが修正版の『チャタレイ夫人の恋人』を刊行した。

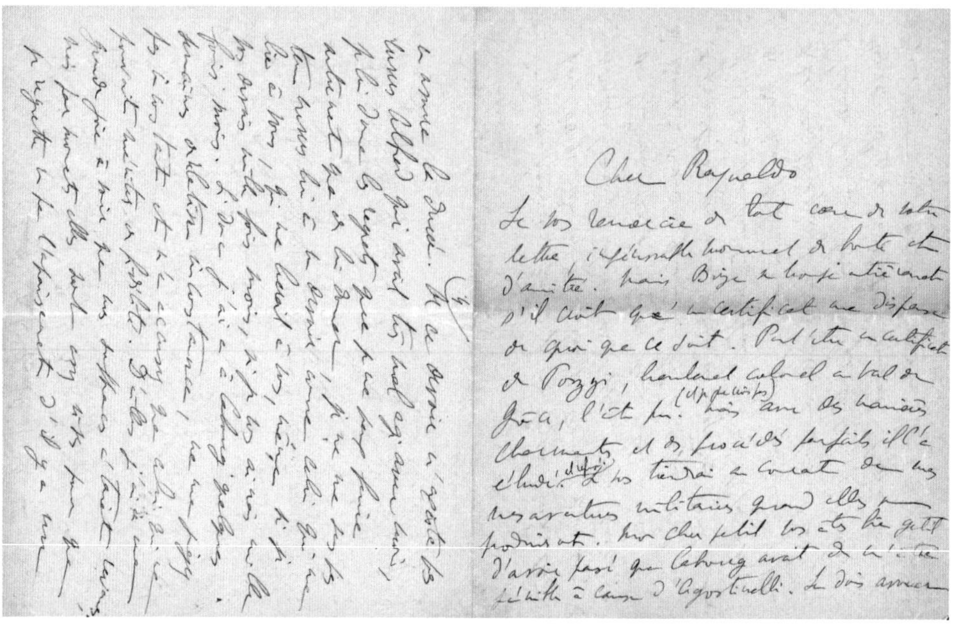
Cher Reynaldo

MARCEL PROUST
OCT 1914

Writers' Letters

マルセル・プルースト（1871–1922）から レイナルド・アーンへ

1914年10月

親愛なるレイナルド　お手紙、心からありがとう。（……）

愛しいあなた、カブールはアゴスチネリのことがあるので、辛かったのではないかと、親切にも気遣ってくれたのですね。想像していたほど辛くはなかったと、恥ずかしながら告白しなければなりません。この旅はむしろ、悲しみから心が離れていく、最初の一歩となりました。旅から戻ると幸いにも、以前感じていた悲しみに後戻りしたのですが。（……）

アルフレッドを本当に愛していました。愛していたというだけでは十分ではありません。熱愛していました。なぜ過去形で書いているのでしょうか。というのは、今でも愛しているからです。しかし、結局のところ、哀惜の念には、無意志的な部分のほかに義務的な部分があり、それが無意志的なものを固定し、長続きさせているのです。ところが、アルフレッドに対しては、この義務が存在しません。彼はとてもひどい振る舞いをしたのですから。彼に対しても哀惜の念を抱かないではいられません。しかし、私をあなたに結びつけているような義務を、彼に負っているとは思いません。たとえあなたに受けた恩がずっと少なかったとしても、たとえ私の愛がはるかに小さかったとしても、その義務が私をあなたに結びつけているのですが。（……）

悲しみが減じるのは相手が死んだからではなく、私たち自身が死ぬからです。数週間前の「私」を保存し、そっくりそのまま生かしておくためには、相当な生命力が必要です。哀れなアルフレッドを、彼の友達は忘れたわけではありません。彼も死者の仲間入りをしてしまったのです。その後を継いだ、今日の「私」も、アルフレッドを愛しています。しかし、他人の話を通してしか、彼を知りません。それは間接的な愛情です。以上のことは誰にも話さないでください。（……）こんなことをいつか表現したくなったら、スワンの名を借りてするでしょう。もっとも、それを表現する必要はもうありません。もうずっと前から、人生が私に与えてくれるのは、私がすでに描いたことのある出来事だけなのですから。（……）

ベネズエラ出身のフランスの作曲家レイナルド・アーンが、マルセル・プルーストと出会ったとき、彼は19歳で音楽界の天才児としてすでに知られていた。プルーストは野心溢れる若手作家だったが、著作の発表にはまだ至っていなかった。二人は短い間だが恋愛関係になった後、生涯に渡って友達付き合いを続けた。1914年に戦争が勃発すると、アーンは徴兵の年齢を過ぎていたのに軍隊に志願した。また、喘息のプルーストが兵役免除されるように手助けもした。

この手紙が書かれたのは、カブールの海辺のホテルで、秋の短い休暇を過ごした直後のことである。プルーストは、徴兵されることを依然として憂慮しつつも、運転手と秘書を務め、恋人でもあった、アルフレッド・アゴスチネリの死を深く悲しんでいる。5月、パイロットの訓練中に、アンチーブで彼を乗せた飛行機が墜落したのだった。プルーストはいつものように自分自身を執念深く観察しているが、その悲しみは消えたり現れたりを繰り返しているようだ。彼は『失われた時を求めて』の中心人物の一人シャルル・スワンを通して、このような感情の変化をいつか書くかもしれないと述べている。しかし「それを表現する必要はもうありません」とため息をつく。もう何年も前から、小説の中ですでに生きた人生を再び生きているかのように、感じていたからである。

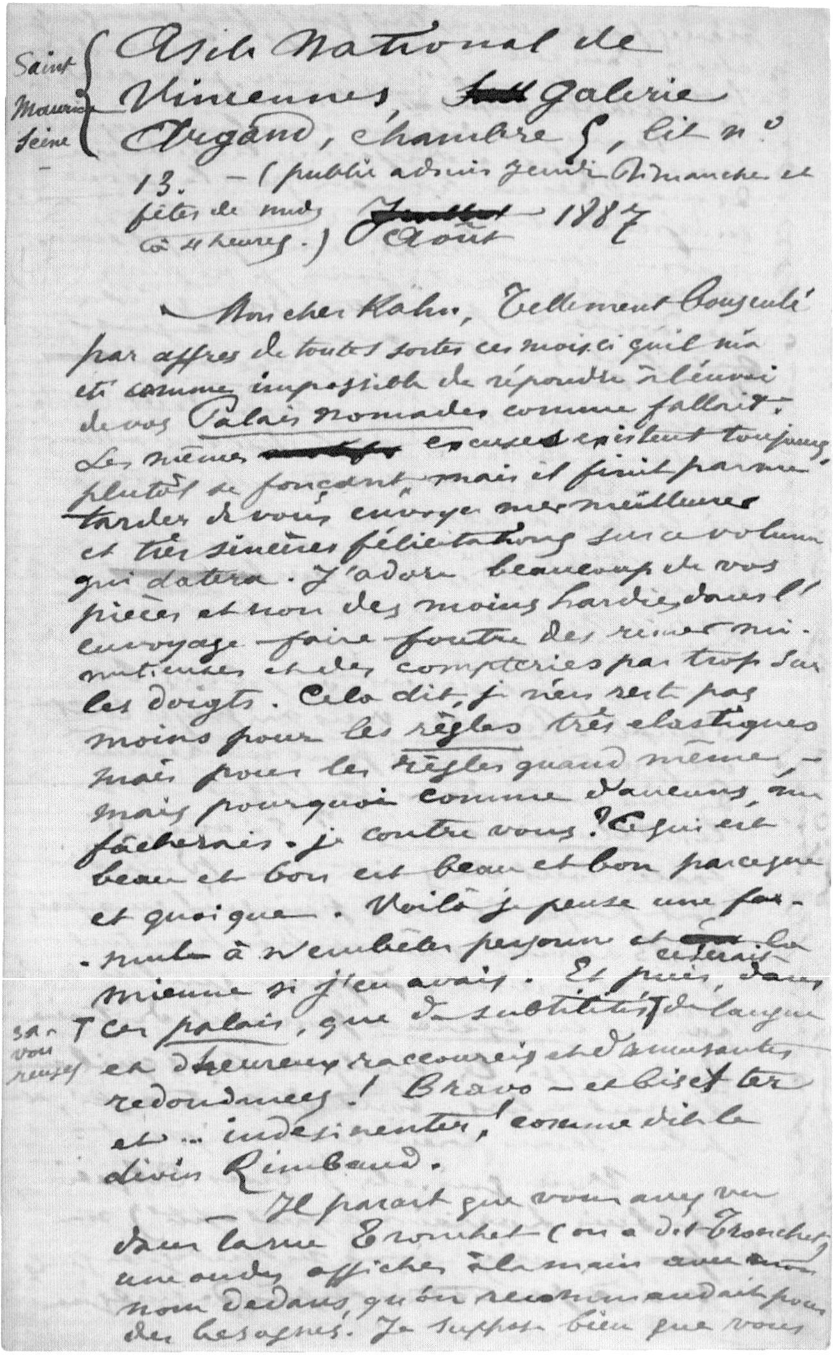

Saint Maurice Seine { Asile National de Vincennes, ~~[illegible]~~ galerie Argand, chambre 5, lit n° 13. — (public admis jeudi dimanche et fêtes de midi à 4 heures.) ~~Juillet~~ Août 1887

Mon cher Kahn, Tellement bousculé par affres de toutes sortes ces mois-ci qu'il m'a été comme impossible de répondre à l'envoi de vos Palais nomades comme fallait. Les mêmes ~~motifs~~ excuses existent toujours plutôt se fonçant, mais il finit par me tarder de vous envoyer mes meilleures et très sincères félicitations sur ce volume qui datera. J'adore beaucoup de vos pièces et non des moins hardies, dans l'envoyage faire foutre des rimes minutieuses et des comptéries par trop sur les doigts. Cela dit, je n'en suis pas moins pour les règles très élastiques mais pour les règles quand même, — mais pourquoi comme d'aucuns, me fâcherais-je contre vous? Ce qui est beau et bon est beau et bon parce que et quoique. Voilà je pense une formule à n'embêter personne et ce serait la mienne si j'en avais. Et puis, dans ces palais, que de subtilités de langue savoureuses et d'heureux raccourcis et d'amusantes redondances! Bravo — et bis et ter et … indésinenter, comme dit le divin Rimbaud.

Il paraît que vous avez vu dans la rue Drouot (on a dit Tronchet) une ou des affiches à la main avec mon nom dedans, qu'on recommandait pour des besognes. Je suppose bien que vous

ポール・ヴェルレーヌ（1844-1896）から ギュスターヴ・カーンへ
1887年8月

Writers' Letters

私の親愛なるカーン

　数ヶ月間、ありとあらゆる苦しみに追いまくられていたため、『放浪の宮殿』のご送付に対して、すぐにお返事することができませんでした。（……）私はあなたの大胆な詩篇の数々がとても好きです。韻を生真面目に踏んだり、音節を指折り数えたりすることを、一切放棄しているところがね。そうは言っても、私はやはり、非常に柔軟な「規則」を支持します。柔軟であるとは言っても、それは規則なのです。でもどうして、他の人たちのように、あなたに対して腹を立てることがあるでしょうか？ どんな理由があっても、美しいものは美しいし、良いものは良いのです。私が思うに、これが誰も反対しない公式であり、私が公式を持つとしたらこれでしょう。その上、この『放浪の宮殿』には、巧緻を極めた味わい深い言語、巧みな省略、愉快な冗語が、何と多くあるのでしょう！ ブラヴォー ――神のごときランボーが言うように、2回繰り返し、3回繰り返し、そして絶え間なく！（……）

　複雑な点、というよりごく単純な点について。「イリュミナシオン」と「ラ・ヴォーグ」誌の私の原稿から受け取れる代金を、全額または一部、支払ってもらえますか？ もし可能なら、今すぐにやってください！ ―― デュジャルダンは詩の代金を支払わなければなりません。バンヴィルからそれを取ったのですから。この手の問題について、彼はとても几帳面です。私が思うに、デュジャルダンは出版を手掛けているのですから、私に支払わなければならない僅かな金額を、金庫からすぐに引き出すことだってできるはずです。（……）

　足の病気で寝たきりのポール・ヴェルレーヌは、若手の詩人・編集者で象徴主義運動の主導者であるギュスターヴ・カーンに手紙を書く。ヴェルレーヌは数ヶ月前から入院していて、日付もよくわかっていない（7月と書いた後で8月に訂正している）。カーンの第1詩集『放浪の宮殿』が出版されたのは6月である。ヴェルレーヌの祝辞は、本人も認めている通り、友人の作家によるものとしては少し遅い。

　カーンは「自由詩」の考案者を自称していた。「自由詩」はフランス語の韻律の古典的規則よりも話し言葉のリズムに従う詩であり、20世紀の多くの詩人がこの形式を採用した。ヴェルレーヌは熱烈な賛辞を送るが、その内容は混乱している。多くの詩、特に型破りな詩が、「とても好き」であると述べ、カーンの「巧緻を極めた味わい深い言語」について、熱っぽく語っている。その際、「神のごときランボー」（p.207）を引き合いに出して、この詩人が草稿の余白に書き残した一種の金言を引用している。1886年、カーンの新雑誌「ラ・ヴォーグ」は、ヴェルレーヌの序文を付して、ランボーの「イリュミナシオン」を発表していた。

　ヴェルレーヌは深刻な状況に陥っていた。ランボーとの関係が引き起こした醜聞、彼を銃で負傷させたことによる投獄、それにつづく妻との離縁を経て、住所不定になっていた。糖尿病、梅毒、薬物とアルコール中毒の後遺症にも苦しんでいた。実は、カーンへの祝辞は、共同編集者のエドゥアール・デュジャルダンを通して、すでに送っていた。つまり、この手紙を書いた最たる理由は、最後に切り出した話題、金銭の問題であったのだ。前年発表した作品の代金を、カーンとデュジャルダンはまだ支払っていなかった。同時代の最も偉大な詩人を雑誌に迎えて、彼らは嬉しく思っていたに違いない。しかし金はいつ払うつもりなのか？

(1)

H. M. Prison.
Reading.

Dear Bosie,

After long and fruitless waiting I have determined to write to you myself, as much for your sake as for mine, as I would not like to think that I had passed through two long years of imprisonment without ever having received a single line from you, or any news or message even, except such as gave me pain.

Our ill-fated and most lamentable friendship has ended in ruin and public infamy for me, yet the memory of our ancient affection is often with me, and the thought that loathing, bitterness and contempt should for ever take that place in my heart once held by love is very sad to me: and you yourself will, I think, feel in your heart that to write to me as I lie in the loneliness of prison-life is better than to publish my letters without my permission or to dedicate poems to me unasked, though the world will know nothing of whatever words of grief or passion, of remorse or indifference you may choose to send as your answer or your appeal.

I have no doubt that in this letter in which I have to write of your life and of mine, of the past and of the future, of sweet things changed to bitterness and of bitter things that may be turned into joy, there will be much that will wound your vanity to the quick. If it prove so, read the letter over and over again till it kills your vanity. If you find in it something of which you feel that you are unjustly accused, remember that one should be thankful that there is any fault of which one can be unjustly accused. If there be in it one single passage that brings tears to your eyes, weep as we weep in prison where the day no less than the night is set apart for tears. It is the only thing that can save you. If you go complaining to your mother, as you did with reference to the scorn of you I displayed in my letter to Robbie, so that she may flatter and soothe you back into self-complacency or conceit, you will be completely lost. If you find one false excuse for yourself, you will soon find a hundred, and be just what you were before. Do you still say, as you said to Robbie in your answer, that I "attribute unworthy motives" to you? Ah! you had no motives in life. You had appetites merely. A motive is an intellectual aim. That you were "very young" when our friendship began? Your defect was not that you knew so little about life, but that you knew so much. The morning dawn of boyhood with its delicate bloom, its clear pure light, its joy of innocence and expectation you had left far behind. With very swift and running feet you had passed from Romance to Realism. The gutter and the things that live in it had begun to fascinate you. That was the origin of the trouble in which you sought my aid, and I, so unwisely according to

OSCAR WILDE
DEC 1896 - MAR 1897

オスカー・ワイルド（1854–1900）から
アルフレッド・ダグラス卿へ
1896年12月–1897年3月

Writers' Letters

親愛なるボウジー

君からの手紙を長きにわたって虚しくも待ち続けた末に、自分の方から書こうと決心するに至った。それは君のためでもあり、自分のためでもある。というのも、獄中での2年もの年月を、私を傷つけた手紙以外に、君からたった1行でも便りなり、知らせなり、伝言なりもなく過ごしたとは考えたくないからだ。

不運に見舞われた、嘆かわしい限りの我々の友情は、私に破滅と世間の非難をもたらして終わったが、愛し合った昔の記憶がたびたびよみがえり、かつては愛に満たされていた心の場所に、嫌悪、恨み、軽蔑が永遠に占めることになるのだとの思いが、私をとても悲しくさせる。そして君自身も、獄中生活の孤独にひたる私に手紙を書くことの方が、私の許可なく私の書簡を公表したり、頼まれもしないのに私に詩を捧げたりするよりも大事だと感じるようになることだろう。(……)

1895年2月、新作の芝居『真面目が肝心』の成功で興奮冷めやらぬオスカー・ワイルドを、クラブで待ち受けていた1枚の名刺があった。半ば「公然の秘密」の恋人アルフレッド・「ボウジー」・ダグラスの父親クイーンズベリー侯爵が残していったもので、ワイルドを「男色家」と指弾していた(ただし、その綴りを間違えていた)。ワイルドは侯爵を名誉棄損で訴えたが、彼が同性愛者である証拠を被告側が用意した時点で、この裁判は論拠を失った。ワイルドは逮捕され、重大猥褻罪で有罪となり、2年の懲役刑が言い渡された。

レディング監獄での刑期満了が近づいた頃、病気を患い、栄養失調で、ヴィクトリア時代のひどい行刑制度に苛まれていたワイルドに、インクとペンと日に1枚の紙の使用許可が下りた。1896年12月から1897年3月までの間に、今では『獄中記』として知られている、ボウジーに宛てた5万字もの手紙を書いた。出獄の際、この手紙を友人ロバート・ロスに託し、タイプで清書したものを2部作成して、1部をボウジーに送るよう手配してもらった。

『獄中記』は愛を綴った美しい手紙であると同時に、相手の人格を容赦なく攻撃したものでもある。ボウジーは自分を利用し、芸術活動の妨げとなり、家族と仲たがいさせ、破産させ、あげくの果てに裏切ったとして責めている。過去の口論を引っぱり出し、彼がいかに強欲で中身のない男かという実例を次々に繰り出す。それが警句並みに正鵠を得ているがゆえに、いっそう辛辣だ(「君の関心はもっぱら、食事の中身と雰囲気だけだ」)。だが、確かにボウジーは軽率で極度な自己陶酔にも陥りかねない人物だったが、獄中のワイルドを釈放するよう請願したし、社会改革運動にも参加した。とはいえ『獄中記』は、優しく、傷つきやすく、情緒的洞察に満ちあふれた、きわめて人情味のある著作なのである。

ワイルドは、一文無しで、見る影もなく変わり果てた姿で出獄した。ボウジーと和解し、ナポリへ行って金が尽きるまで滞在した後に、二人は別れた。1900年秋、ワイルドは慢性的な中耳の病気で手術を受けた後、パリの街中で倒れ、11月30日にオテル・ダルザスで亡くなった。

CHAPTER6

LITERARY BUSINESS

文 芸 界 の 実 務

短編を同封します

Herewith a story

Chinua Achebe NNMA OFR

P.O. Box 53
Nsukka Anambra State

21 May 1987

John A. Williams
693 Forest Ave,
Teaneck, N.J. 07666

Dear John,

Your letter of Nov 15 1986 accompanied by the typescript of your novel has just reached me. I began reading the letter without taking notice of the date until you said the novel would be published "early next year". Then I thought seven to eight months away was too good and then saw the date. I checked the envelope then and saw that your publisher had sent it by surface mail. What a shame! I should have enjoyed writing a little promotional sentence for you; not that you needed it but it would have given me pleasure. I shall wait and read the book. Congratulations on the new book and on all the other things you have done since we were last in touch.

There is a chance my wife and I will be at UMass this fall for a year. If it works out I hope to see you in the course of our stay.

Sincerely,
Chinua
Chinua Achebe.

Rec'd June 1, 1987

チヌア・アチェベ（1930-2013）から
ジョン・A・ウィリアムズへ

1987年5月21日

Writers' Letters

ジョン様

1986年11月15日付の貴信とあなたの小説のタイプ原稿が、私の手元に今届いたところです。日付を確認せずに手紙を読み始め、この小説が「来年早々に」出版の予定とあるのを見て、7、8ヶ月先というのは長すぎるなと思い、それで日付を確認した次第です。封筒を検(あらた)め、そちらの出版社が船便で送ったのだとわかりました。何と残念な！ 喜んで宣伝文を書いて差し上げましたのに。あなたがご入用というのではなく、私が楽しんで書いただろうということです。拝読するのを心待ちに致します。あなたの新しいご著書と、前回のご連絡以降のあなたのご功績にお祝い申しあげます。

敬具

チヌア

「広告用推薦文」——ジョージ・オーウェルが「不快きわまるたわ言」と表現した商習慣——は、さんざん批判されながらも、執拗に続けられている出版業界の習わしである。刊行前のどこかの段階で、その本の校正刷りを、好意的な評価をしてくれそうな作家——著名であればあるほど良い——に送り、熱烈な（あるいはこの際、婉曲表現でも構わない）2行ほどの推薦文を寄せてくれないかと心待ちにする。アフリカ系アメリカ人の小説家で学者のジョン・A・ウィリアムズは、西アフリカに干渉する1960年代のCIAを扱った小説『ヤコブの梯子』の出版に際し、推薦文の依頼先を考え、ナイジェリア人作家のチヌア・アチェベが最適だと思った。植民地支配下にあった19世紀ナイジェリアの厳しい状況を描いた1958年のデビュー作『崩れゆく絆』で一躍有名になったアチェベは、押しも押されもせぬアフリカ文学のチャンピオンだ。アメリカでの学会で面識もある——だからきっと大丈夫だろう。

しかし、物事は計画通りにはいかなかった。ウィリアムズの本はアメリカからラゴスへ船便で送られ、届くのに半年かかった。その時点で『ヤコブの梯子』はすでに印刷機にかかっていた。アチェベは礼儀正しく遺憾の意を表したが、本当はそれほど残念でもなかったかもしれない。いずれにせよ、たとえアチェベから熱のこもった推薦文をもらえたとしても、『ヤコブの梯子』の売上が伸びたとは思えない。「たまにおもしろい箇所もある」という評価がせいぜいだったのだから。この後同年のうちに、アチェベは1966年以来初となる小説を発表した。西アフリカの架空の国でのクーデターを描いた『サヴァンナの蟻塚』は、『崩れゆく絆』以来の彼の最高傑作と広くみなされて、ブッカー賞の最終候補になった。

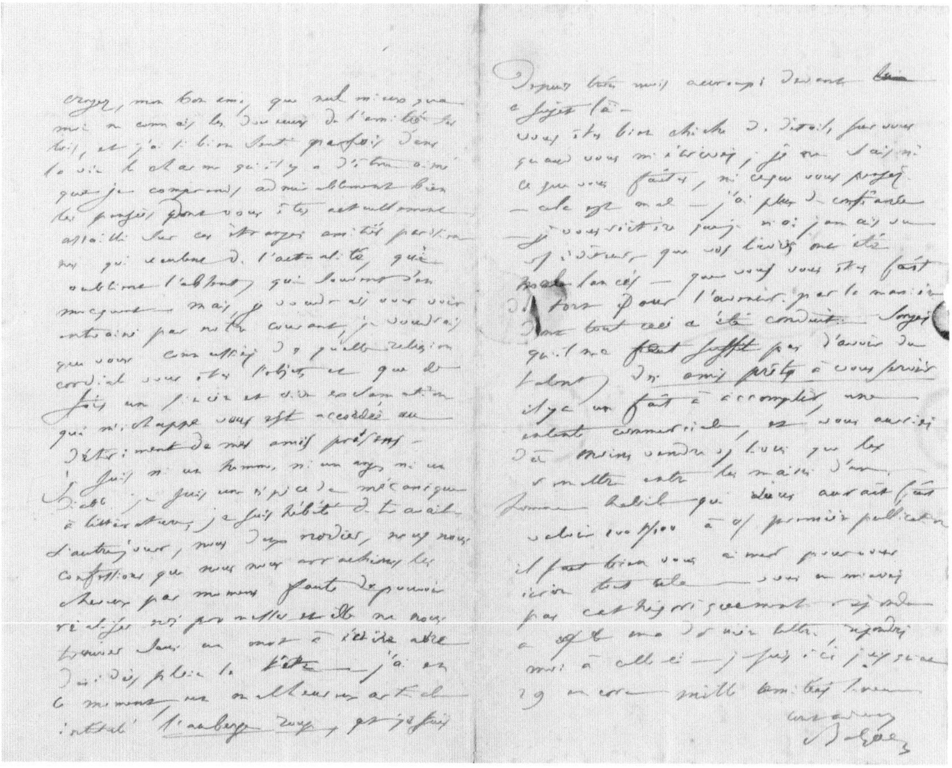

オノレ・ド・バルザック（1799-1850）から
サミュエル＝アンリ・ベルトゥへ

1831年8月18日

Writers' Letters

私の善良なベルトゥ、1週間以内に『あら皮』を送るのは不可能であると考えてください。書店の要求というものをあなたも知っているでしょう。初版はすべてゴスランが販売用に回してしまいました。再版の2巻分が手元にあり、3巻目も遠からず出来上がるはずです。そういうわけで、2巻本の代わりに上品で立派な3巻本を、あなたは手にすることになるでしょう。私はジャーナリズムの職務に殺されるところでした。（……）あなたに手紙を書くことができなかったのは、膨大な量の仕事を抱え込んでいたためです。病気をして働けなくなって、金の必要に迫られていたのです。

信じてください、善良な友よ、友情の喜びやその法則を私以上によく知っている人はいません。私はこれまでの人生において、友に愛されるのは魅力的なことであると、何度も実感してきました。そのため、パリにおける友情について、あなたがいま思い悩んでいることを、完璧に理解できます。実際、その友情は奇妙なもので、最新の動向を追い求め、不在の者を忘れ、馬鹿にすることもしばしばなのです。しかし、私たちの流れにあなたが加わるのを見てみたい、あなたが宗教的な敬愛の対象になっていることを知ってもらいたいのです。（……）私は人間でも天使でも悪魔でもありません。文学のための機械のようなものです。仕事で呆然としています。（……）目下、『赤い宿屋』と題するつまらぬ作品を抱えています。3ヶ月前からこいつに掛かり切りです。（……）

若きバルザックは、渋る両親を説得して僅かな小遣いをもらいながら、作家になる夢を追っていたが、それと同時に、印刷業を始めとして、さまざまな投機的な事業に手を出しては、借金を重ねていた。その頃に知り合ったのが年下の印刷工サミュエル＝アンリ・ベルトゥである。後に文芸編集者になった彼とは、生涯に渡って友達付き合いを続けた。1830年、バルザックは物書きとしてはまだほとんど収入を得ていなかったが、出版者のシャルル・ゴスランとユルバン・カネルと小説『あら皮』出版の契約を交わすに至る。原稿は予定よりも5ヶ月遅れて1831年7月に手渡したが、その間にもいくつかの章を雑誌「パリ評論」に発表して、読者の関心を集めることに成功していた。『あら皮』は刊行されるや否や大成功を収めた。2巻本の初版750部が、8月の刊行後、数週間のうちに売り切れそうになると、バルザックは12篇の「哲学的小説」を追加して3巻本の第2版をすかさず刊行した。

ベルトゥに出来るだけ早く送ろうと約束しているのはこの版である。バルザックは自分が置かれている状態を誇張して、ジャーナリズムの職務に殺されそうになって、「仕事で呆然」としていると述べているが、バルザックが自らを指して「文学のための機械」と呼んでいるのは、真実とそれほど遠くない。執筆中だった幻想小説『赤い宿屋』は、「パリ評論」に数日中に掲載されるだろう。

June 24

107 The Chase
London SW4 ONR

Bill Buford
Granta
King's College
Cambridge
CB2 IST

Dear Bill,

Thank you for GRANT, which looks perfectly splendid. Congratulations.

Herewith a story, COUSINS, which ought to be about 3,500 words. It is another wolf- child story - of course, you may not be aware of this obseesion of mine; I have an obsession with wolf-children, and this story is by no means the last of it. Actually, it is really about nature and culture, but don't want to cross the t's and dot the i's. (Well, not too much.) Obviously, it is <u>meant</u> to read plain and clumsy. I can punctuate perfectly adequately when I want to. Anyway, I hope it's okay.

Glad you liked the Updike review. Does he, and Roth, et al, realise how sexist they are? It beats me.

In haste, in order to catch the post - but I'm supposed to be going to the States, next year, myself, so would like a word or two before I go -

yours,

Angela

P.S.

アンジェラ・カーター（1940-1992）から ビル・ビュフォードへ

1980年6月24日

Writers' Letters

ビル様

「グラント」拝受、申し分なくすばらしい雑誌ですね。おめでとうございます。

短編「いとこ」を同封します。ワード数は3500語程度のはず。これもまた別の、狼に育てられた子どもの話です。そうか、あなたはご存じないないのかも。私は、狼に育てられた子どもに執着があるんです。だからけっして、今回のものでおしまい、とはならないです。実際、これは自然と文化についての話なのですが、細かいことまで説明したくないので（まあ、あまりないけど）。いうまでもなく、意図的に、平易だけど読みにくいようにしています。やろうと思えば、私だって申し分なく適切に句読点を打つことはできるんですよ。ともあれ、これで納得いただければ幸いです。

アップダイクの書評、気に入ってくれてよかった。彼は、それにロス*とかも、自分がどれだけ性差別的なのか自覚してるんでしょうか。わかんないわね。

郵便に間に合わせたいので、取り急ぎ。でも、来年にはアメリカに行くつもりなので、その前に一言二言くらいは、と思っています——

あなたの
アンジェラ

「私は、狼に育てられた子どもに執着があるんです」アンジェラ・カーターは、短編の寄稿を依頼したビル・ビュフォードにこう告げる。彼は、最近復刊した文芸誌「グランタ」の編集長だ。刺激的で影響力あるカーターの短編集『血染めの部屋』（1979）で、狼が非常に重要な役割を果たしているのは明らかだ。ここでは伝統的なおとぎ話がフェミニズムの観点から書き直され、ゴシック・ホラーや性的逸脱、様式化された暴力、ポストモダン的アイロニーが混ぜ合わされている。「赤ずきんちゃん」を基にした一作は、局面が反転していて、主人公が狼人間の手を切り落とす。別の作品では、若い女性が「優しい狼」とベッドをともにするという結末を迎える。

カーターは、自身が「ブルジョワ的リアリズム」と呼ぶもの、とくにいわゆるハムステッド小説は相手にしなかった。ハムステッド小説とは、マーガレット・ドラブルなどのイギリス人作家がよく引き合いに出されるが、典型的には中産階級ボヘミアンの、道徳上のジレンマや寝室の問題を扱った作品をいう。したがって、この国の文学の現況に懸念を抱いていたアメリカ人ビュフォードが、「グランタ」で「イギリス小説の終焉」と題した号を企画したとき、カーター作品を選んだのはもっともなことだった。確かに、カーターから寄せられた作品は、ハムステッド小説とは似ても似つかない。山麓の村に暮らす少年が、狼に育てられたいとこを見つける。その狼少女を連れて帰ることになり、そこで彼女は大暴れして破壊しまくる、という物語だ。だがカーターは短編小説を「フィクションを用いた主張表明」とみなしていたので、見かけ以上のものがある。つまり、素朴なおとぎ話は、「自然と文化」という、より大きなテーマを探究する一手段なのだ。

学校卒業後、ジャーナリストとして働いたカーターには、パンチの利いた不遜なエッセイストや書評家としての側面もあった。どうやら直近の被害者は、性的エネルギーとブルジョワ的リアリズムの第一人者ジョン・アップダイクであるらしい。小説の未来はアメリカにもないのかもしれない。それでもカーターは、翌年の訪米を計画している。

* 訳注：フィリップ・ロス（1933-2018）。代表作に『さようならコロンバス』、『ポートノイの不満』、『プロット・アゲンスト・アメリカ』など。

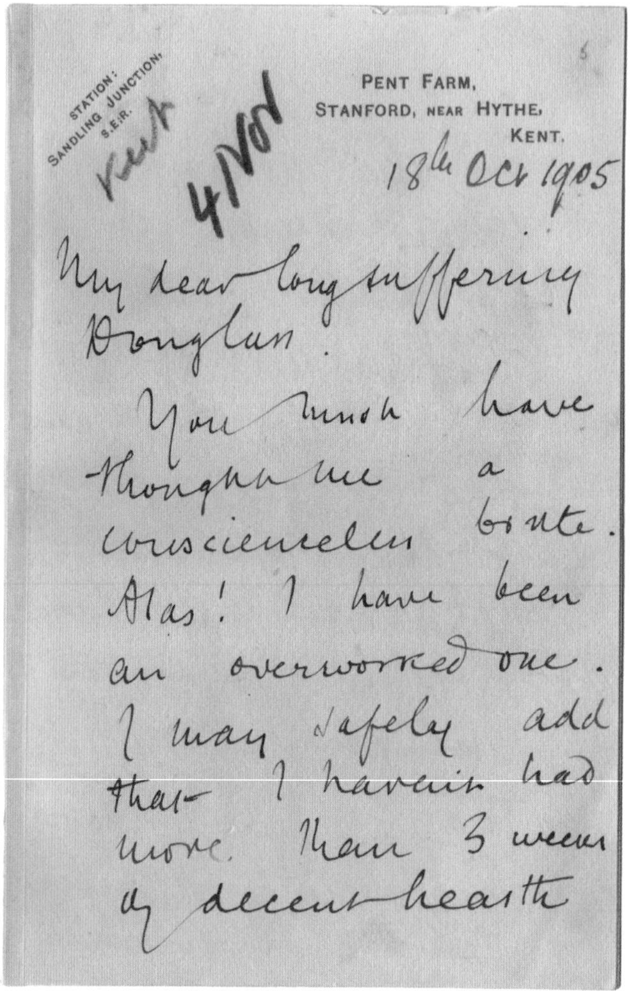

STATION:
SANDLING JUNCTION,
S.E.R.

PENT FARM,
STANFORD, NEAR HYTHE,
KENT.

Kent 4 Vol

18th Oct 1905

My dear long suffering
Douglas:

You must have
thought me a
conscienceless brute.
Alas! I have been
an overworked one.
I may safely add
that I haven't had
more than 3 weeks
of decent health

JOSEPH CONRAD
OCT 1905

ジョゼフ・コンラッド（1857－1924）から ノーマン・ダグラスへ

1905年10月18日

Writers' Letters

長年の苦労人ダグラス様

あなたは私のことを、良心のかけらもない人でなしだと思っていたに違いありません。ああ！　私はずっと働きすぎだったのです。カプリを発ってから、体調がまともだったのは3週間となかった、と付言しても差し支えないでしょう。（……）

あなたの論文を出版社に持ち込むのが遅いと、ひどく失望されているのではないかと危惧しています。親愛なるダグラス、間違いなくできることはすでにやったし、やっているのですよ。最初の作戦は失敗しましたが、11月末に1週間ロンドンに行く際に、次の作戦を展開するつもりです。（……）

あの原稿をあなたにお返ししたところで、どんな利点があるというのでしょうか。私はあちこちで話をしましたから――もし突然誰かに求められたとしたら、今持っていませんと言いたくはないと思う次第です。（……）

概してあなたの考え方は大衆受けしない、ということをお忘れなく。あなたの考え方は理知的で、確固としています。だから物事は簡単には進まないのです。世間の人は知性を望んでいません。知性を煩わしく思い――作家に対して、従僕と同じかそれ以上のお追従を要求するのです。

私をお怒りでないと信じております。近頃はやけに大変な時期なのです。何とか急場をしのいでいるような状態にあります。

これにて今日はさようなら。すぐにまたお便りいたします。妻がよろしくと言っております。

いつもあなたの
Jph・コンラッド

ジョゼフ・コンラッドがノーマン・ダグラスと知り合ったのは、**1905**年初頭、妻と息子を伴ったカプリ島での数ヶ月の滞在中だった。イギリスの冬を避けて温暖な土地へ行き、膝の手術を受けた妻ジェシーの回復を、傍らで執筆しながら待つのが目的だったが、作家**H・G・**ウェルズに書き送った言葉によれば「無茶苦茶な」旅だった。所持金が足りなくなり、コンラッドは仕事で気が滅入り、ジェシーは移動をひどく苦痛に感じた。

道中は金銭的なアクシデントが続いたが、ひとたびカプリ島に落ち着くと、コンラッドは戯れに通俗的な旅行案内を書いた。とはいえ、家庭内の雑事に煩わされ、「日に**10**回もペンを置かないと」いけないと文句を言った。不眠症になり、インフルエンザにもかかった。ダグラスと会って、本について話したり、自分の体調について愚痴をこぼしたりするのが、カプリ滞在の最上のひとときだった。

離婚したばかりで、金にも困っていたダグラスは、作家になる道を切り開こうとしていた。カプリは物価が安く、同性愛者にはイングランドより安全な土地だった。コンラッドがカプリを発つとき、ダグラスの原稿を携え、出版に最善を尽くすと約束した（『シレーヌの土地　南部イタリア生活の賛美』は、**1911**年にようやく刊行された）。イングランドに戻って半年後のこの手紙では、今のところ試みが失敗していると打ち明けている。作家に対して知性ではなく「追従」を求める社会なので、あなたも私も同じ苦境に立たされている、とコンラッドは伝えているのだ。

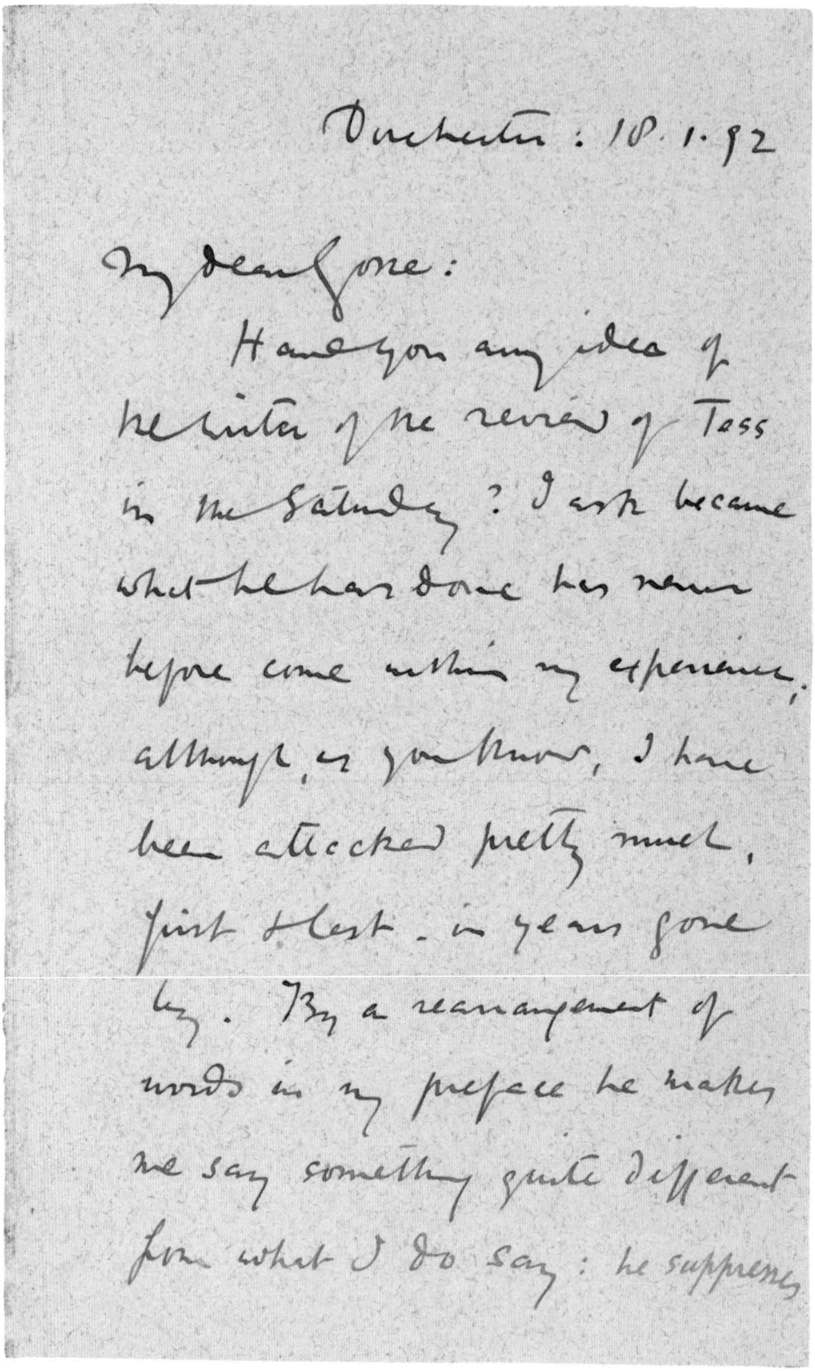
Dorchester: 18.1.92

My dear Gosse:

Have you any idea of the writer of the review of Tess in the Saturday? I ask because what he has done has never before come within my experience, although, as you know, I have been attacked pretty much, first & last, in years gone by. By a rearrangement of words in my preface he makes me say something quite different from what I do say: he suppresses

Writers' Letters

トマス・ハーディ（1840-1928）から エドマンド・ゴスへ

1892年1月18日

拝啓

「サタデー」でテスの書評を書いたのが誰か、心当たりはないだろうか。こう訊ねる理由は、彼の所業が私の経験上初のことだからだ。もっとも貴君も知っての通り、私はこれまでの年月、総じてかなり叩かれてきたのだがね。この御仁は、序文にある言葉を脚色することで、私が言っているのとは全く異なることを私に言わせている。具体的には、この作品のタイトルの半分を伏せている。この語句がなければ、本小説のねらいも趣旨も理解できないだろう。それから、引用すると見せかけた一文には、loadをroadとした明らかな誤植があり、その隣の語をオリジナルにはない一語とすり替えることで、文法がでたらめであるかのように見せている。次の段落にもう一度同じフレーズthe summit of the loadが出てくれば、最初のは誤植だと読者にはわかる——それでこの書評家の悪意が知れるというものだ。またもやこの本の表現を逆手に取り、ヒロインの母親は涙や疑い、ため息等々を使って娘を誘惑の罠に陥らせていながら、平然と「女の中でもっとも汚らわしい」などと言う、としている。さらには、ヒロインは実際よりも成熟して結婚適齢であるように見えた、という本文中の表現も、私には思いもよらなかった何か猥雑なことを意味しているかのようにでっちあげている。

しかし、これ以上並べて貴君をうんざりさせるつもりはない。ただ、件の紳士が誰なのかぜひ知っておきたいのだ——彼とサヴィルで握手するために。

敬具

T. ハーディ

1891年**12**月にトマス・ハーディの小説『ダーバヴィル家のテス』が出版されたとき、評価は毀誉褒貶だった。社会リアリズムの傑作だとして絶賛されたかと思えば、道徳的堕落だとか、特にハーディをいらだたせた「サタディ・レヴュー」誌の書評のように、文法がでたらめだとして酷評されもした。

『テス』は、ハーディが子どもの頃からよく知る**19**世紀半ばのドーセットの、農村の貧困を背景とした成長物語である。若くて賢いが、教育も未来の展望もないテスが、初めて奉公に出された家の当主に誘惑される。その後、理想主義者の若者がテスに求婚するが、彼女の過去を知って見捨てる。テスは再び元の男の愛人になるも、ついにこの男を殺害するに至る。ハーディはこの作品の副題を「清純な女」とした。

当時の書評の御多分に漏れず、「サタディ・レヴュー」誌の悪意に満ちた書評も匿名だった。ロンドンの文芸界を知り尽くしているエドマンド・ゴスなら、誰が書いたか教えてくれるだろうし、そうすれば多くの作家が所属する紳士クラブの「サヴィルで握手ができる」とハーディは期待する。富も、作家としての地位も得ているハーディだが、今でも自分の作品が誤って解釈されることに我慢がならない。なぜ**18**歳のテスが、精神的にはうぶだが肉体的には成熟している、という設定がダメだというのか。明らかなミスプリントを、書評家はいかに悪用して作者を無能呼ばわりするのか。『テス』の新版が出るたびに、ハーディは**20**年にわたってテクストを改訂し続けた。

Dresden den 23de Januar 1874.—

Kjære herr Grieg!

Jeg henvender disse linjer til Dem i anledning af en plan, som jeg agter at iværksætte, og i hvilken jeg vil forespörge om De skulde ville være deltager.

Sagen er fölgende. 'Peer Gynt', — hvoraf nu et tredje oplag snart skal udkomme, — agter jeg at indrette til opförelse på scenen. Vil De komponere den dertil fornödne musik? Jeg skal i korthed antyde for Dem, hvorledes jeg tænker at indrette stykket.

Förste akt bibeholdes helt, kun med nogle forkortninger i dialogen. Peer Gynts monolog side 23, 24 og 25 önsker jeg behandlet enten melodramatisk eller delvis som recitativ. Scenen i bryllupsgården, side 28, må der ved hjælp af ballet göres meget mere ud af, end der står i bogen.

ヘンリック・イプセン（1828-1906）から エドヴァルド・グリーグへ

1874年1月23日

Writers' Letters

グリーグ様

私が今心に抱いている計画についてお便りするのは、あなたに加わっていただきたいからです。

状況を申し上げますと、「ペール・ギュント」の第3版がまもなく出版される予定ですが、私はこの作品を舞台で上演したいと考えております。上演に必要な音楽を作曲していただけないでしょうか。どうすれば作品の魅力を高められるか、私の考えるところを手短にご説明いたしましょう。

第1幕は、対話部分をいくらか削るだけで、そのまま完全に残します。23、24、25ページにあるペールの独白はメロドラマとしてまたは一部レチタティーヴォ*1として処理したいと思います。28ページの結婚式の踊りの場面は本に従った扱いにすべきです（……）

「この劇は上演に向いていないと思う。」1867年11月にコペンハーゲンで出版された5幕の詩劇*2「ペール・ギュント」について、イプセンは最初このように考えていた。ペール・ギュントはノルウェー民衆の伝説的ヒーローで、イプセン自身は歴史上実在したと信じていたようだ。劇はノルウェーの山中からエジプトの砂漠まで、夢のような話から現実味のある話まであまり脈絡のないままペールのさまざまな冒険が語られ、登場人物は全体で50人以上にもなる。

そして6年たってから舞台上演の準備を始めるのだが、そのときイプセンは音楽を付けることで劇の魅力を高めようと、若い作曲家グリーグに連絡をとることにした。イプセンは1868年よりドレスデンに住んでおり、そこから手紙を書いたのである。当時イプセンは「皇帝とガリラヤ人」というローマが舞台の、今ではほとんど知られていないが、彼一人だけは傑作と見なしている劇を執筆中であった。イプセンがあまり音楽に関心がないことは有名だが、国民ロマン主義の新進作曲家というグリーグの評判は耳にしていたのだろう。このころグリーグは「25のノルウェー民謡と舞曲」、最初の劇音楽「十字軍の王シグール」を完成させている。後者は中世ノルウェーの騎士を扱ったものでクリスチャニア（現オスロ）で上演された。

ノルウェーを代表する劇作家に声をかけられグリーグは嬉しかったにちがいない。イプセンの手短な説明からそう思うのも無理はないが、必要な音楽はそれほど多くないという感触を得たグリーグは、申し出を受けることにした。しかし「ペール・ギュント」は当初の計画よりもはるかに大がかりな企てとなってしまい、グリーグは1874年6月から1875年7月まで休まず作曲を続け、全部で約40曲に達した。10年以上たってからグリーグはこの音楽と再び向き合い、ハイライト部分を選んで二つの管弦楽組曲にまとめる。行進曲風で元気よく口ずさみやすい《山の魔王の洞窟にて》、切々たる北欧の情感をたたえた《ソルヴェイグの歌》などは、今や広く愛される名曲になっている。

「ペール・ギュント」はイプセン最後の詩劇で、今日では彼は近代リアリズムの家庭劇の先駆けとなった「人形の家」や「ヘッダ・ガーブラー」などの作品でよく知られている。イプセンが「ペール・ギュント」で夢想したのはノルウェーの民俗的風景であり、それをトロル、異国放浪、詩的神話的な語りによって表現したのだが、そうした民俗性との結びつきはむしろグリーグのほうがより強固である。

*1 訳注：クラシック音楽において、「話すように歌う」歌唱様式。 *2 訳注：一定の韻律に従った「韻文」で書かれた劇。

Jack Kerouac
1418½ Clouser St
Orlando, Fla

Dear Marlon

I'm praying that you'll buy ON THE ROAD and make a movie of it. Dont worry about structure, I know how to compress and re-arrange the plot a bit to give perfectly acceptable movie-type structure: making it into one all-inclusive trip instead of the several voyages coast-to-coast in the book, one vast round trip from New York to Denver to Frisco to Mexico to New Orleans to New York again. I visualize the beautiful shots could be made with the camera on the front seat of the car showing the road (day and night) unwinding into the windshield, as Sal and Dean yak. I wanted you to play the part because Dean (as you know) is no dopey hotrodder but a real intelligent (in fact Jesuit) Irishman. You play Dean and I'll play Sal (Warner Bros. mentioned I play Sal) and I'll show you how Dean acts in real life, you couldnt possibly imagine it without seeing a good imitation. Fact, we can go visit him in Frisco, or have him come down to L.A. still a real frantic cat but nowadays settled down with his final wife saying the Lord's Prayer with his kiddies at night...as you'll seen when you read the play BEAT GENERATION. All I want out of this is to be able to establish myself and my mother a trust fund for life, so I can really go roaming around the world writing about Japan, India, France etc. ...I want to be free to write what comes out of my head & free to feed my buddies when they're hungry & not worry about my mother.

Incidentally, my next novel is THE SUBTERRANEANS coming out in N.Y. next March and is about a love affair between a white guy and a colored girl and very hep story. Some of the characters in it you knew in the Village (Stanley Gould? etc.) It easily could be turned into a play, easier than ON THE ROAD.

What I wanta do is re-do the theater and the cinema in America, give it a spontaneous dash, remove pre-conceptions of "situation" and let people rave on as they do in real life. That's what the play is: no plot in particular, no "meaning" in particular, just the way people are. Everything I write I do in the spirit where I imagine myself an Angel returned to the earth seeing it with sad eyes as it is. I know you approve of these ideas, & incidentally the new Frank Sinatra show is based on "spontaneous" too, which is the <u>only</u> way to come on anyway, whether in show business or life. The French movies of the 30's are still far superior to ours because the French really let their actors come on and the writers didnt quibble with some preconceived notion of how intelligent the movie audience is, the talked soul from soul and everybody understood at once. I want to make great French Movies in America, finally, when I'm rich ...American Theater & Cinema at present is an outmoded Dinosaur that aint mutated along with the best in American Literature.

If you really want to go ahead, make arrangements to see me in New York when next you come, or if you're going to Florida here I am, but what we should do is <u>talk</u> about this because I prophesy that it's going to be the beginning of something real great. I'm bored nowadays and I'm looking around for something to do in the void, anyway---writing novels is getting too easy, same with plays, I wrote the play in 24 hours.

Come on now, Marlon, put up your dukes and write!

Sincerely, later, Jack Kerouac

Writers' Letters

JACK KEROUAC 1957

ジャック・ケルアック(1922-1969)から マーロン・ブランドへ

1957年

親愛なるマーロン

僕の書いた『オン・ザ・ロード』に惚れ込んで、映画化を考えてもらえると幸いです。構成についてはご心配なく。圧縮して少しばかり筋を変え、映画に最適な脚本を準備できます。小説では大陸を端から端まであちこち巡るのですが、映画ではわかりやすくルートを一本化して、ニューヨークを出発し、デンバー、フリスコ、メキシコ、ニューオーリンズ、そしてニューヨークに戻るというふうに変更できます。車の前席にカメラを据えて、フロントガラスにうつり込む道路の映像(昼と夜の)を見せるという絶好のショットを考えています。その間、サルとディーンが会話をしています。君にはディーンの役をやってもらいたいのです。ディーンは知っての通り、頭のおかしい暴走族なんかではなくて、真のインテリ(実はイエズス会の信徒)で、アイルランド系です。君がディーン役、そして僕がサルをやります。(ワーナー・ブラザースが僕をサル役にと提案しています)(……)

僕は、アメリカの演劇と映画を根本から変えたいのです。あらかじめ設定を作り込むのではなくて、自発性を尊重し、役者には実生活と同じように自然な感じでどんどんしゃべってもらいます。これこそが演劇です。特別な筋はなく、特別な「意味」を持たせず、あるがままの姿を見せるのです。僕はものを書く時、そういう精神でやっています。僕は地上に舞い降りた天使で、憂いを帯びた目であるがままの世界を眺めているという感じです。僕のアイディアに賛同してくれますよね(……)

もしこの企画を本当に進めたい場合は、次の機会にニューヨークで会えるよう日程調整をしてください。あるいはフロリダに来てくれれば、僕はここにいます。いずれにせよ、この件、ぜひ相談しましょう。何か実に素晴らしいことが始まる予感がしています。近ごろ手持ち無沙汰なもので、とにかく何か暇つぶしができないかと思っているところです。小説もすぐに書けてしまうし、戯曲もそうです。24時間あればかけます。

そういうわけで、マーロン、お手合わせ願います。返事をください!

ではまた、ジャック・ケルアック

1957年、ジャック・ケルアックは、ビート・ジェネレーション*の青春物語『オン・ザ・ロード』の成功に浮き立っていた。ハリウッドでは、誰もがこの物語を大スクリーンで映像化したいと思っていたようだが、ケルアックは自分なりのアイディアを持っていた。彼は、『波止場』で注目を集めた旬の俳優マーロン・ブランドに手紙を送り、映画化の権利を買わないかと尋ねている。ブランドをモリアーティ役にと考えたのだ。ディーン・モリアーティは、強情で自己破滅型の夢想家で、ケルアックの友人ニール・キャサディをモデルとしている。小説家として油の乗りはじめたケルアックは、映画制作の技量についても大いに自信を持っていた。自身になぞらえた主人公のサル・パラダイスは、自分が演じるつもりだ、とブランドへの手紙に書いている。脚本についても心配無用で、自分が責任をもつと言う。「僕は、アメリカの演劇と映画を根本から変えたいのです」とも言っている。

自分の思いを滔々(とうとう)と語る作家の、この大胆不敵な申し出に対して、ブランドはどう対応したか。彼は手紙を捨てなかったが、返事は出さなかった。

* 訳注:1950年代にアメリカ合衆国で台頭した文学運動を担った作家たち。

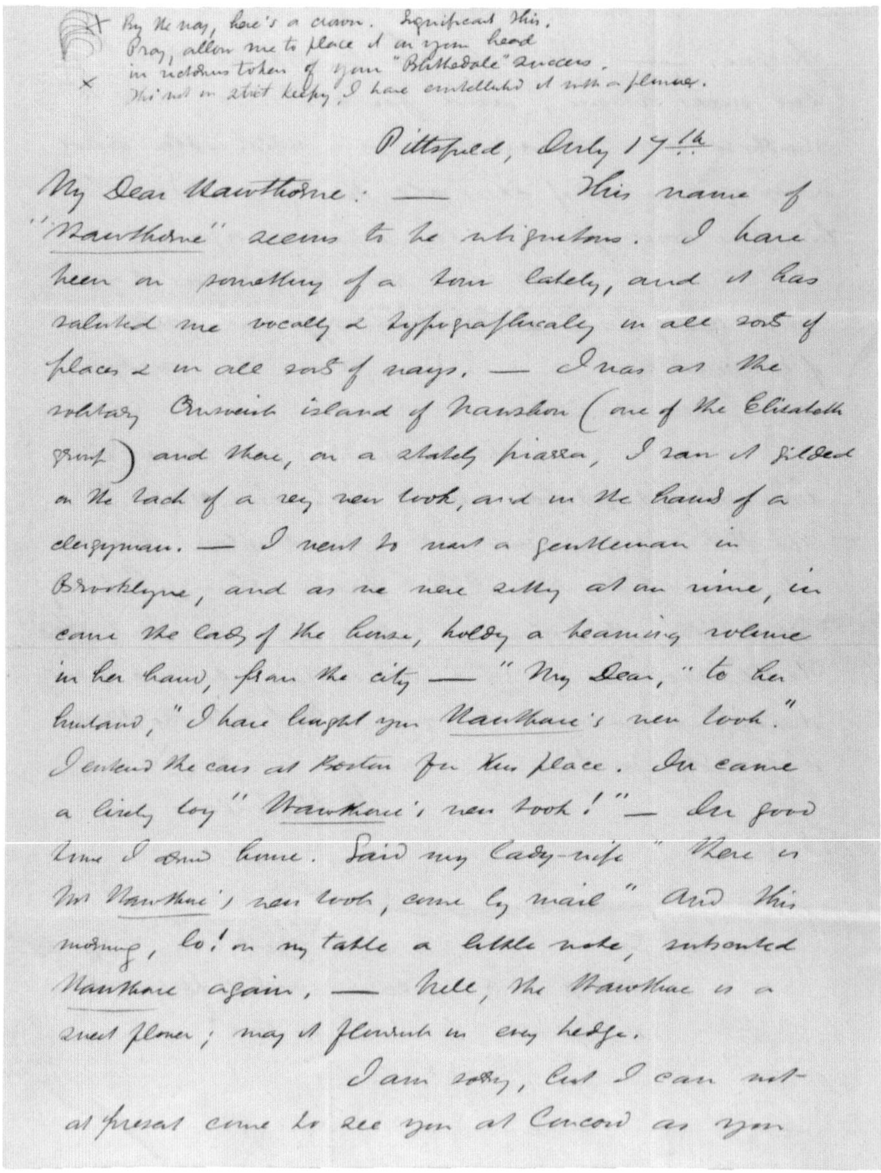

×By the way, here's a crown. Significant this.
Pray, allow me to place it on your head
in victorious token of your "Blithedale" success.
× Tho' not in strict keeping, I have embellished it with a flower.

Pittsfield, July 17th

My Dear Hawthorne: — This name of "Hawthorne" seems to be ubiquitous. I have been on something of a tour lately, and it has saluted me vocally & typographically in all sorts of places & in all sorts of ways. — I was at the solitary Crusoeish island of Naushon (one of the Elizabeth group) and there, on a stately piazza, I saw it gilded on the back of a very new book, and in the hand of a clergyman. — I went to visit a gentleman in Brooklyne, and as we were sitting at our wine, in came the lady of the house, holding a beaming volume in her hand, from the city — "My Dear," to her husband, "I have brought you Hawthorne's new book." I entered the cars at Boston for this place. In came a lively boy "Hawthorne's new book!" — In good time I came home. Said my lady-wife "There is Mr Hawthorne's new book, come by mail" And this morning, lo! on my table a little note, subscribed Hawthorne again. — Well, the Hawthorne is a sweet flower; may it flourish in every hedge.

I am sorry, but I can not at present come to see you at Concord as you

ハーマン・メルヴィル（1819-1891）から ナサニエル・ホーソーンへ

1852年7月17日

Writers' Letters

親愛なるホーソーン様

どこに行っても“ホーソーン”の花盛りです。最近少し旅に出たのですが、いろいろな場所で、あなたのお名前を耳から聞いたり、活字で見かけたりしました（……）ロビンソン・クルーソー気分が味わえる静かな島、ナウション島（エリザベス諸島の一つです）に行ったときには、そこの大きな広場で、牧師さんが手に持っていた新品の本の背に、金色の文字で収まっていました。それから、ブルックリンの紳士のお宅を訪問して、ワインを片手に談笑していたときには、町から帰られた奥様が光り輝く本を手にして入ってこられ、ご主人に言うことには、「ねえ、聞いて。あなたにホーソーンの新刊を買ってきたわよ」（……）ともあれ、ホーソーン*は素敵な花です。あらゆる家の垣根で満開になりますように。

2週間、留守にしておりましたが、今帰ってきたところです。この3ヶ月あまり、ずっと外に出て、まったく何もせず無軌道に過ごしました。ですから、そろそろまた腰を据えないと（……）

帰宅したばかりですので、まだご著書をしっかり拝読していないのですが、想像をこえる豊かな世界を描きだす素晴らしい筆致は、すでにもう伝わってきます。何よりも今日ご高著を手にとることができたのは、嬉しいことでした。しがない夢想家にとって、酔い覚ましの解毒剤となります。本当にただの夢想家。でも夢を見ない人なんているでしょうか？（……）

「どこに行っても“ホーソーン”の花盛りです。」ナサニエル・ホーソーンに宛てた手紙の中で、ハーマン・メルヴィルは熱をこめて報告している。ホーソーンの3作目となる小説『ブライズデール・ロマンス』が出版されたばかりのころだった。二人は1850年に山歩きで出会い、親しくなった。それはメルヴィルにとって僥倖だった。その数ヶ月前、メルヴィルは匿名の評論の中で、ホーソーンの作品が「私の魂に芽生えの種を落とした」と告白している。その後まもなくメルヴィルは、家族全員を連れてニューヨークを離れ、マサチューセッツ州のピッツフィールドに引っ越したが、それはホーソーンの近くで暮らすためだった。

1852年までに、ホーソーンは作家としての地位を確立していた。彼の名声は高まっていたが、メルヴィルのほうは下降調だった。メルヴィルは、ポリネシアでの冒険を題材にした『タイピー』（1846）で脚光を浴びたが、ホーソーンに捧げた『白鯨』（1851）は評判が悪く、最新作『ピエール』の書評には「ハーマン・メルヴィルは気がふれた」という見出しがついた。彼は最近の旅について明るく語っているが、自分の方向性を見失っているようでもある。5年後、彼はもう小説を書かなくなった。

二人は一風変わった組み合わせだ。ホーソーンはニューイングランドの名家に生まれ、思索的で控えめな性格だが、メルヴィルはニューヨークの商人の息子で、威勢がよく直情的だった。しかし二人の結びつきが強かったことは間違いない。メルヴィルの方には、単に友情を求めるにとどまらないところがあり、ホーソーンにはそれが負担だったのかもしれない。彼は1854年にバークシャーを去り、その後メルヴィルと会ったのは一度だけだった。

* 訳注：ホーソーンはセイヨウサンザシのことで、5月に白い花をつける。橙色の実を乾燥させたものが、生薬の「山査子」で、消化剤として使用される。

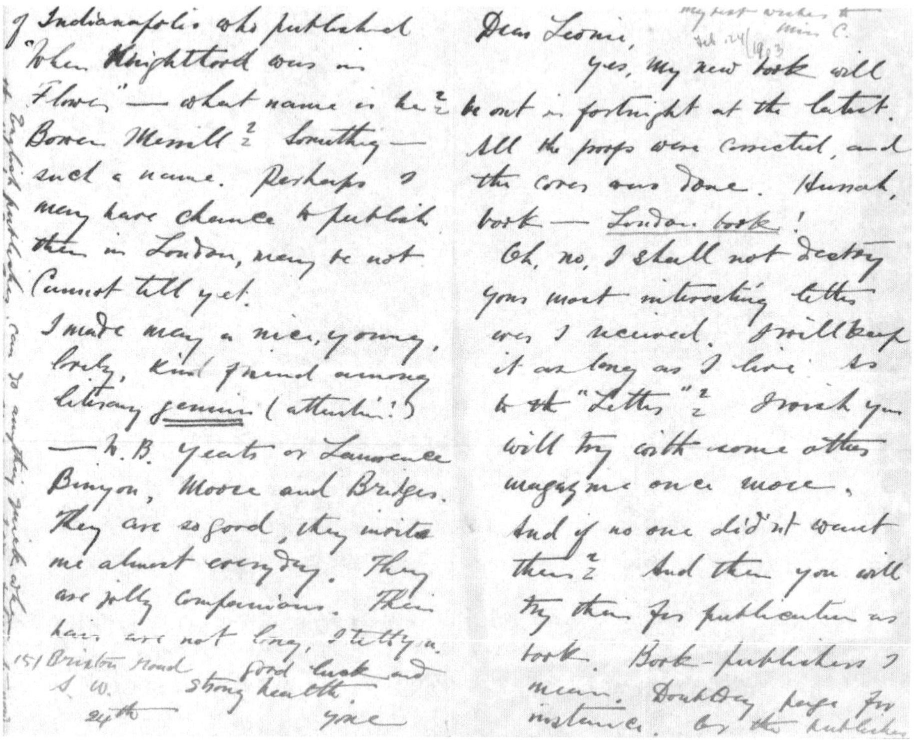
My best wishes to Miss C.
Feb. 24 (1903)

Dear Leonie,

Yes, my new book will be out in fortnight at the latest. All the proofs were corrected, and the cover was done. Hurrah, book — London book!

Oh, no, I shall not destroy your most interesting letter ever I received. I will keep it as long as I live. As to the "Letters"? I wish you will try with some other magazine once more. And if no one did'nt want them? And then you will try them for publication as book. Book-publishers I mean. Doubleday Page for instance. Or the publisher of Indianapolis who published "When Knighthood was in Flower" — what name is he? Bowen Merrill? Something — such a name. Perhaps I may have chance to publish them in London, may be not. Cannot tell yet.

I made many a nice, young, lively, kind friend among literary genius (attention!) — W. B. Yeats or Lawrence Binyon, Moore and Bridges. They are so good, they write me almost everyday. They are jolly companions. Their hair are not long, I tell you.

good luck and strong health.

Yone

151 Brixton Road
S. W.
24th

to English publishers, can I do anything [illegible]

ヨネ・ノグチ（1875–1947）から レオニー・ギルモアへ

1903年2月24日

Writers' Letters

親愛なるレオニー様

なんと、ぼくの新しい本が、遅くとも2週間以内に出ます。校正も終わって、表紙も完成しました。ついにやりました。ロンドンの本です!

あなたから受け取った手紙、とても大切なものですから、捨てたりしません。一生、大事にしまっておきます。「レターズ」のほうは? もう一度、別の雑誌社に持ち込んでみたらどうでしょう。

それでもだめだったら? その場合は、本にして出すという手があります。書籍の出版社に持ち込むのです。たとえばダブルデイ社なら、その価値ありだと思います。あるいは、『騎士道華やかなりし頃』を出したインディアナポリスの出版社とか。名前は何だったかな? ボウウェン・メリル?確かそんな名前です。もしかしたら、ぼくのほうでロンドンの出版社に頼めるかもしれませんが、難しいかも。今はわかりません。

親切で優しくて人柄のよい若い友人がたくさんできました。みな文学の天才たちで（注目!）、W・B・イェイツ、ローレンス・ビニョン、ムーアやブリッジズといった面々です。とても良い人たちで、毎日のように誘ってくれます。みんな楽しい仲間たちです。ちなみに彼らは長髪ではないですよ。

幸運と健康を祈ります。　ヨネ

詩人で小説家の野口米次郎（通称ヨネ）は、ロンドンに来て初めて自分の作品が認められた喜びを味わった。彼は著名な文学者たちと近づきになれたことに意気揚々として、自分の編集者であり英語の先生でもある、ニューヨーク在住のレオニー・ギルモアに手紙を書く。野口は愛知県の津島に生まれ、東京の慶應義塾大学で文学を学んだあと、**18**歳でサンフランシスコに渡った。彼は日系移民の邦字新聞の配達をして働き、詩人のホアキン・ミラーのような文人と出会った。それがきっかけで、自分も立派な作家になろうという決意が芽生えた。彼は**1901**年までにニューヨークに移り、**1**作目の小説『日本少女の米国日記』を執筆していた。その校正役としてギルモアを雇い、おそらく本の内容も一緒に作り上げた。以前からヨーロッパやアメリカでは、建築から詩に至るまで、あらゆる日本の文物への関心が高まっていたが、西欧で名をなした日本人の現代作家は、野口が初めてだった。

1902年の**12**月にロンドンに到着した野口は、すぐに活動を始めた。**1**月に詩集『東の海から』を自費出版し、イギリスの主要な作家や批評家に**50**部を送付した。それが思わぬ反響をよび、野口自身も驚いた。**4**月には増補版『富士の霊峰に捧ぐ』を発表した。彼がギルモアに知らせた「ロンドンの本!」である。オスカー・ワイルドが**1882**年に訪米して以来、イギリスの詩人といえば長髪で洒落者（しゃれもの）というイメージが定着したが、野口の嬉しそうな報告によれば、**W・B・**イェイツやローレンス・ビニョンをはじめ、彼の「楽しい仲間」になった「天才たち」は、それに当てはまらないという。野口はギルモアに、彼女自身の作品を出版するよう勧めているが、自分が実際に力になれるかどうかは明言していない（「難しいかも」）。

秋になってアメリカに戻ると、野口とギルモアは恋愛関係に発展し、密かに結婚したが、その誓約の効力は曖昧だったとみえる。**1904**年のはじめになると、二人の気持ちはすでに離れていた。そんなとき、ギルモアの妊娠がわかった。その年の**11**月に生まれた息子のイサムは、のちに有名なモダニズムの彫刻家になる。

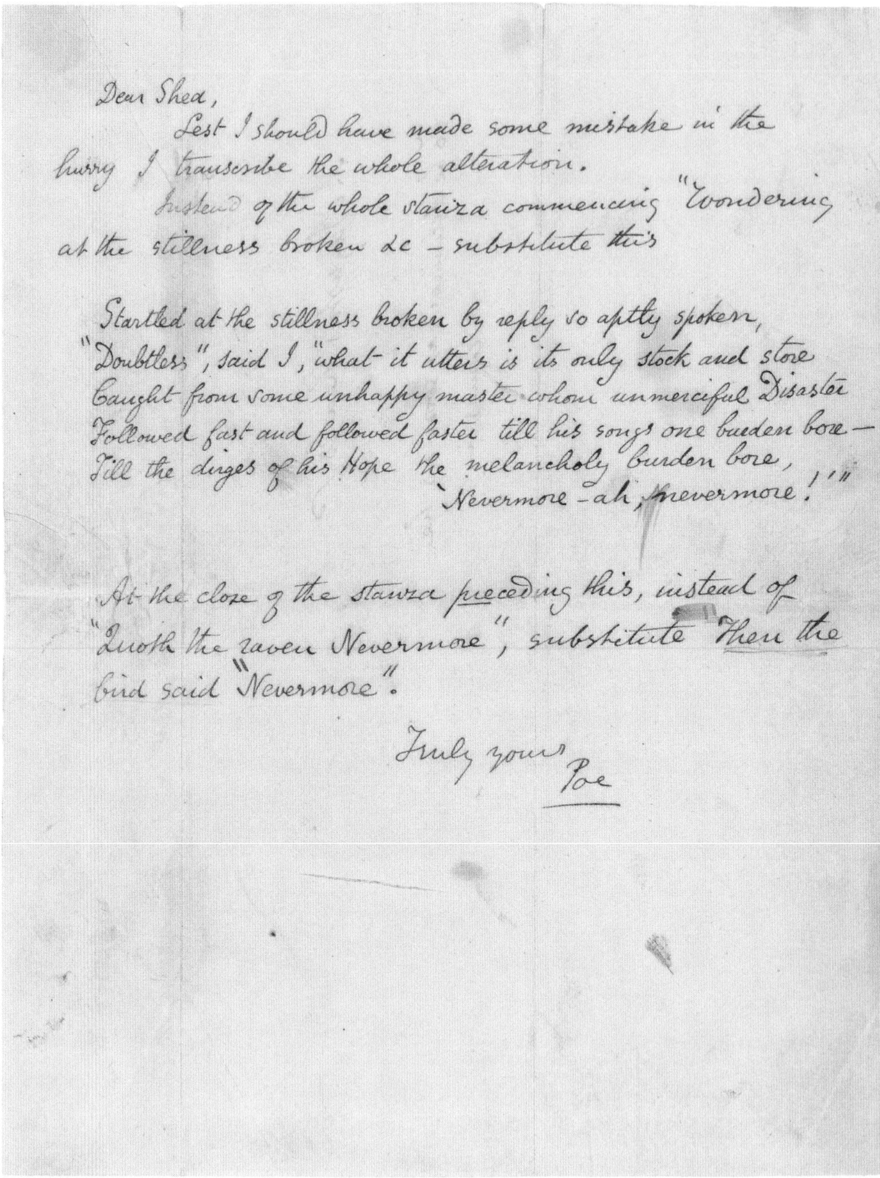
Dear Shed,
Lest I should have made some mistake in the hurry I transcribe the whole alteration.
Instead of the whole stanza commencing "Wondering at the stillness broken &c — substitute this

Startled at the stillness broken by reply so aptly spoken,
"Doubtless", said I, "what it utters is its only stock and store
Caught from some unhappy master whom unmerciful Disaster
Followed fast and followed faster till his songs one burden bore —
Till the dirges of his Hope the melancholy burden bore,
'Nevermore — ah, nevermore!'"

At the close of the stanza preceding this, instead of "Quoth the raven Nevermore", substitute "Then the bird said "Nevermore".

Truly yours
Poe

エドガー・アラン・ポー（1809-1849）から ジョン・オーガスタス・シェイへ

1845年2月3日

Writers' Letters

シェイ様

慌てて間違ってしまわないよう、修正内容を全部、書き留めておきます。

「静寂を破って……不思議に思い」から始まるスタンザ*をまるごと、こちらと差し替えてください。

静寂を破ってこんなにも的確な答えが返ってきたことにはっと驚き
「おそらく」と私は言った「鴉は機械的にものまねをしているだけだ
悲惨な災厄につぎからつぎへとみまわれて、悲嘆にくれた飼い主が
繰り返し口走る言葉をおぼえたのだろう、そうするうちにその言葉が
彼の歌にずっしりと入りこんだのにちがいない
希望を弔う歌に暗澹たる重しがずっしり入りこんだのにちがいない
“ネヴァーモアー、もう二度となーい”」

このすぐ上のスタンザの最終行について、「大鴉のいわく、ネヴァーモアー」となっているところを次のように変更してください。

するとその鳥は言った
「ネヴァーモアー」

どうかよろしくお願いいたします。

ポー

エドガー・アラン・ポーにとって、1840年代の初頭はとてもつらい時期だった。妻のヴァージニア（愛称「シシー」）が、初めて結核の兆候を見せたのだ。ヴァージニアはポーの従姉妹で、彼女が13歳のときに結婚した。ポーはジャーナリズムの業界で責任あるポストを得たが、雇用主と仲たがいして何回か転職したのち、「ニューヨーク・イヴニング・ミラー」紙の告知記事を書いて糊口をしのいでいた。深酒もまた多くなった。

1845年の1月、ポーは「ミラー」紙に詩を発表した。恋人を思う主人公が、大鴉の発する言葉に苦悩するという内容だ。ぞっとするほど不吉で、執拗に繰り返される独特のリズムをもつこの詩は、大変な評判を博した。1ヶ月のうちに、「大鴉」は複数の媒体で10回も再版された。ポーが通りを歩いていると知らない人が近づいてきて、鴉のものまねで声をかけられるほどになった。

他紙への再掲にあたり、とりわけ「ニューヨーク・デイリー・トリビューン」紙のときに、ポーは自分の担当編集のジョン・オーガスタス・シェイに手紙を書き、事前にいくつかの修正事項を伝えている。いずれも小さなことではあるが、みごとな改訂であり、表現を引き締めて調子を早め、畏怖の念をいやましに高める効果を生んでいる。ポーは「大鴉」の発表以前に、多数の詩や短編を出版したが、最もよく知られていたのは攻撃的な文学批評によってであり、「トマホーク・マン」の異名をとっていたほどである。彼は詩の良し悪しについて明確な判断基準を持っており、特に、表現形式よりもメッセージ性に価値をおくような「教訓的」な詩を嫌っていた。ポーは「大鴉」で、自らの詩論を実践したのである。この詩は観念的というのではないが、T・S・エリオットの言葉を借りれば「理屈でわかるよりも前に、心に届く」詩である。

* 訳注：詩の基本的な構成単位で、散文のパラグラフに相当する。連ともいう。

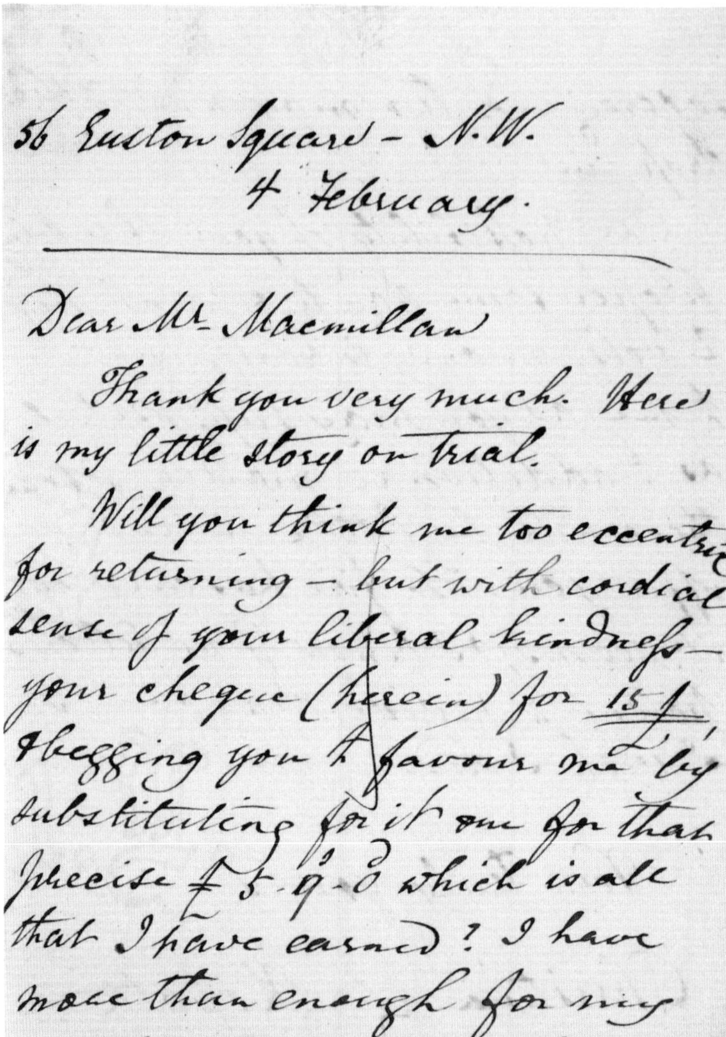
56 Euston Square – N.W.
4th February.

Dear Mr Macmillan

Thank you very much. Here is my little story on trial.

Will you think me too eccentric for returning – but with cordial sense of your liberal kindness – your cheque (herein) for 15£, & begging you to favour me by substituting for it one for that precise £5-9s-0d which is all that I have earned? I have more than enough for my wedding present, & like to feel that in the future an odd

クリスティーナ・ロセッティ（1830−1894）からアレグザンダー・マクミランへ

1874年2月4日

Writers' Letters

拝啓

　まことにありがたく存じます。試みに、短い物語をお送り致します。

　お送りいただいた15ポンド*1の小切手（同封）をお返しして――惜しみのないご厚意を心強く感じておりますが――代わりに私が稼いだ額の5ポンド9シリング*2ちょうどの小切手をお送りくださいとお願いしますのは、あまりにも奇矯なこととお思いになるでしょうか。私には結婚祝いの贈り物をするにはあまりある貯えがございますし、将来ソブリン金貨の1枚や2枚はときどき入ってくるようにも思われるのです。

　あなたがお考えの、しかるべき時期に私の2冊の本をセットにして再刊するとの可能性につきましては、お察しの通り実に喜ばしいことでございます。ですが、付加的な問題についてはお役に立てることはほとんどございません。火はすっかり消えたようです。それに私は、燃えさしの石炭を蘇らせるふいごというものも知りません。知っていたらとは思いますが。

敬具

クリスティーナ・G・ロセッティ

　お金と原稿。アレグザンダー・マクミランに宛てたクリスティーナ・ロセッティの手紙は表面上、長年の取引がある出版者と著者が交わす、実務的なやりとりの1コマに見える。だが、この関係は曖昧さをはらんでいて、相互の力関係や、ビジネスと友愛が調和しうるのかどうか、などに対するロセッティの感受性がこの手紙に透けて見える。

　ヴィクトリア時代の英国では、中産階級の女性が一人でビジネスのやりとりを行なうことはまれだったし、プロの作家は格別に少なかった。ロセッティの第1冊目の詩集『ゴブリン・マーケット』を1862年にマクミランが出版して以来、両者の往復書簡は続いているのだが、ファーストネームを用いることもなく、頭語はフォーマルなままである。マクミランの気前が良すぎるとして、小切手を返しているロセッティは、正確な売上を反映した金額の小切手を彼に求め、親切心からではあっても家父長的な援助は拒絶している。

　ロセッティはユーストン・スクエアの自宅にいて、母と姉とともに暮らしている。今まで結婚の申込みを三度断わってきたが、自立に伴って、幅広い文芸上のつきあいや社交から切り離された思いも味わう。病弱で、自由が制限されていた身の上なので、マクミランの小切手は役立ったはずである。それでも、彼女の文面によれば、美術批評家の兄ウィリアム・マイケルへの結婚祝いの贈り物をするだけの貯えはある、としている。

　ロセッティが同封している新作の物語は、おそらく子ども向けのファンタジーで、『不思議なおしゃべり仲間たち』所収の1話だろう。これはマクミランがこの年の12月に出版することになる本である。『ゴブリン・マーケット』を2冊目の詩集とセットにして再刊することも話題にしている。抜け目ない出版者らしく、マクミランは全く新しい題材だと請け合って購買意欲をかきたてようとしているのに対して、ロセッティはこう異議を唱える。「火はすっかり消えたようです。それに私は、燃えさしの石炭を蘇らせるふいごというものも知りません。」率直な物言いが持ち味の彼女は、自分の有利になるように物事を運ぶのではなく、はっきりと事実を述べる方を選んでいる。

*1 訳注：Bank of Englandのデータによれば、2021年の£1804.80に相当（26〜27万円程度）。
*2 訳注：1と同じデータによれば、£6が2021年の£721.92に相当（10〜11万円程度）。

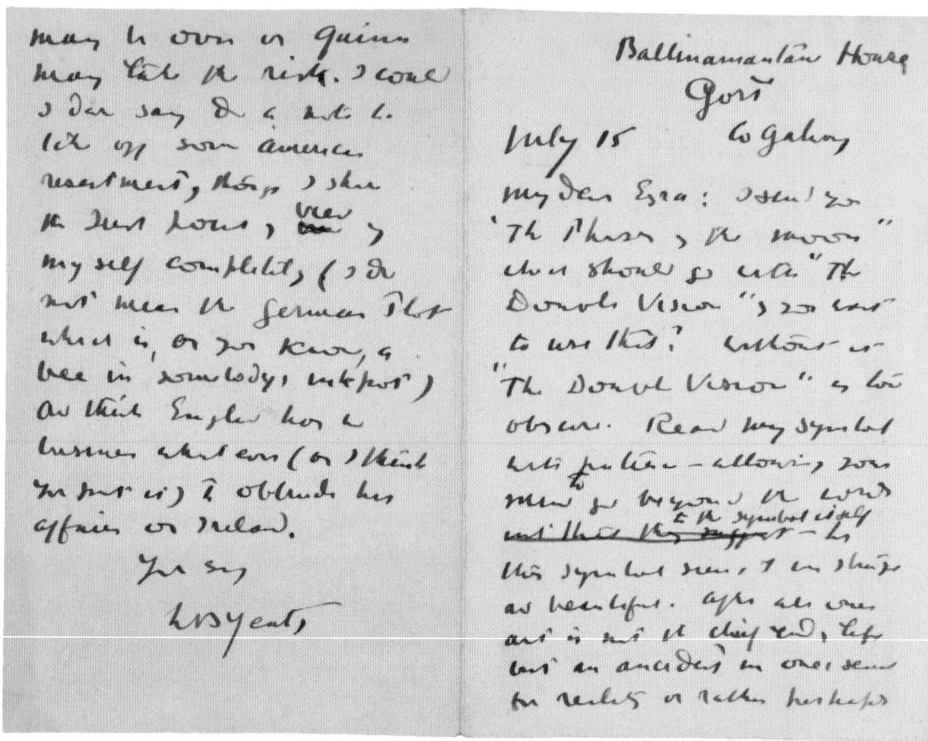

Ballinamantan House
Gort
July 15 Co Galway

My dear Ezra: I send you "The Phases of the Moon" which should go with "The Double Vision"; do you care to use this? Without it "The Double Vision" is too obscure. Read my symbolist poetry – allowing your mind to go beyond the words ~~until they suggest~~ to the symbol itself – the symbol seen, it is strange as beautiful. After all one's art is not the chief end, life but an accident in one's search for reality or rather perhaps

may be over or Quinn may take the risk. I could I dare say do a note to let off some American resentment, though I share the Irish loves, views of myself completely, (I do not mean the German Plot which is, as you know, a bee in somebody's bonnet) and think England has no business whatever (as I think you must see) to blunder her affairs in Ireland.

Yrs sny

WB Yeats

ウィリアム・バトラー・イェイツ（1865-1939）から エズラ・パウンドへ

1918年7月15日

Writers' Letters

親愛なるエズラ

お望みであれば、「二重の幻想」と合わせ読むべき「月の諸相」をお送りします。これなくしては、「二重の幻想」は非常にわかりにくいでしょう。辛抱強くシンボルを読み取ってください――心が言葉を超えて、シンボルそのものに届くように――私にはこのシンボルが、奇妙で美しく思えるのです。芸術はそれ自体が主たる目的ではなく、人生はリアリティへの追求における偶然に過ぎない、というかむしろ追求の方法なのかもしれません。私は今、このシンボルを説明する問答体の散文の30ページ目を書いています。そして、各40ページずつの問答が三つになる予定で、私の熱烈な思いと情熱を精一杯こめています。それぞれの位相間の数学的な不一致や一致だけでも、多くのページを必要とします。(……)

さてこの用件についてですが、「グレゴリー」が9月の「リトルレヴュー」誌で出るのかどうか、あるいは、私のイギリスの著作権が確実になる時期を、ぜひとも知らせてください。(……)

敬具

WB・イェイツ

W・B・イェイツはこの手紙に詩を同封し、エズラ・パウンドが編集する文芸誌「リトルレヴュー」での発表を希望している。イェイツの思想と詩は、次第に神秘主義の色合いを強めつつある。説明なしでは、パウンドはこの新しい詩を理解できないかもしれない。「辛抱強くシンボルを読み取ってください」とイェイツは勧める。「心が言葉を超えて、シンボルそのものに届くように」パウンドが神秘主義に辛抱強くない、というのは、現代詩は具体的なイメージを優先するために詩的言語をはっきりと拒絶すべきだ、との彼の信念のことを指している。パウンドが**1912**年に打ち立てたイマジズム運動*および**1915**年から取り組んでいる大作『カントーズ』は、この信念に基づく。

パウンドが**1908**年にアメリカを発ってイギリスにやってきたとき、彼にとって詩の英雄はイェイツだった。**1913**年から**1916**年まで、パウンドは何度かの冬をイェイツの秘書としてともに暮らし、この年上の詩人にもっとモダンな、イマジズムの手法で書くよう勧めて、顕著な効果をあげていた。ところが**1918**年までには、イェイツは月の位相に基づいた私的思想体系を練り上げることにすっかり夢中になっていた。「マイケル・ロバーツの二重の幻想」では、アイルランドの伝説の人物の「心の目に／生まれ出た冷たい精霊たちが浮かび上がった／古い月が空から消え／新月がまだその弧を隠しているときに」という幻想を物語る。「グレゴリー」は、**1**月に英国空軍の任務中に亡くなったロバート・グレゴリー（イェイツの親友でパトロンであるグレゴリー卿夫人の息子）への哀歌である。この手紙は、グレゴリー卿夫人が住むゴールウェイ県の屋敷クール・パークに近い、バリナマントンから出されている。

パウンドは編集者として直感的だが的確、かつ慧眼で、前衛的な文芸界に抜群に通じていた。「リトルレヴュー」誌**1918**年**9**月号は「ロバート・グレゴリーを偲んで」の他、アメリカの詩人**T・S**・エリオットの**4**編の詩や、ジェイムズ・ジョイスの連載中の実験小説『ユリシーズ』(**p.55**)第**6**章を掲載している。

* 訳注：**20**世紀初頭のイギリス・アメリカで起こった自由詩の運動で、視覚イメージの明確な表現を重視した。

CHAPTER7

VOICE OF EXPERIENCE

大 御 所 が 語 る

Writers' Letters

年老いた軍馬のように

Like an old war horse

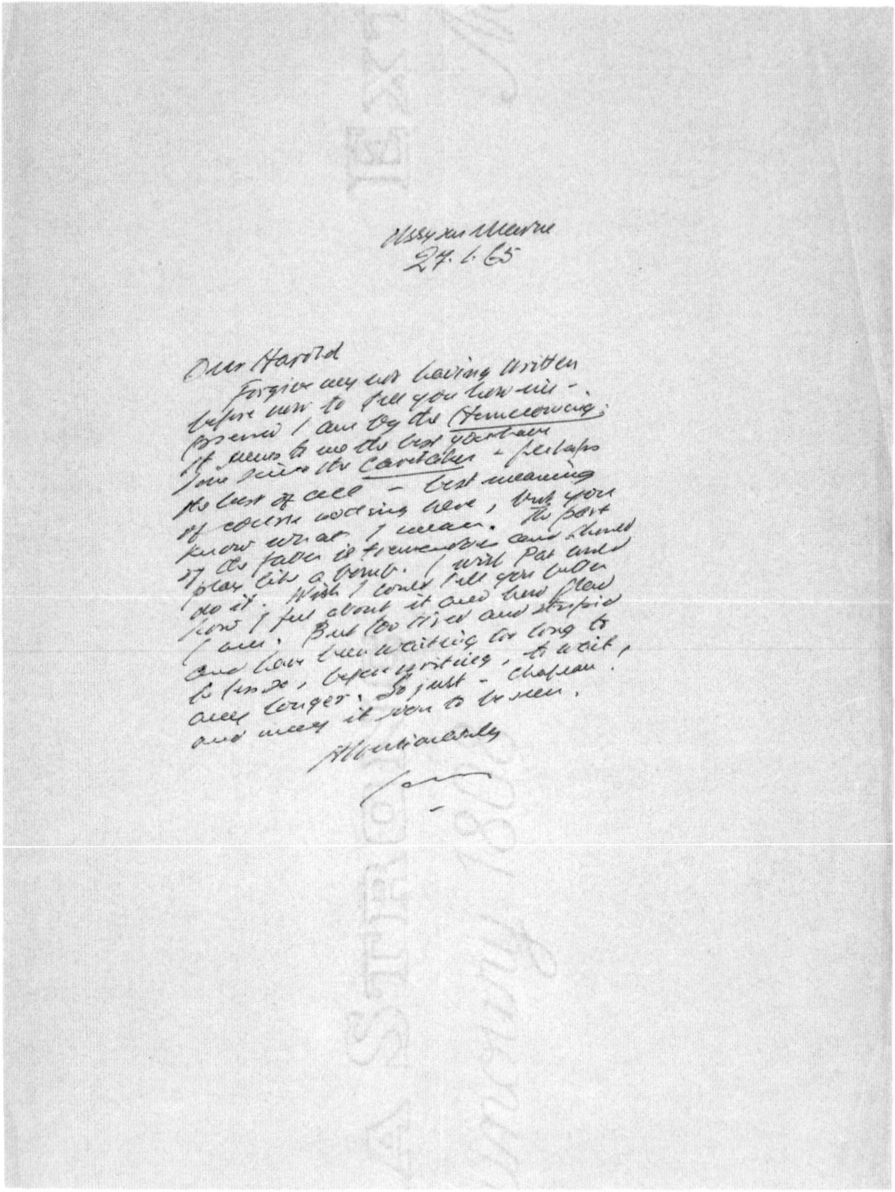

Ussy sur Marne
27.1.65

Dear Harold

Forgive my not having written before now to tell you how impressed I am by the Homecoming. It seems to me the best you have done since the Caretaker – perhaps the best of all – best meaning of course nothing here, but you know what I mean. The part of the father is tremendous and should play like a bomb. I wish Pat would do it. Wish I could tell you better how I feel about it and how stupid I am. But too tired and stupid and have been waiting too long to be less so, before writing, to wait any longer. So just – Chapeau! and may it soon to be seen.

Affectionately
Sam

サミュエル・ベケット（1906–1989）から ハロルド・ピンターへ
1965年1月27日

Writers' Letters

ハロルド様

私がどれほど『帰郷』に感銘を受けたか、もっと早くお知らせできずに申し訳ない。『管理人』以来の最高の出来だと思っているし、おそらく今までで最高だろう——最高というのは、もちろんここではどうでもいいことだが、私が言いたいことはわかっていただけるね。父親役はとても素晴らしいし、大当たりするに違いない。パットがやれればよかったのにな。自分がどう感じて、どれだけ喜ばしく感じているかもっとうまく伝えられたらいいのだが。しかし、疲労困憊で頭がぼうっとしていて、もう少しましになってから手紙を書こう、と待っているうちにすっかり遅くなってしまった。だからこれだけ伝えたい——シャッポ！そして再会を楽しみにしていることも。

親愛なる
サム

1960年**8**月、『管理人』の台本を送ってくれたことに対してサミュエル・ベケットがハロルド・ピンターに礼状を出したことから、両者の文通が始まった。**4**月にロンドンのアーツ・シアターで開幕し、演出をベケットの友人ドナルド・マクウィニーが務めたこの芝居で、ピンターは名声を確立した。主役は、生活に困窮しているマック・デイヴィス。ある兄弟から誘われて、彼らが住むあやしげなアパートの管理人になる。お古の靴と状況把握の鈍さが彼の今の状況をもたらしているのだが、デイヴィスは明らかにベケットの『ゴドーを待ちながら』の実存主義の浮浪者二人と似ている。評論家と観客にとって、ピンターこそがベケットの後継者だと思えた——違いは、ピンターの方が物質的な色調と**1960**年代の社会とのつながりに、より重点を置いていることだけだ。両者がようやく直に会ったのは**1961**年**1**月、フランスでの『管理人』上演に向けてピンターがパリに滞在していたときだった。

ベケットは俳優パトリック・マギー宛の**1965**年**1**月の手紙で、ピンターの新作『帰郷』に「感銘を受けた」ことを記している。彼は、粗削りな家長マックスにピンターが与えた台詞を特に評価した。「彼が書いたもっとも美しい台詞だ」とベケットはマギーに伝えた。「君がマックスをやれないのは残念だ」。最初の『帰郷』の公演は、ピーター・ホールが率いるロイヤル・シェイクスピア・カンパニーによる上演だったが、マギーはすでに同劇団でサド侯爵役を演じる契約をしていた。

その数日後に、ベケットはピンターにも手紙を書いた。マックスの台詞への賞賛をここでも繰り返し、この芝居は「大当たりする」だろうと予言して、彼の功績を「シャッポ！（脱帽）」と称えている。すぐに感想を書き送らなかったことと、文面が今一歩生気に欠けていることの弁解として、「疲労困憊で頭がぼうっとしているので」「自分がどう感じているかうまく伝えられない」としている。ベケットとピンターはともに、常套句を解体し、平易で親しみやすい言葉に説明しがたい皮肉の効いたひねりを施す劇作家だと言われた。ベケットが『帰郷』を「最高の出来」と言いかけて、「最高というのは、もちろんここではどうでもいいことだが、私が言いたいことはわかっていただけるね」と続ける文面に、ユーモアを分かち合う感覚と、平凡な言葉をそのままにしたくない気持ちが表れている。

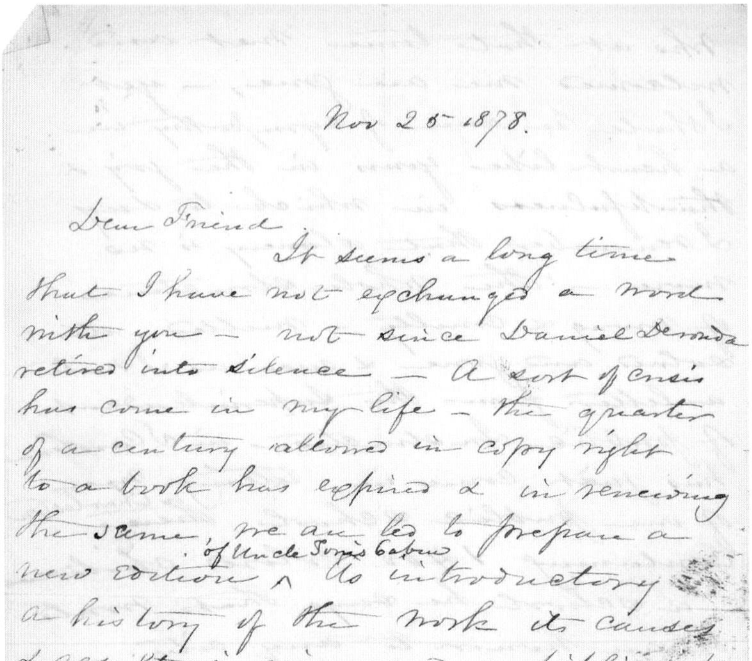

Nov 25 1878.

Dear Friend
It seems a long time that I have not exchanged a word with you — not since Daniel Deronda retired into silence — A sort of crisis has come in my life — the quarter of a century allowed in copy right to a book has expired & in renewing the same, we are led to prepare a new Edition of Uncle Tom's Cabin. As introductory a history of the work its causes & results is given and a bibliographic account of its various translations and Editions has been prepared by Mr Bullen of the British Museum. I send you herewith a copy of the new Edition.

I am quite sure that tho at this era of my life tho I am saddened by feeling that scarce one of the brave men who were with me in the first of the struggle are here now — & almost every one in England

ハリエット・ビーチャー・ストウ（1811-1896）から
ジョージ・エリオットへ

1878年11月25日

Writers' Letters

親愛なる友よ

前回のお手紙から随分、間があいてしまいました。『ダニエル・デロンダ』が一段落したから、というわけではないのですが、私のほうに少し大変なことがあったのです。著作権保護の四半世紀が過ぎたので、『アンクル・トムの小屋』の新版を出すことにしたのです。今回はイントロダクションとして、執筆の経緯や作品の受容、それに、いろいろなエディションや翻訳版の書誌情報をつけました。大英博物館のバレン氏が準備してくれました。この手紙と一緒に、その新版をお送りいたしますね（……）

あれから随分たちました（……）初期の戦いをともに戦った勇敢な紳士たち、当時、渡英したときにお会いした方がた、私のことを歓迎してくださった方がたは、もうほとんど亡くなってしまったことを思うと、とても悲しくなります。でも同時に、あなたのような心をもった方が、作品に共感してくださる、その喜びと感謝をかみしめています。そして、いまでは奴隷制度がなくなり、残酷でまちがった社会のしくみが解体して消えたことも（……）

一説によれば、南北戦争のさなかの**1863**年、エイブラハム・リンカーン大統領はハリエット・ビーチャー・ストウを前にして、あなたが「この戦争のきっかけをつくった女性」ですねと言ったという。ストウは、奴隷制反対の世論を高めて大成功した『アンクル・トムの小屋』（**1852**）の作者である。真偽のほどはさておき、この逸話はストウの影響力を物語っている。それは米国内にとどまらない。彼女は世界的なベストセラーを生んだ、初の米国人なのだ。

大西洋の向こう側では、ジョージ・エリオット（p.79）が比較的平穏に暮らしていた。しかし彼女も英国では高名な作家である。深い洞察力で、平凡に暮らす人々の心理を精密に描きだした『ミドルマーチ』（**1871-1872**）などの小説が評判になった。また哲学者ジョージ・ヘンリー・ルイスとの「罪深い暮らし」については、悪評がたっていた。エリオットは、『アンクル・トムの小屋』の作者を「稀にみる才能」の持ち主と考えていたが、先にアプローチしたのはストウのほうだった。**1869**年、ストウはエリオットに手紙を出し、彼女の作品の道徳性の深さを称賛した。それから約**10**年間、二人は心のこもった率直なやりとりを続けた。二人は似たもの同志というわけではなかった。ストウは心霊主義的傾向をもつキリスト教徒で、エリオットは堅実な人道主義者だ。しかし二人はお互いの執筆活動を支え合った。エリオットが『ダニエル・デロンダ』（**1876**）で、英国ユダヤ人の問題を取り上げようとしたときには、ストウに助言を求めた。二人の文通が一時途絶えた理由について、ストウは自分のほうに「大変なことがあった」ためと記しているが、ルイスの健康状態の悪化も関係していた可能性がある。この手紙がエリオットに届いた数日後、彼は息を引き取った。

ストウはこの手紙のなかで、エリオットの最後の大作に言及し、『アンクル・トムの小屋』の新版を送ると書いている（**19**世紀には著作権の保護期間が**25**年しかなく、作家が十分に守られてはいなかった）。ストウは初版が出た当時を振り返り、時代の変化を痛感する。奴隷制度が廃止になり、アフリカ系アメリカ人の子どもの学校もできた。それは「共同体の誇り」だと、彼女は手紙の後半で書いている。それでもまだ「あるべき理想の状態からは程遠く」人種隔離制度は残る。戦いはまだ続くのであった。

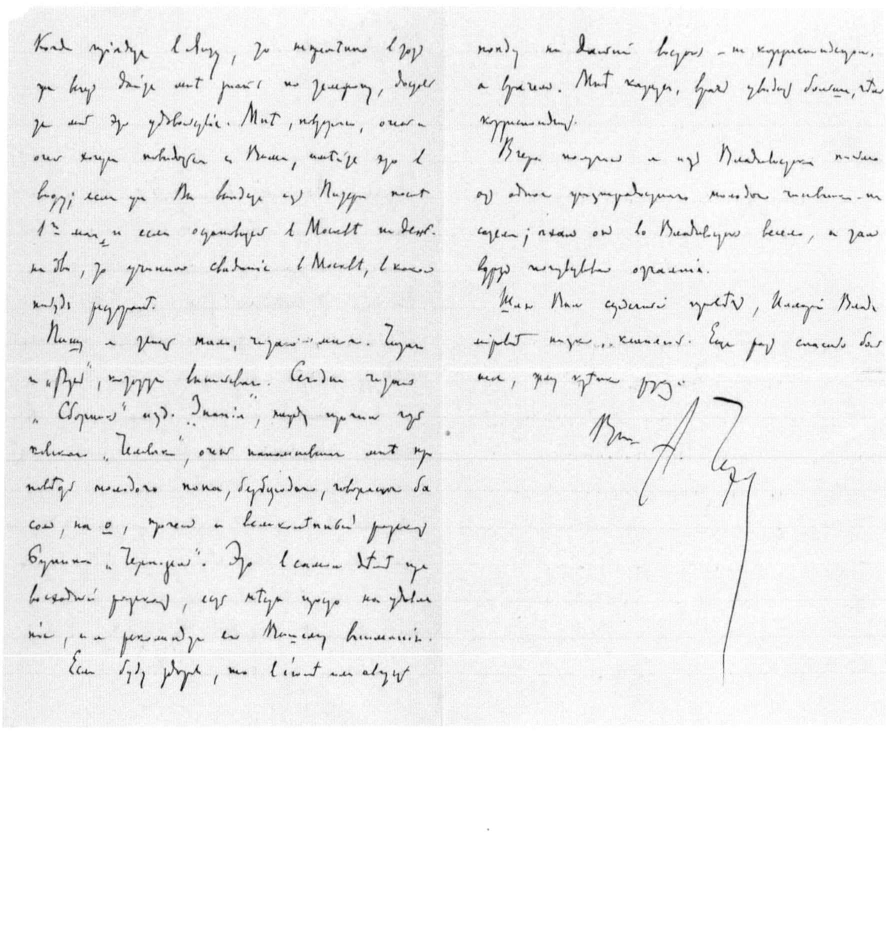

ANTON CHEKHOV APR 1904

Writers' Letters

アントン・チェーホフ（1860-1904）から アレクサンドル・アンフィテアトロフへ

1904年4月13日

素敵なお手紙ありがとうございます。また、劇評も二つ同封していただき、深く感謝いたします。とても嬉しくて、（ありていに申しますと）2回も読み返してしまいました。劇評を拝読していたら、まるであなたが親戚か同郷人であるかのように、昔の忘れていた雰囲気が甦ってきました。そして記憶の中から、「目覚まし時計」20周年記念号に載った戯画が生き生きと立ち上がりました。クレピンの周りに、キチェーエフ、僕、あなた、受話器を耳に引っかけたパッセクが立っている、あの画です。（……）

ヤルタへお越しになったら、是非その夜のうちに、電話でお知らせください。いらっしゃるのが楽しみです。何度でも言いますよ、あなたにお会いしたくて、お会いしたくて、たまらないのです。もし5月1日以降にペテルブルクをお発ちになり、モスクワに1日か2日滞在されるようでしたら、どこかのレストランでお会いしましょう。

今はほとんど書いていませんが、読書はたくさんしています。「ルーシ」紙も読んでいます。定期購読しているのです。今日は『ズナーニエ文集』を読みました。ゴーリキイの「人間」は、"o(オー)"と言うとき低音になる、顎がつるつるの若い司祭の説教を髣髴(ほうふつ)させます。ブーニンの傑作短篇「黒土」も読みました。実にすばらしい小説で、本当に見事な箇所がいくつもあります。お薦めです。

快復したら、7月か8月に極東へ行きます。記者としてではなく、医師として。そのほうが、たくさんのものを見られるのではないかと思います。（……）

あなたのA・チェーホフ

チェーホフ最後の戯曲「桜の園」は、**1904**年**1**月にモスクワ芸術座で初めて上演された。彼は黒海沿岸のリゾート地ヤルタの別荘に暮らしていた。持病の肺結核にはヤルタの気候が向いていたからである。作家友達のアレクサンドル・アンフィテアトロフが「桜の園」の劇評を添えて送ってきた手紙は、ユーモア雑誌「目覚まし時計」の寄稿者として二人がともに過ごした昔を、編集の**A・D**・クレピンや皆と一緒に描かれた古い戯画を、チェーホフに思い出させる。ロシア皇帝一家を諷刺し、**1902**年に亡命したアンフィテアトロフは、日露戦争について報道するため帰国していた。免状を持った医師であるチェーホフは、快復したらロシア帝国の極東側の国境へ行き、前線で働く意思があることを表明する。

ヤルタかモスクワで会いたいと熱心に誘い、読んだ小説の感想をしたためるチェーホフの手紙は（中でも、ブーニンの**2**部構成の短篇「黒土」を堪能しているが、アンフィテアトロフがこの作家を称讃しているのをチェーホフは知っていた）、彼が不治の病に罹っていることを微塵も感じさせない。数週間後、チェーホフは妻のオリガを伴い、ドイツの保養地バーデンワイラーへ旅立った。「すべて順調です」**6**月**26**日、妹に宛て書いている。「僕の体は日増しに良くなっています」。オリガによれば、**7**月**2**日に主治医がグラス**1**杯のシャンペンを処方した。チェーホフはそれを飲みほすと、「左を下にしてそっと横になり、やがて永遠に口を閉ざしました」。

Wir wollen,ob die Welt nun bald
vollends untergehe oder nicht,uns
an dem wenigen Guten freuen,das un-
zerstörbar ist.Mozart,Goethe,Giotto,
und auch der Heilandder hl. Franz etc tc
etc,das alles ist genau so lang am
Leben,als noch ein Menschenherz in
ihnen zu leben und ihre Schwingungen
mitzuschwingenfähig ist.Solang ich
lebe und einen Takt Pach oder Haydn
oder Mozart vor mich hin summen oder
mich an Hölderlinverse erinnern kann,
solang sind Mozart und Hölderlin
noch nicht erloschen.Und dass ~~es~~ so et-
was wie Freundschaft und Treue gibt,
und hie und da Sonnenschein,und ein
Engadin,und Blumen,das ist ja auch sehr
gut.Lieber Freund,ich grüsse Euch alle
von Herzen und mit vielen guten Wün-
schen,auch von Ninon. Ihr H Hesse

14.5.1931

Lieber Freund Englert

Heut ist Himmelfahrtstag,und Ihr
lieber Brief trifft mich wahrhaftig
immer noch in Zürich,aber heut ist
der letzte Tag,Ninon ist jetzt end-
lich mit ihren Vorhängen,Lampen,Ta-
peten und Kochhäfen hier fertig ge-
worden,und morgen Mittag fahren wir
endlich ins Tessin.Da steht uns eine
unruhige Zeit bevor.Einziehen können
wir vor Juli nicht,und Ninon muss ~~sch~~
schon vorher aus ihrer jetzigen Wohn-
ung heraus,und dann kommt der Umzug
etc. Hoffentlich geht es mir dann
besser als grade jetzt,ich habe mit
den Augen böse Wochen hinter mir,und

ヘルマン・ヘッセ（1877–1962）から
ヨーゼフ・エングラートへ
1931年5月14日

Writers' Letters

親愛なる友・エングラートへ

（……）あなたの親切な手紙が到着したのは、我々がまだチューリッヒにいたときで、今日は最後の日です。ニノンはようやく、こちらのカーテン、ランプ、絨毯、料理用品などをまとめました。明日の午後に出発します（……）。

あなたの車での素晴らしいイタリア旅行には嫉妬すら感じます。戦争以来、わたしはもうすべての好奇心を失ってしまって、「楽しみのため」の旅はしていません。想像してみてくださいよ、わたしは1914年以来、イタリアに行っていないのです。（……）以前は、毎年のように行っていたのに。（……）それから戦争が勃発し、終わりを迎えたとき、わたしはもう旅をする余裕がなくなり、さまざまな国や人々に対するかつての好奇心はすっかり失われて、よりよい未来を信じることもできなくなりました。だから、あなたが新たな世界大戦が迫っていると言っても、それほど驚きはありません。（……）

世界がじきにすっかり没落しようがしまいが、われわれは、壊れることのないわずかな善に喜びを見出しましょう。モーツァルト、ゲーテ、ジョット、そして聖フランチェスコなど。彼らはすべて、人間の心がその中で生き、その振動と共鳴し続ける限り、生き続けるのです。（……）

ヘルマン・ヘッセの著作は「旅」に溢れている。1922年の小説『シッダールタ』では、書名にもなった主人公が啓示を求めて古代インドを放浪し、1960年代の流浪のカウンターカルチャーのバイブルとなった。若きヘッセも冒険を好み、1911年には3ヵ月間を極東で過ごした。しかしその翌年、祖国でのナショナリズムの高まりに抵抗し、彼は家族とともにドイツからスイスへ移住した。その後、友人のヨーゼフ・エングラートに手紙を送った際は、彼はいままさにチューリッヒを去るところだった。

エングラートは風変わりな技術者であった。かつてはルドルフ・シュタイナーの信奉者で、天文学へ傾倒した。ヘッセが星占いのために彼に近づいたのは、第一次世界大戦の勃発で個人的危機に陥ったときだった。ヨーロッパ社会からの疎外を感じ、ヘッセは妻と子供をベルンに残して、モンタニョーラ村へ移住した。近隣に住んでいたエングラートは、1919年、放蕩に身をやつした瀕死の画家を描いたヘッセの中編小説『クリングゾルの最後の夏』に登場する、アルメニア人天文学者のモデルとして、インスピレーションを与えたと考えられている。

1931年まで、ヘッセの生活は比較的穏やかだった。3番目の（そして最後の）妻・ニノンと幸福に結婚し、チューリッヒとスイスの田舎で過ごす日々を、彼は手紙でしばしば描写している。彼の近刊小説『水仙とゴルトムント』（1930）は、広く称賛を浴びた。しかし、いくばくかの孤立感もあった。エングラートに述べている通り、彼は世界への「好奇心」を長らく失っていたのである。来るべきドイツでの事件を考えると、こうした態度は非難の的となった。しかし、ヘッセは彼自身のやり方で静かにナチのイデオロギーに抵抗し、トーマス・マンのような亡命作家の援助や、フランツ・カフカ（p.141）を含む、禁じられたユダヤ人作家の作品を奨励した。この手紙で表現されているように、第二次世界大戦は彼の芸術の人間的な力に対する信念への挑戦だったのである。彼の芸術への献身は、1946年のノーベル文学賞受賞へと結実した。

Adress telegrams
To "Socialist Westrand-London.

10 Adelphi Terrace,

London, W.C.2.

Dear Madam,

I have read several fragments of Ulysses in its serial form. It is a revolting record of a disgusting phase of civilisation; but it is a truthful one; and I should like to put a cordon round Dublin; round up every male person in it between the ages of 15 and 30; force them to read it; and ask them whether on reflection they could see anything amusing in all that fouled mouthed, foul minded derision and obscenity. To you, possibly, it may appeal as art: you are probably (you see I don't know you) a young barbarian beglamoured by the excitements and enthusiasms that art stirs up in passionate material; but to me it is all hideously real: I have walked those streets and know those shops and have heard and taken part in those conversations. I escaped from them to England at the age of twenty; and forty years later have learnt from the books of Mr. Joyce that Dublin is still what it was, and young men are still drivelling in slackjawed blackguardism just as they were in 1870. It is, however, some consolation to find that at last somebody has felt deeply enough about it to face the horror of writing it all down and using his literary genius to force people to face it. In Ireland they try to make a cat cleanly by rubbing its nose in its own filth. Mr. Joyce has tried the same treatment on the human subject subject. I hope it may prove successful.

I am aware that there are other qualities and other passages in Ulysses; but they do not call for any special comment from me.

I must add, as the prospectus implies an invitation to purchase, that I am an elderly Irish gentleman, and that if you imagine that any Irishman, much less an elderly one, would pay 150 francs for a book, you little know my countrymen.

Faithfully,

G. Bernard Shaw.

Miss Sylvia Beach,
8, Rue Dupuytren,
Paris (6)

Writers' Letters

ジョージ・バーナード・ショウ（1856–1950）から シルヴィア・ビーチへ

1921年6月11日

拝啓

『ユリシーズ』は連載中に、いくつか断片的に拝読しております。文明生活の不快な面を記した、実に忌まわしい記録です。だが、事実に即している。ダブリンを非常線で囲って、その中の15歳から30歳の男子を一人残らず寄せ集め、強制的にこれを読ませたいですな。それで彼らに、こういうみだらな言葉やみだらな考えから出る嘲りや卑猥な行為をおもしろいと思えるかと問うてみたい。あなたには、たぶん、これが芸術として響くのかもしれんが（……）私にとっては、いずれもおぞましい現実だ。私はああいう街中を歩いたし、ああいう店を知っているし、ああいう会話を耳にしたこともあれば、会話の当事者だったこともある。そういうものから逃れて、私は20歳のときにイングランドにやって来た。その40年後に、このジョイス氏の作品から、ダブリンは変わっておらず、今の若者たちも1870年の若者と全く同じように、やはり口をぽかんとあけて下衆な言葉遣いでだらだらとくだらない話をしているのだと教えられたわけです。しかしながら、おそろしくもこれをすっかり書きつくそうとするほど強い思いを抱いた人物がついに現れ、その文学的才能を用いて世の人々にこれを突きつけているというのは、幾ばくかの慰めではあります。（……）

この内容見本は購入の勧誘であるようなので、付言せねばなりません。私は年配のアイルランド紳士ですが、もしアイルランド人が、いわんや年配のアイルランド人が、本1冊に150フラン出すとあなたが想像なさっているのであれば、私の故郷の者たちを全くご存じないということでしょうな。

敬具

G・バーナード・ショウ

ジェイムズ・ジョイスが『ユリシーズ』を出版したのは**1922**年だが、それより前からこの本は世界の人々によく知られていた。アメリカの「リトルレヴュー」誌で**1918**年から連載が始まり、主人公のマスターベーションシーンを含む「ナウシカア」の章が猥褻の咎を受けたのだった。刊行を断る出版社が続出した中で、パリ在住のアメリカ人でシェイクスピア・アンド・カンパニー書店の経営者シルヴィア・ビーチがこの出版を引き受けた。**1921**年、彼女は文芸界に影響力を持つ人々に「内容見本」を送り、限定版の案内をした。ダブリン出身で、『人と超人』（**1903**）や『ピグマリオン』（**1913**）など哲学的な鋭さを持った社会派喜劇を生み、英国でもっとも愛される劇作家にのぼりつめたジョージ・バーナード・ショウなら共感を示してくれるだろうとビーチは考え、送付リストに加えていた。

だがジョイスはそうは思わず、賭けをしようと持ちかけた。もしショウの返事がイエスならば、ジョイスがビーチにハンカチを、ノーならば、ビーチがジョイスお気に入りの葉巻を一箱買う。ショウの返事はノーだった。雑誌連載ですでに読んだ感想として、ジョイスが描いたダブリンの生活は、どれも自分にはなじみがありすぎて思い出したくもない、ジョイスに「才能」があるのは間違いないが、作品の題材が「忌まわしい」のだ、と説明されていた。

ジョイスはこの手紙に大喜びし、自分と友人用に複写を数部作り——葉巻を要求した。

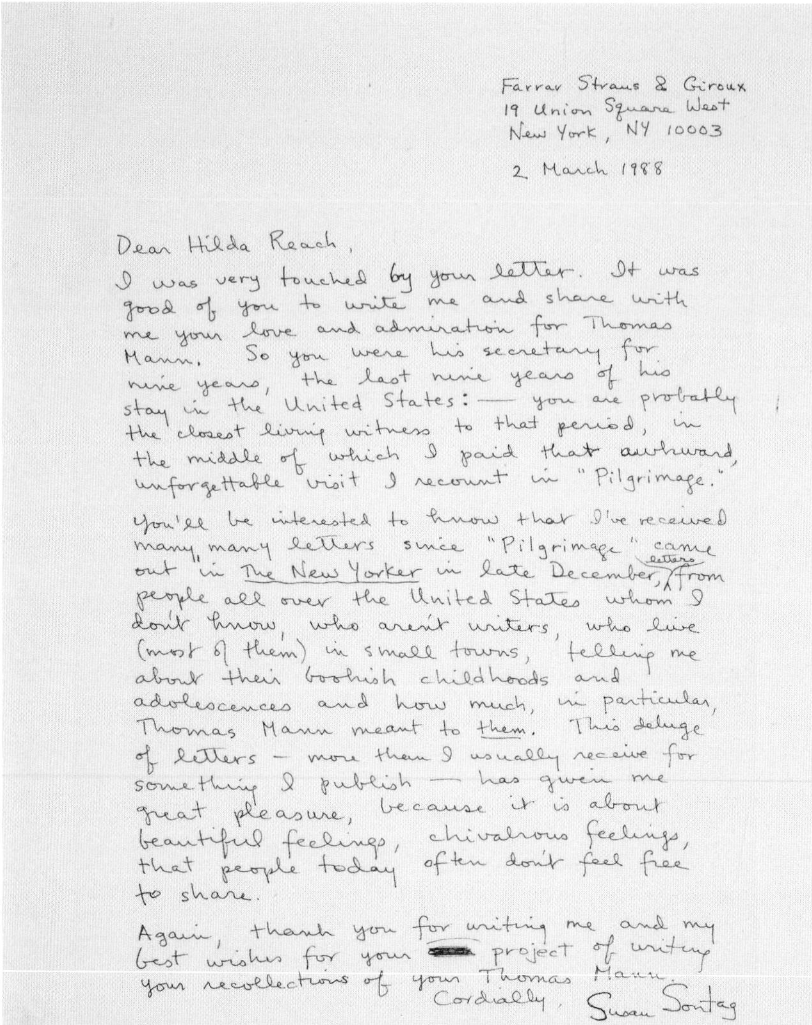

Farrar Straus & Giroux
19 Union Square West
New York, NY 10003

2 March 1988

Dear Hilda Reach,

I was very touched by your letter. It was good of you to write me and share with me your love and admiration for Thomas Mann. So you were his secretary for nine years, the last nine years of his stay in the United States:— you are probably the closest living witness to that period, in the middle of which I paid that awkward, unforgettable visit I recount in "Pilgrimage."

You'll be interested to know that I've received many, many letters since "Pilgrimage" came out in The New Yorker in late December, letters from people all over the United States whom I don't know, who aren't writers, who live (most of them) in small towns, telling me about their bookish childhoods and adolescences and how much, in particular, Thomas Mann meant to *them*. This deluge of letters – more than I usually receive for something I publish — has given me great pleasure, because it is about beautiful feelings, chivalrous feelings, that people today often don't feel free to share.

Again, thank you for writing me and my best wishes for your project of writing your recollections of your Thomas Mann.

Cordially, Susan Sontag

スーザン・ソンタグ（1933-2004）から ヒルダ・リーチへ

1988年3月2日

Writers' Letters

ヒルダ・リーチ様

お手紙を拝読して、とても感激しました。トーマス・マンとの大切な思い出を共有してくださって、ありがとうございます。彼の秘書をされていたのですね。彼がアメリカで過ごした最後の9年間、おそらく一番近くにいらっしゃった生き証人ですね。私が彼のご自宅を訪問したのは、ちょうどその頃です。「聖地巡礼」で書いたとおり、赤面もので、忘れ難いできごとでした。

実は、年の暮れの「ザ・ニューヨーカー」誌に「聖地巡礼」が掲載されたあと、全米各地から大変な数のお手紙が届いたのです。会ったこともない人、もの書きではない人、（たいていは）小さな町に暮らしている人たちが、子どものころや青春時代の読書体験、とりわけ、トーマス・マンの作品にどれだけ大きな影響を受けたか、書き送ってくれたのです。このようにたくさんのお手紙を頂くのは（……）大きな喜びです。そこには、最近では皆があまり見せなくなってしまった、騎士道の精神、美しい心が感じられるからです。

このたびお手紙をくださいましたこと、重ねて御礼申し上げますと同時に、トーマス・マンの回顧録のご成功を心よりお祈り申し上げます。

心をこめて
スーザン・ソンタグ

1987年12月、アメリカを代表する知識人スーザン・ソンタグは、少女時代のできごとを書いた長いエッセイを「ザ・ニューヨーカー」誌に発表した。「長年のあいだ、まるで恥であるかのように、このことを秘密にしてきました」と彼女は書いている。「聖地巡礼」と題されたそのエッセイのなかでソンタグは、1940年代の後半、カリフォルニアにいたころの、早熟で自意識過剰だった10代の自分を振り返る。彼女はトーマス・マンの『魔の山』に夢中だった。スイスにある結核のサナトリウムを舞台とした、哲学的思想の宝庫ともいうべき作品だ。一度読み通し、全750ページをさらにもう一度音読したあと、彼女はこの本を友人の文学少年、メリル・ロディンに渡した。すると恐ろしいことにロディンは、トーマス・マンの自宅に電話をかけ、訪問の約束をとりつけてしまったのだ。マンは当時、近所のパシフィック・パサディーナに住んでいた。彼は全体主義の広がるヨーロッパから逃れて、アメリカの西海岸に避難してきた芸術家の一人だった。

エッセイの中でソンタグは、ドイツのノーベル文学賞作家と、ぎこちなく対話した1時間半の様子を綴っている。彼は「フランクリン・ルーズベルト大統領の“良識ある”アメリカが求める哲人の風格」を備えていた。彼女はマンの様子をユーモラスに語っている（「彼は背筋をぴんと伸ばして座り、ものすごく年をとっているようにみえた。実のところ彼は72歳だった」）。また、マンがヨーロッパの賢人のオーラをまとい、「ドイツ人の魂の気高さと深さは、その音楽にあらわれているのです」と厳粛に語る様子や、尊敬する人を前にして緊張のあまりうまく話せなかった自分に対する失望感を包み隠さず打ち明けている。

ソンタグが綴ったマンの思い出は、驚くほど多くの人びとの琴線にふれ、彼女のもとには次々に手紙が届いた。その中の1通は、ヒルダ・リーチからだった。彼女はドイツ系ユダヤ人の移民で、マンがアメリカで暮らしていた最後の9年間、彼の秘書をつとめていた。若きソンタグは、ちょうどその時期に彼を訪問したのである。

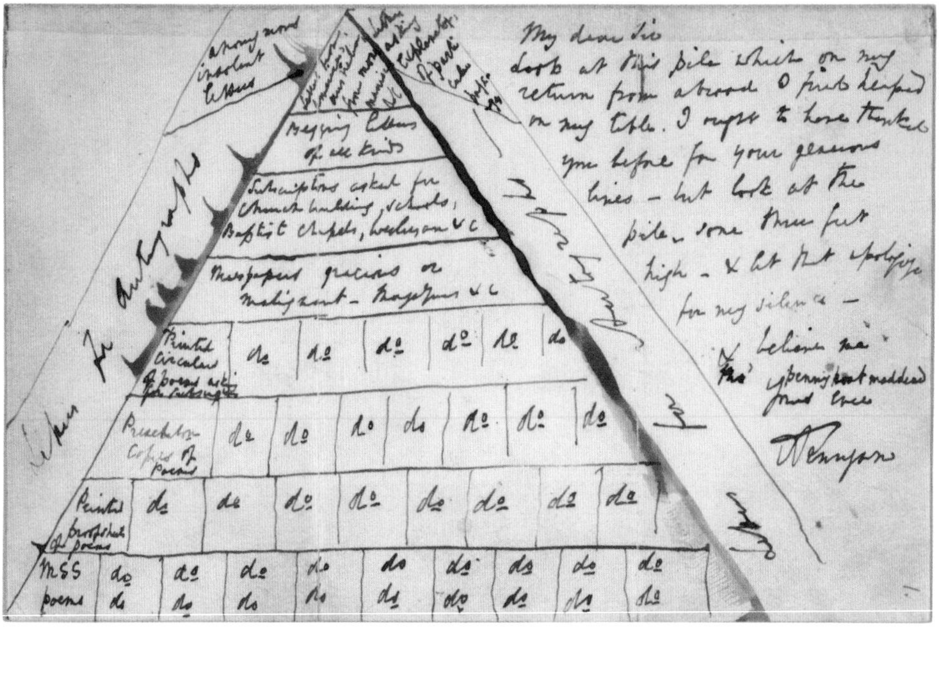

My dear Sir
Look at this pile which on my return from abroad I find heaped on my table. I ought to have thanked you before for your generous lines – but look at the pile – some three feet high – & let that apologize for my silence –
& believe me
tho' bepennyposted maddened
yours ever
Tennyson

アルフレッド・テニスン（1809-1892）から
ウィリアム・コックス・ベネットへ
1864年10月22日

Writers' Letters

拝啓
　ご覧ください、この山を。海外から帰宅した私を待っていたのは、テーブルの上のこの堆積物でした。貴殿の寛大な見解に御礼申し上げるべきでしたが――ご覧ください、この山を。およそ3フィートもの高さがあります。ご無沙汰をお詫び致したく――
本当に
郵便制度を呪いたくなります
敬具
A・テニスン

　1864年**9**月、北フランスで家族と過ごした休暇から帰宅したアルフレッド・テニスンは、「応接室のテーブルの上に、手紙と詩が積まれて山となっている」のを目にした。多すぎる郵便物への冗談めかした愚痴だが、彼が驚いたはずはない。ウィリアム・ワーズワース（p.194）の死去（**1850**）後にテニスンは桂冠詩人（けいかんしじん）*1に任じられ、ヴィクトリア時代の国民的詩人となっていた。彼はいかにもそう見えたし、ふるまいもそうだった。会った人は皆、ロマン主義の天才が放つ、いかつい雰囲気に感銘を受けた。
　この山の征服に着手したテニスンは、数日のうちに、アメリカの出版者ジェイムズ・トマス・フィールズには印税受領確認を、ドイツの出版者バーンハート・フォン・タウフニッツには問合せへの返答を書き送った。ジャーナリストのウィリアム・コックス・ベネットに宛てた「寛大な見解」――おそらく、**8**月に出版した新作物語詩『イノック・アーデン』の論評だろう――への感謝状に取りかかるまでにはもう**1**月かかった。このときまでに、高さ「**3**フィート」の手紙の山をだいぶ切り崩していたに違いないが、テニスンはベネットへの手紙が遅くなった言い訳でも相手の笑みを誘いたかったのだ。
　考古学的な図解に似せたピラミッド型を描き、段ごとに分類。上から順に「アメリカ、オーストラリアからの手紙、偏執者たちなどからの手紙」、「あらゆるタイプの無心の手紙」「教会建設、学校、バプティスト*2の礼拝堂、メソジスト*2派などへの寄付依頼」「好意的・悪意的な新聞――雑誌などもしかり」。さらに「詩集の購読案内」「詩集の贈呈本」「詩集の校正刷り」そして最下段が「詩の草稿」で、このピラミッドの中側の各「れんが」に「同左」と書かれている。外側にも一列の層があり、「匿名の無礼な手紙」と「特定のくだりについて説明を求める手紙」から始まって、その下の両脇に「直筆を欲しがる手紙」と記されている。
　ワイト島での隣人で写真家のジュリア・マーガレット・キャメロンによれば、テニスンは、偉人の直筆文書や人生にまつわる逸話などを熱心に得ようとする人を嫌っていた。また、友人たちは、自身が著名人であることもテニスンは快く思っていない、と解釈していた。画家兼作家のエドワード・リアと連れ立って歩いているとき、村人たちの目を避けたいがために、テニスンは「（靴も埋まるほど）ぬかるんだ道」を通って帰ると言い張った。とはいえベネットに手紙を書いた日は、その前に写真家**J・J・E**・メイオールの来訪を受けていた。上向きで詩的瞑想をたたえた面差しに、後ろになでつけたぼさぼさの髪。メイオールが撮影したこの写真が、テニスンの肖像としてもっとも広く出回った**1**枚となったのであった。

***1** 訳注：イギリス王室から任命される、終身制の詩人の名誉職およびその称号。
***2** 訳注：ともにキリスト教プロテスタントの一派。

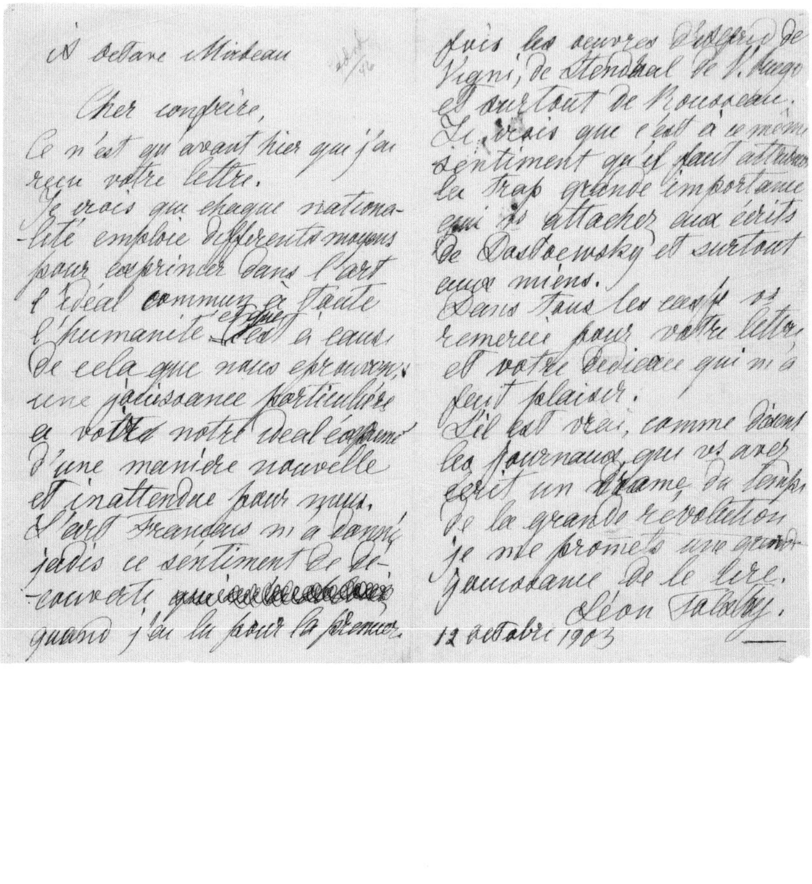

A Octave Mirbeau

Cher confrère,
Ce n'est qu'avant hier que j'ai
reçu votre lettre.
Je crois que chaque nationa-
-lité emploie differents moyens
pour exprimer dans l'art
l'idéal commun à toute
l'humanité. C'est à cause
de cela que nous éprouvons
une jouissance particulière
à voir notre idéal exprimé
d'une manière nouvelle
et inattendue pour nous.
L'art français m'a donné
jadis ce sentiment de dé-
-couverte ~~[illegible]~~
quand j'ai lu pour la première
fois les oeuvres d'Alfred de
Vigni, de Stendhal, de V. Hugo
et surtout de Rousseau.
Je crois que c'est à ce même
sentiment qu'il faut attribuer
la trop grande importance
qu'on se attache aux écrits
de Dostoewsky et surtout
aux miens.
Dans tous les cas je vous
remercie pour votre lettre
et votre dédicace qui m'a
fait plaisir.
S'il est vrai, comme disent
les journaux, que vous avez
écrit un drame du temps
de la grande révolution
je me promets une grande
jouissance de le lire.
Léon Tolstoy.
12 octobre 1903

レフ・トルストイ（1828-1910）から
オクターヴ・ミルボーへ

1903年10月12日

Writers' Letters

親愛なる同業者へ

一昨日、5月26日付のあなたの手紙をようやく受け取りました。

私が思うに、全人類に共通する理想を芸術で表現するために、それぞれの民族は異なる方法を用いています。私たちの理想が予期せぬ新しい仕方で表現されているのを見て、特別な喜びを覚えるのは、そのためです。フランスの芸術はこのような発見の楽しみをかつて私にもたらしてくれました。アルフレッド・ド・ヴィニー、スタンダール、ヴィクトル・ユゴー、そしてとりわけルソーの作品を、初めて読んだときの話です。あなたがドストエフスキーや特に私の著作を極端に重要視するのも、こうした感情ゆえであると思います。

いずれにせよ、お手紙をありがとうございました。献辞の言葉、嬉しく思いました。

あなたが大革命の時代を題材に戯曲を書いたと新聞で報じられていましたが、それが事実であるならば、私はその作品を読むのを楽しみに待つことにしましょう。

レフ・トルストイ

70歳代を迎えた頃、レフ・トルストイはロシアを代表する唯一無二の存在になっていた。文学の巨人であると同時に、頑固で思慮深いキリスト教徒、落ち着きはないが祖父のような優しさを持った国民の良心であった。菜食主義や農民の衣類の着用など、質素な生活を送ることを提唱し、若書きの小説を否定するようになっていた。多くの読者は『戦争と平和』と『アンナ・カレーニナ』を、言語を問わずこれまでに書かれた小説の中で最も偉大な作品とみなしていたが、そんなことはどうでもよかった。そういった小説の代わりに、いずれも1903年に発表された『仕事、死、病気』や『正教会の聖職者へ』など、道徳的な寓話や評論をトルストイは発表するようになっていた。

フランスの有力批評家で人気小説家のオクターヴ・ミルボーからの手紙に、トルストイは「同業者」という呼称を相手に用いて返事を書く。流暢だが冗長なフランス語で（彼の若い頃にロシアの貴族の家庭で話されていた言語である）、フランスの作家の著作に自分自身が抱いていた理想が描かれているのを初めて認めたとき、「特別な喜び」を覚えたと回想している。彼が示唆しているように、この種の喜びは外国文学の過大評価につながる。フランスで彼自身とドストエフスキーの小説が「極端に重要視」されているのはそのためであるというのだ。

この年はミルボーにとって充実した1年だった。舞台「事業は事業」は4月にパリで初演を迎えた。強欲な新聞王イジドール・ルシャを通して、成金が支配するベル・エポックの社会を風刺的に描いたこの作品は、国際的な成功作となった。5月にはトルストイに台本の写しを、このロシアの巨匠を大袈裟に褒め称える手紙を添えて、送っている。しかし、ミルボーの長年の計画である『戦争と平和』に匹敵するようなフランスの歴史小説は、うまくいっていなかった（結局、冒頭の3章が死後出版された）。これがおそらく、トルストイが新聞で目にしたという、「戯曲」のことだろう。ミルボーのこびへつらった手紙に対する返事は、きっぱりと一線を退いた人物らしく、素っ気ない調子で書かれているが、同時代の文学者の動向にはまだ関心を失っていなかったようだ。

ウィリアム・ワーズワース（1770-1850）から ジョン・ウィルソンへ

1802年6月7日

Writers' Letters

（……）きみが切り出した「白痴の少年」についての感想は、詩にふさわしい題材ではなく、喜びを与えないという意見だ。（……）誰に喜びを与えないというのかね。自然の描写というものの知識がほとんどなくて、当然ながらそれをほとんど楽しめない人もいる。（……）社会の低い地位にある人たちに繊細で洗練された感情があるとは思いたくもない人もいる。己の虚栄心や自己愛が、そのような高尚な感情は自分たちにしかないと告げているわけだ。（……）また別の人は、このうえなく興味深い人間の感情をむきだしの言葉にされることに嫌悪する。（……）ではさきの質問に戻ろう。誰に、あるいは何に喜びを与えるのか。今までもこれからも、人間性であるというのが私の答えだ。では、その最上の手段を我々はどこで見出すことになるのか。内面である、というのが私の答えだ。自分自身の心をむきだしにし、己の外の、もっとも素朴な暮らしを営む者たちを見つめることだ。

我々の階級にある人々は、一つの情けないあやまちに陥ったままでいる。つまり、人間性イコール自分の交際範囲の人間のことだと思いこんでいるのだ。我々はふつう、誰とつきあっているかね？ 紳士、資産家、専門家、貴婦人、金銭的余裕のある人、いいかえれば半ギニー*1する本をやすやすと買える人。（……）こういう人たちも人間性の一部であるのは間違いないが、それが膨大に実在する人間の典型だと思いこんでいるのなら、嘆かわしいあやまちだ。（……）

湖水地方のグラスミアに落ち着いてまもない1802年6月に、ウィリアム・ワーズワースは一通のファンレターを受け取った。差出人はジョン・ウィルソン。このスコットランドの早熟な学生にして駆け出しの詩人は、ワーズワースがサミュエル・テイラー・コールリッジとともに1798年に出版した『抒情歌謡集』について熱狂的に語っていた。「人間が実際に使っている言葉」を支持し、18世紀の「技巧」的な詩を否定した『抒情歌謡集』は、ロマン主義運動のマニフェストの役目を果たした。ウィルソンは、ワーズワースの詩が「私の心に残した印象は、今後も何一つ消えることはないでしょう」と伝えたが、母親と障害のある息子との関係を扱った「白痴の少年」*2だけは「興味をかきたてるものが何もなかった」。ここに描かれている感情は「自然」だが、「喜びを与えない」と指摘した。崇拝する相手からの返事を、ウィルソンは期待していなかった。

ところが、ワーズワースは長々とした返事を書いた。この手紙には、寛容なところもあれば、ところどころはっきりとしたあてこすりもある。自分の詩を擁護し、『抒情歌謡集』に付した序文で指摘した点を繰り返す——詩は、教養ある階級に喜びを与えるためだけに存在するべきものではない、と。さらに、詩人は読者の共感の幅を広げる師匠であるという見解も明示している。

ワーズワースとウィルソンの手紙のやりとりは続いた。ウィルソンはオックスフォード大学マグダレン・カレッジに進学し、学位を得た後、湖水地方に引っ越した。彼はここで、ワーズワース家のみならず、コールリッジやトマス・ド・クィンシー*3とも親しく交流した。

*1 訳注：1ギニーはかつての英国の貨幣単位で、今の1.05ポンドに当たる。
*2 訳注：詩のタイトルは既訳に則った。
*3 訳注：イギリスの著述家・批評家（1785-1859）。

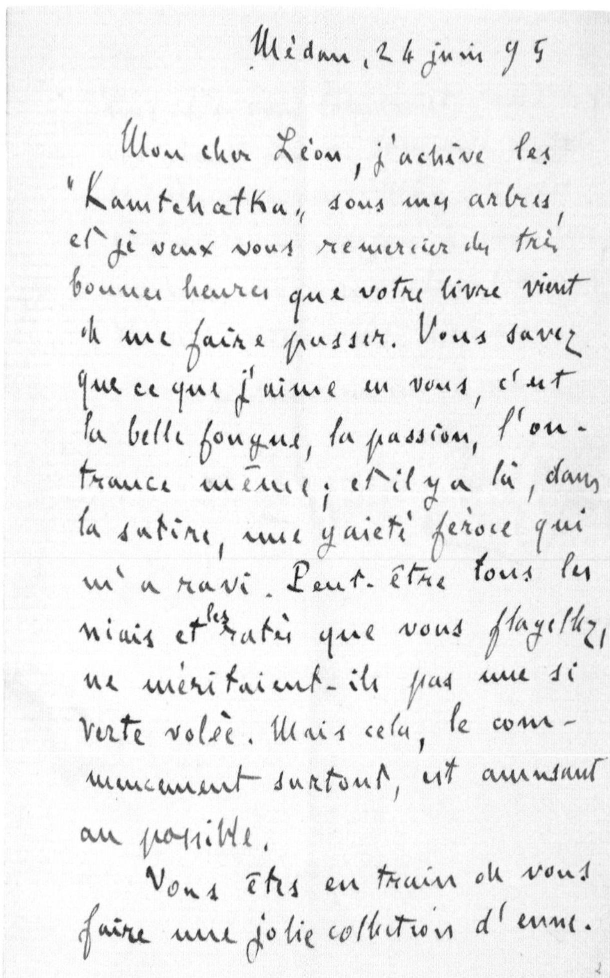
Médan, 24 juin 95

Mon cher Léon, j'achève les "Kamtchatka", sous mes arbres, et je veux vous remercier des très bonnes heures que votre livre vient de me faire passer. Vous savez que ce que j'aime en vous, c'est la belle fougue, la passion, l'outrance même; et il y a là, dans la satire, une gaieté féroce qui m'a ravi. Peut-être tous les niais et les ratés que vous flagellez, ne méritaient-ils pas une si verte volée. Mais cela, le commencement surtout, est amusant au possible.

Vous êtes en train de vous faire une jolie collection d'enne-

エミール・ゾラ（1840–1902）から
レオン・ドーデへ
1895年6月24日

Writers' Letters

私の親愛なるレオン、『カムチャッカ』を庭の木陰で読み終えたところです。この本のお陰でとても楽しい時間を過ごせたことをあなたに感謝します。ご存知のように、私があなたの作品で好きなのは、血気盛んで、情熱的なところです。度を過ぎたところも好んでいます。風刺の中にも、残忍な明るさがあって、魅了されました。あなたは愚か者や落ちこぼれを槍玉に挙げていますが、彼らは誰一人としてこのような厳しい批判に値しないでしょう。しかしその批判も、冒頭は特に、とても愉快なものでした。あなたは相当な数の敵を作りつつありますね。あなたが年老いても、奴らは休むことなく攻撃を仕掛けてくるでしょう。そのことは私の全盛期を少し思い出させます。あなたの本を読んでいて、ときとして身震いしたものです。らっぱの音を耳にした、年老いた軍馬のように。

愛情をこめて、エミール・ゾラ

エミール・ゾラが1895年の夏に読んだ本には、『カムチャッカ現代風俗』という風刺的な小品集も含まれていた。作者レオン・ドーデは、ゾラの友人の小説家アルフォンス・ドーデの息子で、26歳のジャーナリストだった。レオンがゾラの意見を重んじていたことは明らかだ。彼はフランスで最も成功した小説家であったのだから。ゾラは本を送ってくれたことに礼を述べているが、実際にこの本を心から楽しんで読んだようだ。若い作家を励ましつつも、穏やかな言葉遣いで重大な忠告もしている。風刺の才能があるからと言って、あまり調子に乗ってはいけないと、自然主義文学の巨匠は述べているかのようである。

ゾラは『カムチャッカ』をパリ北西の村メダンの別荘の「庭の木陰で」読んだと述べている。この別荘を購入したのは、『居酒屋』(1877)の成功で財を成した後のことだ。パリの労働者階級の生活を描いたこの小説は、全20巻から成るルーゴン=マッカール叢書(そうしょ)の第7巻に当たる。この叢書は、19世紀フランスを舞台に二つの家族の盛衰を複数の世代に渡って描いたもので、最終巻の『パスカル博士』は1893年に刊行された。彼の手紙は回顧的な調子で書かれている。「年老いた軍馬」であるゾラはドーデの「度を過ぎた」風刺に触れて、今までの作家生活で最も猛烈に活動していた時期を想い起こしているのである。

しかしながら、不正に対するゾラの最も有名な戦いは、まだ始まっていなかった。1895年1月、ドイツへのスパイ行為の罪で、アルフレッド・ドレフュス大尉に終身刑が言い渡された。当初、反響はわずかだったが、1896年8月に隠蔽工作の証拠が明るみに出ると、大論争が巻き起こった。無実の罪を着せられたユダヤ人のドレフュスは、フランスの軍隊に蔓延していた反ユダヤ主義の被害者だった。1898年1月、ゾラは公開状『私は告発する』を発表し、政府の不法行為と反ユダヤ主義を激しく非難した。2月にゾラは名誉毀損罪で裁判を受け、収監を避けるために英国に逃亡したが、翌年、破毀院(はきいん)*1がドレフュスの再審を命じると、フランスに帰国した。レオン・ドーデは根っからの反ユダヤ主義者で、ドレフュスを「ゲットー*2の残骸」と貶していた。彼の風刺の「残忍な明るさ」は誰彼構わず向けられるようになっていた。その標的には、ドレフュス事件において真実を擁護し、政府の振る舞いに疑義(ぎぎ)を差し挟むことも辞さなかった、ゾラも含まれていた。

*1 訳注：日本の最高裁判所に相当。　*2 訳注：ユダヤ人が強制的に居住させられた区域。

CHAPTER8

LEAVE TAKING

人生の終わりに

Writers' Letters

以上です

That's all

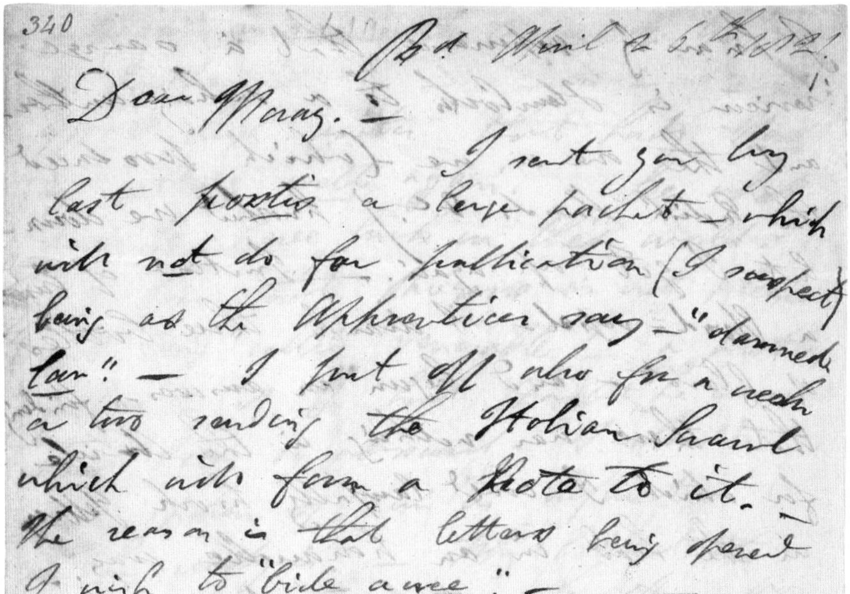
340

Ra. April the 26th. 1821.

Dear Moray. —

I sent you by last posts a large packet — which will not do for publication (I suspect) being as the Apprentices say — "damned low!" — I put off also for a week or two sending the Italian Scrawl which will form a Note to it. — The reason is that letters being opened I wish to "bide a wee." —

Well have you published the Trag.? and does the letter take? — —

Is it true — what Shelley writes me that poor John Keats died at Rome of the Quarterly Review? I am very sorry for it — though I think he took the wrong line as a poet — and was spoilt by Cockneyfying and Suburbing — and versifying Tooke's Pantheon and Lempriere's Dictionary. — —

ジョージ・ゴードン・バイロン（1788-1824）から ジョン・マレーへ

1821年4月26日

Writers' Letters

ウツボ（マレイ）くん

（……）シェリーが書いてよこしたことは本当かい？ 哀れなジョン・キーツがローマで死んだのは、「クォータリー・レヴュー」誌のせいだというのは。すごく気の毒だ。とはいえ僕としては、彼は詩人として間違った路線を行ったと思ってるんだがね。コックニー*1調だったり、郊外風にしたり、トゥックのパンテオン*2やランプリエールの辞典を韻文にしたりして、彼はダメになってしまった。

経験上わかっているのだが、残酷な批評というのは、うぶな著者には毒ニンジンだ。僕がやられたときは（……）うちのめされたけど、でも立ち直った。頭をカッカさせるかわりに、クラレット3本を飲んだんだ。それで答えが出たんだよ。この記事には、僕が名誉に恥じないよう、ジェフリーの頭を合法的に、あっぱれなやり方で殴る口実になるものはない、と気づいてね。しかし、この世のすべての名誉と栄誉と引きかえだとしても、人殺しに値する記事を書くのはごめんだな。もっとも、あの記事が論じている、書きなぐりの一派を決してよしとはしないがね。（……）

1821年**2**月にジョン・キーツ（**p.113**）がローマで死去し、その死因が「クォータリー・レヴュー」誌の悪意あふれる批評だった、との噂が文芸界に広まった。貴族階級の「魔性の男」バイロン卿は、馬丁頭（ばていがしら）の息子で病弱なキーツのことをあまり考えたことがなかった。詩人としても両極端で、**18**世紀の洗練された詩を崇拝していたバイロンは、キーツの作品を「知的マスタベーション――彼はいつも自分の想像力を慰みものにしている」として退けたし、キーツの方も、バイロンの知名度は才能よりルックスによるものが大きいと思っていた。

バイロンはイタリア北東部のラヴェンナに住んでいた。**1819**年に、**19**歳のテレーザ・グィッチョーリ伯爵夫人を追ってこの地にやってきたのである。この時期のバイロンは詩作においても、『ダンテの予言』、叙事詩『ドン・ジュアン』、詩劇『マリーノ・ファリエロ』、『サルダナパラス』等々、もっとも実りが多かった。彼は出版者ジョン・マレーへのこの手紙の中で、キーツの『エンディミオン』（**1818**）に対するジョン・ウィルソン・クローカーの悪名高い批評について触れている。クローカーは、キーツというのはペンネームに違いない、というのも「こんな熱に浮かされて書き連ねたものに、本名を付（ふ）すような人間の正気は疑われても仕方あるまい」からだ、とした。「結核ではなく、この批評がキーツの命を奪った」、との友人シェリー（**p.123**）の見方が正しいのだろうか、とバイロンは考える。そして、批評家フランシス・ジェフリーに手荒な扱いをされた自身の経験を思い返す。だが、キーツの繊細さと、「クラレット**3**本」をがぶ飲みして傷ついたプライドの解毒剤とした、自身の安っぽい無頓着ぶりとを対照せずにはいられない。キーツをけなしたことに良心の呵責を感じたとしても（「気の毒」を「すごく気の毒」に変えている）、長くは続かない。キーツの作品を『ランプリエールの古典辞典』*3の韻文版と表現したバイロンの言葉は、宴席での陳腐な軽口のようである。

*1 訳注：ロンドンの、特にイーストエンドの労働者階級に特徴的なアクセントのある英語。

*2 訳注：イエズス会士フランソワ・ポメイがラテン語で著したギリシャ神話の手引書を、アンドルー・トゥックが英訳し、1698年に出版して以来長年にわたり版を重ねたことで、トゥックのパンテオンとして知られるようになった。

*3 訳注：イギリスの古典学者ジョン・ランプリエール（1765-1824）が1788年に刊行した西洋古典の百科事典。キーツをはじめとするロマン派詩人に影響を与えた。

Всем
В том, что умираю
не вините никого и по-
жалуйста не сплетничайте. По-
койник этого ужасно не
любил.
Мама сестры и товарищи,
простите — это не способ (дру-
гим не советую) но у
меня выходов нет.
Лиля — люби меня.
Товарищ правительство
моя семья это Лиля
Брик, мама, сестры
и Вероника Витольдовна По-
лонская.
Если ты устроишь

ウラジーミル・マヤコフスキー（1893－1930）から「皆」へ

1930年4月12日

Writers' Letters

皆へ

ぼくが死んだことで誰かを責めたり、そしてどうか、ゴシップにしたりしないでください。故人はゴシップが大嫌いでした。

お母さん、姉さん、同志諸君、お許しください。これはいい方法ではありませんが（人には勧めません）、ほかに仕様がないのです。

リーリャ、ぼくを愛して。

同志政府よ、ぼくの家族は、リーリャ・ブリーク、お母さん、二人の姉さん、ヴェロニカ・ポロンスカヤです。

それなりの生活を保障してくださるとありがたいです。（……）

愛の小舟は／生活に打ち砕かれた。／ぼくは人生を清算する／数えあげても仕方ない／たがいの痛み、／悲しみ、／恨みは。

どうかお幸せに。

ウラジーミル・マヤコフスキー

30年4月12日（……）

ぼくの机に2000ルーブル入っています。税金の足しにしてください。残りは国立出版所からもらってください。

16歳で革命運動に身を投じて投獄されたウラジーミル・マヤコフスキーは、詩を書き始める。やがてモスクワ絵画・建築・彫刻学校で、実験文学のグループを仲間と創設した。このグループは、1912年にロシア未来派のマニフェスト『社会の趣味への平手打ち』を刊行する。マヤコフスキーは未来派の不良スターになった。ハッとするほど背が高く、トレードマークの手製の黄色いシャツを着た彼は、激烈で挑発的な詩を朗読しながら、ロシアを巡った。1915年、リーリャ・ブリークと恋に落ちる。その夫オシップ・ブリークはマヤコフスキーに心酔し、彼の詩集を何冊か出版した。1917年にボリシェビキ革命*が起こると、マヤコフスキーは革命支持を誓う。

詩、戯曲、そして自身も出演した映画の脚本を立て続けに発表したマヤコフスキーは、文学の分野において、新しいソビエト政府の最も声の大きな代弁者となった。「レフ」誌を編集し、モスクワのボリショイ劇場やホテル「メトロポール」の「赤の間」で巡業リサイタルを行なった。しかし1920年代に敷かれたスターリン体制のもと、実験文学はますます政府の批判を招くようになる。マヤコフスキーはわかりにくすぎると糾弾された。1930年4月の朗読会では、一人の学生から野次を浴びている。

リーリャ・ブリークとの関係は終わったが、彼女は気の置けない友人であり続けた。ところがマヤコフスキーは、今度は若手女優ヴェロニカ・ポロンスカヤにのめり込んだ。彼女が夫との離婚を拒絶したため、二人の間で激しい口論が起きた。1930年4月14日、最後となるそうした口論の後、マヤコフスキーのモスクワのアパートを出たポロンスカヤは、1発の大きな銃声を聞いたという。そしてアパートに取って返すと、自分の愛人が心臓を撃ちぬいていた。正確な死亡状況は依然はっきりしていない。隣人は2発の銃声を聞いたといい、運命の銃弾はマヤコフスキーのピストルから発射されものではなかった――暗殺の噂が流れた。自殺の2日前に書かれた遺書は、家族への気遣いと、曖昧な皮肉（「同志政府」）と、税金の支払いへの気配りと、そして、初期の詩から採られた詩行「愛の小舟は／生活に打ち砕かれた」で始まる詩とが入り交じり、謎めいている。

＊訳注：ロシア革命。十月革命ともいう。1917年10月にボリシェヴィキの軍勢が武装蜂起し、ソビエト政権を樹立した。

LETTER LEFT WITH KAY TO BE OPENED AFTER HER DEATH)

September 9, 1919

My darling Boy

I am leaving this letter with Mr. Kay just in case I should pop off suddenly and not have the opportunity or the chance of talking over these things.

If I were you I'd sell off all the furniture and go off on a long sea voyage on a cargo boat, say. Don't stay in London. Cut right away to some lovely place.

Any money I make is yours, of course. I expect there will be enough to bury me. I don't want to be creamated and I don't want a tombstone or anything like that. If it's possible to choose a quiet place, please do. You know how I hate noise.

Should any of my friend care for one of my books to remember me by- use your discretion.

All my MS. I simply leave to you.

I think you had better leave the disposal of all my clothes to L.M.

Give the wooly lamb to Brett, please, and also my black fox fur.

I should like Anne to have my flowery shawl; she loved it so. But that is as you think.

Jeanne must have the greenstone.

Lawrence the little golden bowl back again.

Give Pa all that remains of Chummie.

Perhaps I shall have something Chaddie would like by then. I have nothing now- except perhaps my chinese skirt.

See that Rib has an honorable old age and don't let my

KATHERINE MANSFIELD SEP 1919

キャサリン・マンスフィールド（1888-1923）から ジョン・ミドルトン・マリーへ

1919年9月9日

Writers' Letters

大好きな人へ

この手紙をケイ氏に託します。私が突然ポッと消えて、こういうことを話す機会やチャンスを逃すといけないから。

もし私があなただったら、家具は全部売り払って、貨物船とかに乗って長い船旅に出かけるでしょう。ロンドンにいてはダメ。どこかすてきなところへ、すぐに行ってちょうだい。

私が稼いだお金は、むろんすべてあなたのものです。埋葬費用には足りると思います。火葬にはしてほしくありませんし、墓碑とかそういう類のものも不要です。静かな場所を選べるのなら、ぜひそうしてください。私の騒音嫌いはご存じでしょう（……）

私の草稿はすべて、あなたに一任します。

衣類は全部、LMに処理を任せたほうがいいと思います。

ラムウールのはブレットにあげてください。それと黒いキツネの毛皮も。

花柄のショールはアンにあげたい。とても気に入っていたから。でもそれはお任せします。

ジャンヌには、ぜひあのグリーンストーンを。

小さな金色のボウルは、ロレンスに里帰り。（……）

リブがちゃんと老齢になるまで見届けてください。それと、私の真鍮のブタをなくさないで。あれはベラにあげたい。

以上です。私は誰にも哀悼なんかしてほしくない。何の足しにもならないから。あなたは再婚して、子どもを持つべきです。そうなったら、あの真珠の指輪をあなたの娘にあげてちょうだい。

永遠にあなたのものより
ウィグ
K・マンスフィールド・マリー
（念のために）

キャサリン・マンスフィールドは、初の短編集『ドイツの田舎宿で』を出版した**1911**年に、作家兼文芸誌編集長のジョン・ミドルトン・マリーと交際を始めた。**2**年間で二度別れたが、彼女の内面でマリーはゆるぎない地位を占めた一人だったのだろう。二人は**1918**年に結婚した。生まれ育ったニュージーランドからイギリスに移住した後、マンスフィールドはロンドンの進歩的な文学サークルの仲間入りを果たし、ヴァージニア・ウルフ(p.65)や**D・H**・ロレンス(p.143)と交流した。**1917**年に結核と診断され、秋冬も確実に温暖な土地へ転地することになった。それがキーツやチェーホフの時代と同様に、まだ標準的な治療法だったのだ。

1919年**9**月、マリー、マンスフィールドと彼女の学友だったアイダ・ベイカー（別名レズリー・モリスもしくは**LM**）は、イタリアのサンレモへ出発。マンスフィールドの様子に怯んだホテルの支配人から門前払いされ、三人は近くの別荘を借りた。マンスフィールドとベイカーは半年滞在する予定だったが、有力文芸誌「アシニーアム」の編集長に就任したばかりのマリーは、ロンドンに戻った。出発直前、帰宅が叶わない可能性を考慮し、マンスフィールドはマリー宛の手紙という形の遺書をタイプし、自分の死後に開封してもらうよう手筈を整えた。「死ぬなんて簡単なことだとわかります」不安になるほど強い寒波がやってきて、彼女はこう書き送った。「防壁はみんなの前では高いのに、（死が近い）その人の前では低くなり、するりと越えるだけでいいのです」

Marseille le 10 juillet 1891

Ma chère sœur

J'ai bien reçu tes lettres des 4 et 8 juillet. Je suis heureux que ma situation soit enfin déclarée nette. Je vous inclus le certificat de mon amputation, signé du Directeur de l'hôpital de Marseille, car il paraît qu'il n'est pas permis aux médecins de signer de tels certificats à des pensionnaires. Gardez donc cette pièce pour moi je n'en aurai besoin que dans le cas de mon retour. Ne la perdez pas, joignez-la à la réponse de l'intendance. Quant au livret je l'ai en effet perdu dans mes voyages. Quand je pourrai circuler je verrai si je dois prendre mon congé ici ou ailleurs. Mais si c'est à Marseille, je crois qu'il me faudrait en mains la réponse autographe de l'intendance. Il vaut donc mieux que j'aie en mains cette déclaration, envoyez-moi la. Avec cela personne ne m'approchera. Je garde aussi le certificat de l'hôpital et avec ces deux pièces je pourrai obtenir mon congé ici.

Je suis toujours levé, mais je ne vais pas bien. Jusqu'ici je n'ai encore appris à marcher qu'avec des béquilles, et encore il m'est impossible de monter ou descendre une seule marche. Dans ce cas on est obligé de me descendre ou monter à bras le corps. Je me suis fait faire une jambe en bois très légère, vernie et rembourrée, fort bien faite (prix 50 f.). Je l'ai mise il y a quelques jours et ai essayé de me traîner en me soulevant encore sur des béquilles mais je me suis enflammé le moignon et ai laissé l'instrument maudit de côté. Je ne pourrai guère m'en servir avant 15 ou 20 jours, et encore avec des béquilles pendant au moins un mois et pas plus d'une heure ou deux par jour. Le seul avantage est d'avoir 3 points d'appui au lieu de deux

アルチュール・ランボー（1854–1891）から イザベル・ランボーへ

1891年7月10日

Writers' Letters

私の親愛なる妹へ

7月4日と8日の手紙はたしかに受け取った。（……）

ぼくは起きているけど、具合はよくない。今のところ、松葉杖で歩けるようになっただけで、まだ一段も昇り降りできない。そんなときは、腕で抱えてもらって、降ろしたり上げたりしてもらわなければならない。木製の義足を作らせたんだ。とても軽くて、ニスが塗ってあって、詰め物のしてある、とてもよくできた代物だ（値段は50フラン*1）。数日前にそれをつけて、まだ松葉杖で体を持ち上げながらではあるけれど、何とか歩こうとしてみた。でも、断端が炎症を起こしてしまったので、このいまいましい器具は放ったらかしにしてある（……）。

というわけで、また松葉杖で歩き始めたところだ。かつてどれほど旅してきたかを思い返すと、何という退屈、何という疲れ、何という悲しみだろう。たった5ヶ月前にはどれだけ活動的だったことか! 山越えの奔走、騎行、散策、砂漠、川、海は、どこへ行ってしまったのだろう?（……）ぼくもやっとわかり始めてきたところなんだけど、松葉杖や木製の義足や機械仕掛けの義足なんて、みんなでたらめだ。（……）しかもこのぼくは、この夏にフランスへ戻って結婚しようと決めたばかりだったのに! さらば結婚、さらば家族、さらば未来! ぼくの人生は過ぎ去ってしまった。ぼくは動けないただの棒切れだ。（……）　そちらは涼しいだろうから、帰りたいのはやまやまなんだ。でも、ぼくが軽業の練習をするのに適した場所はほとんどないだろうね。それに、涼しさを通り越して、寒いのではないかと心配だ。（……）部屋代は7月末まで払ってある。それまでの間によく考えて、ぼくに何ができるのかを見極めてみるつもりだ。（……）

手紙をくれ。

敬具。

ランボー

ランボーが15歳でフランス北東の故郷を後にしてパリへ向かったときから、21歳で最後の詩を書くまでのあいだには、一生分の波乱と達成が詰め込まれている。1871年、短命に終わったパリ・コミューン*2に傾倒。その後、年上の詩人ポール・ヴェルレーヌ（p.147）と、パリ、ブリュッセル、ロンドンを行き来しながら、同棲生活を送ったことはよく知られている。その間にもランボーは、『酔いどれ船』や『地獄の季節』をはじめとする数々の詩篇を執筆していた。年端のいかない若者が現代的な詩法を自由自在に駆使していることに文壇は驚嘆した。

そして書くことをやめた、手紙以外は。放浪生活を開始し、オランダの植民地部隊に入隊したり、サーカス団に加わったりした後、中東で武器商人になった。1891年初頭、アデンにいたランボーは、右膝に重度の滑膜炎を患った。フランスに戻り、マルセイユで片足を切断。病院から妹のイザベルに手紙を書き、「木製の義足」のスケッチもつけて、一進一退の回復状況をありありと報告している。帰郷を楽しみにしていたランボーは、7月に故郷に帰った。8月に再び入院するが、病状はさらに悪化。11月10日に37歳の若さで世を去った。

*1 訳注：現在の日本円に換算するとおよそ25,000円。

*2 訳注：普仏戦争敗北後、労働者階級を中心とするパリの民衆が樹立した自治政府。

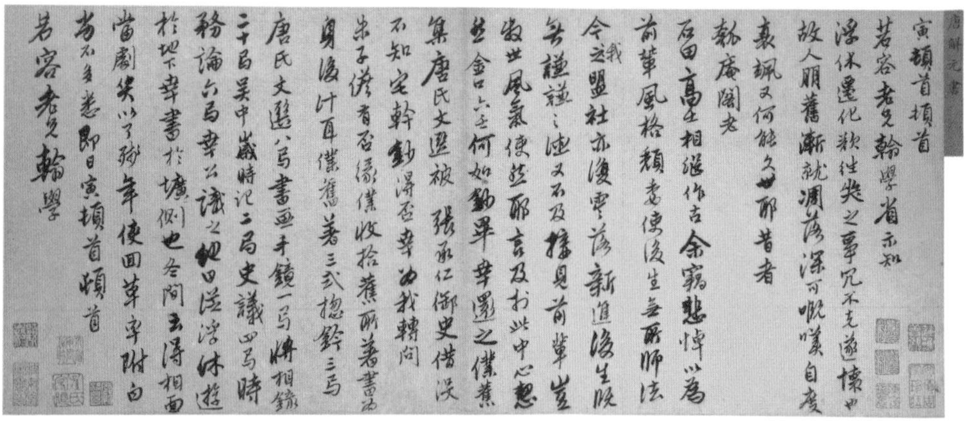

TANG YIN
1520s

唐寅（1470–1524）から徐尚徳へ

1520年代[*1]

Writers' Letters

寅 頓首頓首[*2]。

翰林学士 若容様[*3]。

貴信により浮休[*4]さんが世を去ったことを知りました。哭礼を捧げに行きたいと思いながら、身辺多事にして思いを果たすことができません。旧友は一人また一人と枯れ落ちてゆく。ため息ばかりです。我が衰残の身を省みても、あとどれほどこの世にいられましょうか。

以前瓠庵先生[*5]や石田先生[*6]が相次いで鬼籍に入られた時、心ひそかに悲しんでは、こんなことを思ったものです。上の世代の方々がお持ちであったような品格は次第に失われてゆき、若者は手本にできるものがなくなってしまうではないか、と。そして今、我が社中も凋落しつつあります。後進は謙遜の徳なき上に、先輩たちの謦咳に接することもできない。末の世ともなれば自然にこうなるのでしょうか。……こういうことを言うと心が暗くなりますね。

『金口六壬』[*7]はどうなっていますか。写し終わられましたらお返しください。私の旧著『唐氏文選』は張承仁御史に借りられておりますが、宅幹[*8]が写し終わっているかどうかわかりません。恐れ入りますが朱子儋[*9]君にお問い合わせくださいますでしょうか。身後の備えのため、私の旧著を集めておきたいのです。

私の著作は『三式総鈴』3巻、『唐氏文選』8巻、『書画手鏡』1巻、『将相録』20巻、『呉中歳時記』2巻、『史議』4巻、『時務論』6巻とご承知ください。いずれ浮休さんの後を追って黄泉の国に行くようなことになりましたら、墓の横に書いておいて下さい。

冬の内にお目にかかれましたら、おおいに笑って残りの年を送ることにいたしましょう。

文使いが帰るのに合わせて倉卒にしたためましたゆえ乱文乱筆、即日右の通りご返信申し上げます。

寅 頓首頓首

翰林学士 若容様

「呉中四才子」[*10]に数えられる中国の詩人唐寅は、その書画によっても名を知られている。その後幾百年にもわたって、彼の生涯は一連の通俗虚構小説の素材となった。下女に恋し、彼女を追って自ら身を売り奴隷となった、などはその例である。この手紙の中で、唐寅は時代から離れた偏屈老人の典型であるように見える（あるいは、それを演じている）。彼は同時代人の死、若者たちの情けなさ、「末の世」につき憂わしげに思いをめぐらしている。彼はまた自分の遺産について考え、「黄泉の国に」姿を消す前に自分の全著作をまとめようとしている。芸術、地方文化、伝記、時事を含み、唐寅の著述家としての幅の広さが見て取れる。しかし、徐尚徳へ訴えかける言葉に不安げな調子があるのも、思えばもっともなことであった。彼が誇らしげに列挙した著作は、ほとんど伝存していないのである。

*1 訳注：原書での推定。
*2 訳注：手紙の冒頭や末尾に添えて敬意を表す語。頭を地面にすりつけるように拝礼することも指す。
*3 訳注：徐尚徳、字は若容。蔵書家。
*4 訳注：薛章憲、浮休居士と号した。隠士
*5 訳注：呉寛。政治家、書家。 *6 訳注：沈周。文人、書画家。
*7 訳注：占いの書。 *8 訳注：不詳。人名か。
*9 訳注：朱承爵。蔵書家。
*10 訳注：明時代中期の呉中（蘇州）で活躍した4人の文人。

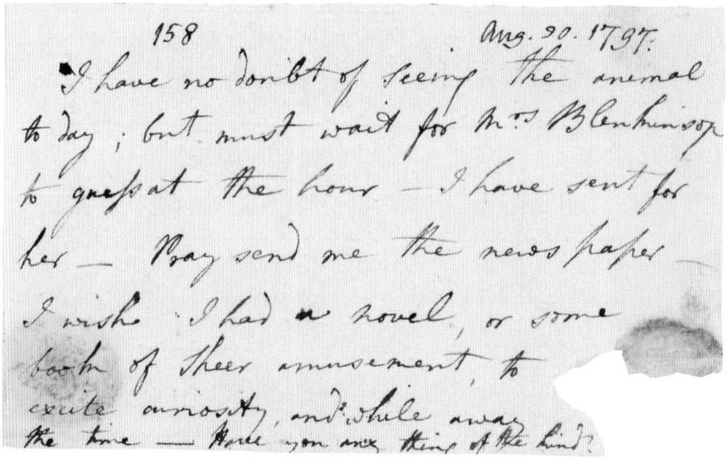
158 Aug. 30. 1797.

I have no doubt of seeing the animal to day; but must wait for Mrs Blenkinsop to guess at the hour — I have sent for her — Pray send me the news paper — I wish I had a novel, or some book of sheer amusement, to excite curiosity, and while away the time — Have you any thing of the kind?

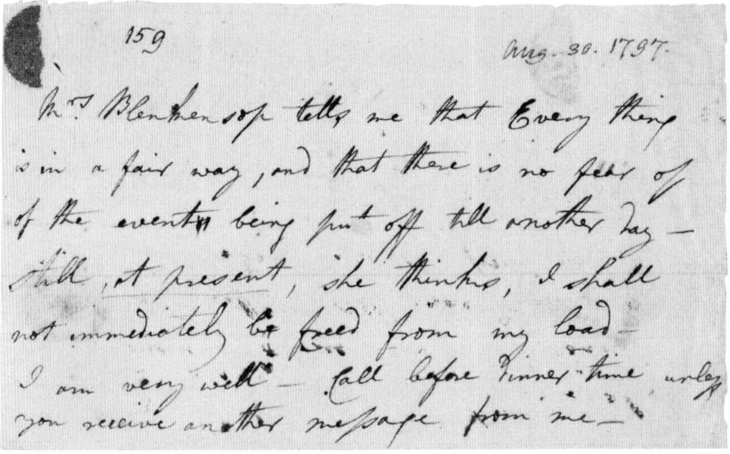
159 Aug. 30. 1797.

Mrs Blenkinsop tells me that Every thing is in a fair way, and that there is no fear of of the events being put off till another day — still, at present, she thinks, I shall not immediately be freed from my load — I am very well — Call before dinner time, unless you receive another message from me —

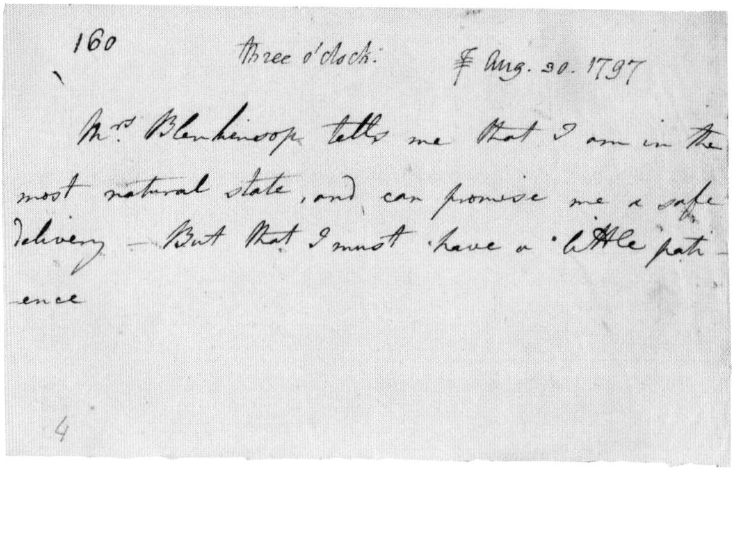
160 Three o'clock. Aug. 30. 1797

Mrs Blenkinsop tells me that I am in the most natural state, and can promise me a safe delivery — But that I must have a little patience

4

メアリー・ウルストンクラフト（1759-1797）から ウィリアム・ゴドウィンへ

1797年8月30日

Writers' Letters

1.
きっと、今日のうちにこの子はお目見えすると思います。でも、何時になるのかはブレンキンソップさんを待たないといけません——彼女を呼びに行ってもらいました——新聞を届けてください——小説が手元にあればいいのに、あるいは軽い読み物とか。好奇心をかきたててくれて、時間をつぶせるようなもの——そういう本、何か持ってない？

2.
ブレンキンソップさんは、万事快調と言っています。それに、翌日に持ち越す心配もないとのこと——でも現時点では彼女も、私がすぐに重荷から解放されるわけではないと思っています——私はとても元気ですよ——夕食の前には来てください。その前に私から別段の言伝がなければね。

3.
ブレンキンソップさんは、きわめて順調だし、間違いなく安産になりますよ、と言っています。——でも、あともう少し辛抱しないといけません、とのこと。

メアリー・ウルストンクラフトとウィリアム・ゴドウィンは、**18**世紀の急進的思想家の二巨頭だが、**1797**年**3**月**29**日の両名の結婚は驚きのニュースだった。そもそも、**1791**年に初めて知り合ったときは、お互いあまり好ましく思わず、（ゴドウィンの言葉では）「互いに気分を害して」別れた。しかも、両者とも結婚という制度自体に懐疑的だった。『女性の権利の擁護』を著したウルストンクラフトは、たびたび上流社会を騒がせたが、断固として自らの非を認めなかった（「私は長らく、独立こそ、神が人生に与えた最高の祝福であると考えてきました」）。当世切っての政治哲学者で無政府主義の先駆的提唱者だったゴドウィンは、結婚を害悪と罵り、廃止すべき制度だと主張していた。しかし、ウルストンクラフトが身ごもると、結婚は必要悪とも言える、ということにした。二人は赤ん坊を嫡出にしたかったのだ。

ともあれ、夫婦になっても自己流を貫いた。晩春にロンドン北西部のソマーズタウンに引っ越したが、**20**軒離れた別々の住まいで、コミュニケーションの大半を手紙に頼った。このやりとりに表れているのは、真の平等な結婚の様子—— 寛大、協力的、率直だった。二人は「この世でもっとも非凡な夫婦」、啓蒙思潮時代の知的パワーカップルと呼ばれた。

8月末までに、ウルストンクラフトは妊娠満期を迎えた。出産に臨み、彼女は次の**3**通の短信を書き、それがゴドウィンへの最後の手紙になった（「きっと、今日のうちにこの子はお目見えすると思います」）。最初は、陣痛が長引くだろうと思い、助産に来た女性もそれを認めた（「小説が手元にあればいいのに」）。ところが数時間で娘を出産。ウルストンクラフトは産褥熱にかかり、**11**日後に**38**歳で敗血症により亡くなった。生まれた娘は、のちにメアリー・シェリーとなり（p.109）、『フランケンシュタイン』の作者として名を遺すことになる。怪物を生み出して失敗に至る、あの物語だ。

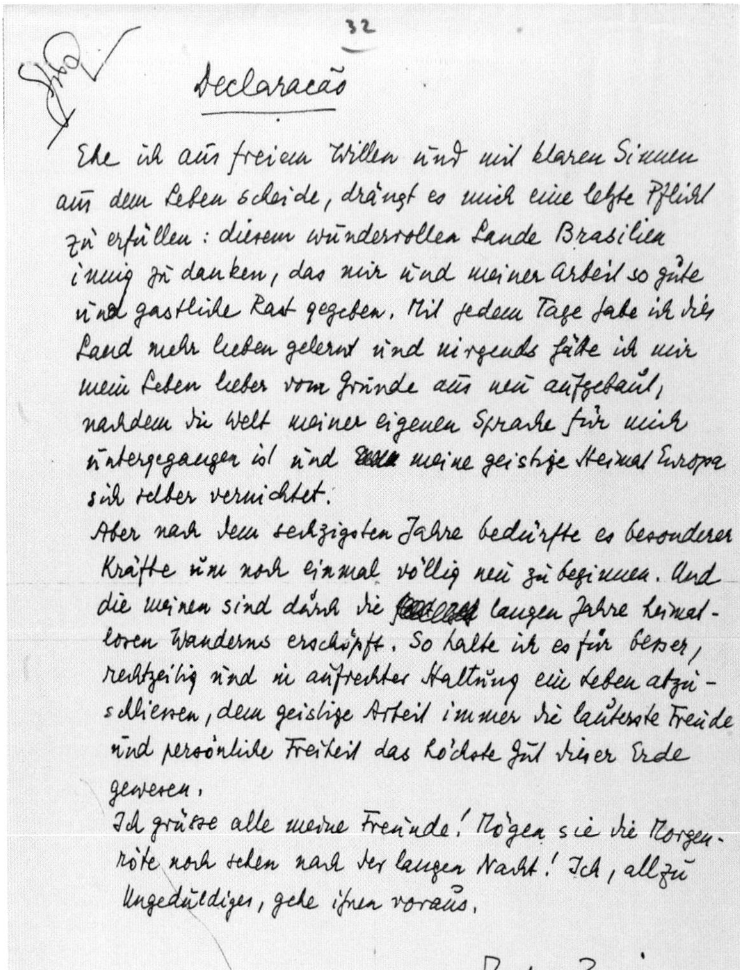

32

Declaração

Ehe ich aus freiem Willen und mit klaren Sinnen aus dem Leben scheide, drängt es mich eine letzte Pflicht zu erfüllen: diesem wundervollen Lande Brasilien innig zu danken, das mir und meiner Arbeit so gute und gastliche Rast gegeben. Mit jedem Tage habe ich dies Land mehr lieben gelernt und nirgends hätte ich mir mein Leben lieber vom Grunde aus neu aufgebaut, nachdem die Welt meiner eigenen Sprache für mich untergegangen ist und meine geistige Heimat Europa sich selber vernichtet.

Aber nach dem sechzigsten Jahre bedürfte es besonderer Kräfte um noch einmal völlig neu zu beginnen. Und die meinen sind durch die langen Jahre heimatlosen Wanderns erschöpft. So halte ich es für besser, rechtzeitig und in aufrechter Haltung ein Leben abzuschliessen, dem geistige Arbeit immer die lauterste Freude und persönliche Freiheit das höchste Gut dieser Erde gewesen.

Ich grüsse alle meine Freunde! Mögen sie die Morgenröte noch sehen nach der langen Nacht! Ich, allzu Ungeduldiger, gehe ihnen voraus.

Stefan Zweig

Petropolis 22. II 1942

シュテファン・ツヴァイク（1881-1942）から「すべてのわが友」へ

1942年2月22日

Writers' Letters

遺書

自由な意思と明晰な感覚のもとで人生に別れを告げる前に、わたしは最後の義務を果たさねばならない。この素晴らしい国・ブラジルに心からお礼を述べる。日を追うごとに、この国への愛は深まった。ほかのどんな場所でも、これ以上すばらしく、わたしの人生を、根底から新しく築きあげることはできなかっただろう。わたし自身の母語の世界が、わたしにとってもはや崩れ落ちてしまい、わが心の故郷ヨーロッパが、自らを無に帰してしまったあとに。

しかし60歳を過ぎて、もう一度すべてを新しく始めるには、特別な力を要した。長らく故郷を失ってさまよううちに、私の力は尽きてしまった。しかるべきときに、きちんとした態度で、人生を終えるのがよさそうだ。この人生において、精神活動が常にもっとも純粋な喜びであり、個人の自由がこの地球上で最善のものであった。

さらば、すべてのわが友よ！ 長い夜ののちの曙光を、ふたたび目にせんことを！ わたしは、もう耐えることができない。先に行く。

シュテファン・ツヴァイク

1942年**2**月**23**日、ブラジル南東部のペトロポリスで、警官はオーストリア系ユダヤ人作家シュテファン・ツヴァイクと、その妻・ロッテの遺体を発見した。貸しアパートで、彼らは手に手をとって横たわっていた。発見されたツヴァイクの署名入りの遺書を、警官はポケットにしまい込んだ。**30**年後、退職した警官は、その手紙をドイツ系ユダヤ人実業家フリッツ・ヴァイルに売り渡すよう説得された。そしてヴァイルはこれをイスラエル国立図書館へ寄贈したのだ。

19歳で最初のフィクション作品を発表してから、ツヴァイクはヨーロッパでもっとも多作な売れっ子作家の一人となり、多くの中編ベストセラー、伝記、戯曲を発表した。翻訳も普及し、『見知らぬ女の手紙』や『月あかりの小路』などが南北アメリカやヨーロッパで刊行されていた。しかし、ナチによるオーストリア併合以前から、ウィーンではユダヤ人に対する組織的な迫害が進行していた。**1934**年、警察がツヴァイクを訪問し彼の住居を捜索した。翌日、彼は妻のフリーデリカとともにロンドンへ発った。

1938年、ツヴァイクは離婚してバースへ移住し、彼の秘書ロッテ・アルトマンと再婚した。翌年のナチによるポーランドへの電撃的侵攻によって、ツヴァイクは大西洋の向こう側へ渡らないかぎり安住の地は得られないことを確信した。**1940**年にニューヨークへ渡航、**1941**年**8**月にはブラジルへ移住し、著名人として歓迎された。彼は常に自らを「世界の市民」としてみなした。しかしペトロポリスへ移住して**1**年が経ち、終りの見えない亡命生活と、うっすらとした疲労に彼は明らかに悩まされていた。睡眠薬の過剰摂取によって「しかるべき時にみずからの命を絶つ」と彼が決心したとき、ロッテを道連れにするつもりはなかった可能性もある（彼のメモは一人称単数で書かれている）。前日に、彼女はツヴァイクの自伝『昨日の世界』のタイプを終え、出版社に原稿を投函したところだった。遺体が発見された時、ロッテの身体はまだ温かかった。

4

20 MARTIN ROAD
CENTENNIAL PARK
SYDNEY, 2021

9. iv. 77

Dr G. Chandler
National Library of Australia
Canberra.

Dear Dr Chandler,

P23/3/978 Folio 3 Thank you for your of 25th March.

I can't let you have my "papers" because I don't keep any. My mss are destroyed as soon as the books are printed. I put very little into notebooks, don't keep my friends' letters as I urge them not to keep mine, and anything unfinished when I die is to be burnt. The final versions of my books are what I want people to see, and if there is anything of importance in me, it will be in those.

Yours sincerely,

Patrick White

P23/3/978

パトリック・ホワイト（1912-1990）から ジョージ・チャンドラーへ

1977年4月9日

Writers' Letters

チャンドラー博士殿
拝復
貴信3月25日付P23/3/978を拝受しました。
私の「資料」を差し上げることはできかねます。自身でも保管はしておりませんので。自筆原稿は作品が印刷され次第速やかに破棄しますし、ノートにはほとんど書きません。友人たちには私の手紙は残さないでくれと強く言ってありますし、未完のものはすべて、私の死後直ちに焼却されることになっています。見ていただきたいのは作品の最終版であり、もし私に関する重要な何かがあるとするなら、それは作品の中に存在するものです。

敬具
パトリック・ホワイト

作家の人生について、我々はどれくらい知る必要があるだろうか。全く知る必要はない、というのがパトリック・ホワイトの答えだ。オーストラリア国立図書館館長のジョージ・チャンドラー博士に宛てたこの手紙がそう語っている。ホワイトの文名は**1960**年代に高まったが、その割には比較的目立たずに過ごせていた。しかし**1973**年にオーストラリア人では初のノーベル文学賞を受賞すると、ジャーナリストからは取材を求められ、図書館からは自筆資料を乞われた。ホワイトは彼らを追い払った。大事なのは作品だけだ、と主張したのである。

とはいえ、その好奇心はよくわかる。ホワイトの一番有名な作品で、ノーベル賞選考委員に動揺を与えた『生体解剖者』（**1970**）は、ある芸術家の人生を克明に描いた型破りで残酷な小説である。画家で、超弩級の自己中心的な人物であるハートル・ダフィールドを主人公に、その創作活動が彼個人の人間関係に及ぼすひどい悪影響を追った物語である。ノーベル賞授与に反対した選考委員の一人は、芸術家であることと人としてまっとうであることは根本的に相容れない、という印象を与えてしまうと危惧し、この本を認めたがらなかったほどだ。

ホワイトには隠したいものがあったのだろうか。そうでもなかったようだ。同性愛者であることはほとんど隠しておらず――当時のオーストラリアでも珍しかっただろうが――パートナーのマノリー・ラスカリスとともに、シドニー郊外で静かに暮らしていた。二人の出会いは**1941**年のアレクサンドリアで、当時ホワイトは英国空軍、ラスカリスがギリシャ軍の所属だった。だが、ホワイトは寛大だった（ノーベル賞の賞金で作家基金を設立した）一方で、誰かといきなり、それもしばしば悪意むき出しで仲たがいをする才も持ち合わせていた。手料理を批判され、長年の友人と絶交したこともあった。また別の友人には、何年にも及ぶ往復書簡を燃やすという暴挙に出たが、その意図はおそらく、相手を傷つけるためであって、フォルマリスト*であることを証明するためではなかろう。後年のこのチャンドラーへの手紙にも、やはり幾分、作家のプライベートを嗅ぎ回る人々への非難が感じられる。とはいえ結局、ホワイトは自筆資料を山ほど残したのだった。

* 訳注：「フォルマリズム」とは**1910–1930**年代頃に興ったロシアの文学運動のこと。文学作品をそれ自体自立したものとみなし、作者から切り離して捉えた。

年代順

1499

1499年 デシデリウス・エラスムスからヘンリー王子へ 080

1520年代（訳注：原書での推定） 唐寅（とういん）から徐尚徳（じょしょうとく）へ 208

1594年8月20日 ミゲル・デ・セルバンテスからある貴族へ 132

1600

1602年2月2日 ジョン・ダンからジョージ・モアへ 104

1605年11月8日 ベン・ジョンソンからロバート・セシルへ 086

1700

1704年5月 ダニエル・デフォーからロバート・ハーリーへ 134

1726年11月28日 ジョナサン・スウィフトからヘンリエッタ・ハワードへ 062

1770年9月25日 サミュエル・ジョンソンからフランシス・バーバーへ 052

1784年8月24日 ヨハン・ヴォルフガング・フォン・ゲーテからシャルロッテ・フォン・シュタインへ 110

1786年11月18日 ロバート・バーンズからウィレミーナ・アレグザンダーへ 022

1792年5月20日 オラウダ・イクイアーノから友人へ 076

1793年5月27日 スタール夫人からルイ・ド・ナルボンヌへ 074

1797年8月30日 メアリー・ウルストンクラフトからウィリアム・ゴドウィンへ 210

1800

1802年6月7日 ウィリアム・ワーズワースからジョン・ウィルソンへ 194

1812年3月22日−6月 フランシス・バーニーからエスター・バーニーへ 130

1814年3月2日 ジェイン・オースティンからカサンドラ・オースティンへ 042

1814年10月25日 メアリー・ゴドウィンからパーシー・ビッシュ・シェリーへ 108

1816年12月15日 パーシー・ビッシュ・シェリーからメアリー・ゴドウィンへ 122

1819年7月25日 ジョン・キーツからファニー・ブローンへ 112

1821年4月26日 ジョージ・ゴードン・バイロンからジョン・マレーへ 200

1831年8月18日 オノレ・ド・バルザックからサミュエル＝アンリ・ベルトゥへ 154

1835年11月25日 チャールズ・ディケンズからキャサリン・ホガースへ 026

1837年9月18日 ハインリヒ・ハイネからヤーコプ・ヴェネディへ 138

1843年5月1日 シャーロット・ブロンテからブランウェル・ブロンテへ 020

1845年2月3日 エリザベス・バレットからロバート・ブラウニングへ 100

1845年2月3日 エドガー・アラン・ポーからジョン・オーガスタス・シェイへ 170

1845年3月1日 ロバート・ブラウニングからエリザベス・バレットへ 102

1852年7月17日 ハーマン・メルヴィルからナサニエル・ホーソーンへ 166

1860年ごろ エミリ・ディキンスンからサミュエル・ボウルズへ 046

1862年6月24日 ヴィクトル・ユゴーからアルフォンス・ド・ラマルチーヌへ 082

1864年5月 シャルル・ボードレールからナルシス・アンセルへ 126

1864年10月22日 アルフレッド・テニスンからウィリアム・コックス・ベネットへ 190

1867年5月17日 ギュスターヴ・フローベールからジョルジュ・サンドへ 050

1869年1月17日 ジョルジュ・サンドからギュスターヴ・フローベールへ 058

1870年9月15日 ジョージ・エリオットからエミリア・フランシス・パティスンへ 078

1874年1月23日 ヘンリック・イプセンからエドヴァルド・グリーグへ 162

1874年2月4日 クリスティーナ・ロセッティからアレグザンダー・マクミランへ 172

1878年11月25日 ハリエット・ビーチャー・ストウからジョージ・エリオットへ 180

1885年11月5日 ジェラード・マンリー・ホプキンズからエヴァラード・ホプキンズへ 032

1887年8月 ポール・ヴェルレーヌからギュスターヴ・カーンへ 146

1889年5月24日 マーク・トウェインからウォルト・ホイットマンへ 092

1891年7月10日 アルチュール・ランボーからイザベル・ランボーへ 206

1892年1月18日 トマス・ハーディからエドマンド・ゴスへ 160

1895年6月24日 エミール・ゾラからレオン・ドーデへ 196

1896年12月−1897年3月 オスカー・ワイルドからアルフレッド・ダグラス卿へ 148

1897年5月13日 ライナー・マリア・リルケからルー・アンドレアス＝ザロメへ 120

1900

1903年2月24日 ヨネ・ノグチからレオニー・ギルモアへ 168

1903年10月12日 レフ・トルストイからオクターヴ・ミルボーへ 192

152 — チヌア・アチェベからジョン・A・ウィリアムズへ — 1987年5月21日
214 — パトリック・ホワイトからジョージ・チャンドラーへ — 1977年4月9日
178 — サミュエル・ベケットからハロルド・ピンターへ — 1965年1月27日
038 — シルヴィア・プラスからオルウィン・ヒューズへ — 1959年6月30日
164 — ジャック・ケルアックからマーロン・ブランドへ — 1957年
118 — ジョン・オズボーンからパメラ・レーンへ — 1954年
114 — フィリップ・ラーキンからモニカ・ジョーンズへ — 1951年6月7日
036 — ノーマン・メイラーから父アイザック・メイラーと母ファニーへ — 1946年3月10日
212 — シュテファン・ツヴァイクから「すべてのわが友」へ — 1942年2月22日
090 — マリーナ・ツヴェターエワからニコライ・チーホノフへ — 1935年7月6日
128 — ヴァルター・ベンヤミンからゲルショム・ショーレムへ — 1933年2月28日
202 — ウラジーミル・マヤコフスキーから「皆」へ — 1930年4月12日
014 — W・H・オーデンからペイシェンス・マケルウィーへ — 1928年12月31日
066 — 与謝野晶子から鶴見祐輔へ — 1927年3月28日
028 — T・S・エリオットからシドニー・シフへ — 1921年11月4日
186 — ジョージ・バーナード・ショウからシルヴィア・ビーチへ — 1921年6月11日
204 — キャサリン・マンスフィールドからジョン・ミドルトン・マリーへ — 1919年9月9日
174 — ウィリアム・バトラー・イェイツからエズラ・パウンドへ — 1918年7月15日
088 — シーグフリード・サスーンからウィリアム・ハモ・ソーニクロフトへ — 1917年4月24日
070 — ヴェラ・ブリテンからローランド・レイトンへ — 1915年11月8日
144 — マルセル・プルーストからレイナルド・アーンへ — 1914年10月
030 — ケネス・グレアムからアラステア・グレアムへ — 1907年5月10日
182 — アントン・チェーホフからアレクサンドル・アンフィテアトロフへ — 1904年4月13日

1950 — 1988

1988年3月2日 — スーザン・ソンタグからヒルダ・リーチへ — 188
1980年6月24日 — アンジェラ・カーターからビル・ビュフォードへ — 156
1968年11月19日 — W・S・グレアムからロジャー・ヒルトンへ — 136
1963年6月26日 — ジョン・ベリーマンからアレン・テイトとイザベラ・ガードナーへ — 016
1958年4月 — シーラ・ディレイニーからジョーン・リトルウッドへ — 024
1955年12月3日 — ゾラ・ニール・ハーストンからマルグリット・ド・サブロニエールへ — 084
1951年6月21日 — シドニー＝ガブリエル・コレットからジュリア・リュックへ — 044
1949年10月29日 — アイリス・マードックからレイモン・クノーへ — 116
1945年5月29日 — カート・ヴォネガットから家族へ — 094
1940年9月14日 — F・スコット・フィッツジェラルドからジェラルド・マーフィーへ — 048
1934年9月11日 — エリザベス・ビショップからルイーズ・ブラッドリーへ — 018
1931年5月14日 — ヘルマン・ヘッセからヨーゼフ・エングラートへ — 184
1929年12月29日 — ヴァージニア・ウルフからフランシス・コーンフォードへ — 064
1928年2月4日 — D・H・ロレンスからハロルド・メイソンへ — 142
1926年2月 — フェデリコ・ガルシア・ロルカからメルチョール・フェルナンデス・アルマグロへ — 034
1921年6月24日 — ジェイムズ・ジョイスからハリエット・ショウ・ウィーヴァーへ — 054
1921年2月8日 — ガブリエラ・ミストラルからマヌエル・マガジャネス＝モウレへ — 056
1919年 — フランツ・カフカからヘルマン・カフカへ — 140
1917年4月25日 — E・M・フォースターからリットン・ストレイチーへ — 106
1915年11月10日 — ガブリエーレ・ダンヌンツィオからカミッロ・マリーア・コルシへ — 072
1915年6月2日 — ギヨーム・アポリネールからルイーズ・ド・コリニー＝シャティヨンへ — 098
1908年12月27日 — ガートルード・スタインからホーテンス・モーゼスと息子ディッキーへ — 060
1905年10月18日 — ジョゼフ・コンラッドからノーマン・ダグラスへ — 158

索　引

手紙のページは
太字で表示しています。

あ

か

索　引

な

は

権利の帰属と著者プロフィール

直筆書簡の権利の帰属

本書出版に当たり、直筆書簡の複写掲載を許可いただきました次の関係各位に感謝申し上げます。権利帰属の正確な表記には万全を期しておりますが、不注意による誤記や遺漏があった場合には、次版で訂正いたします。

14 Copyright © 2021 by W.H. Auden, renewed. Reprinted by permission of Curtis Brown, Ltd; **16** WUSTL Digital Gateway Image Collections & Exhibitions; **18** Indiana University Archives; **20** © Brontë Parsonage Museum; **22** National Trust for Scotland; **24** © With jolly kind permission of Charlotte Delaney; **26** British Library / Public Domain; **28** © Estate of T.S. Eliot; **30** © Bodleian Libraries, University of Oxford; **32** Gerard Manley Hopkins Collection / Harry Ransom Center, The University of Texas at Austin; **34** © Christie's Images / Bridgeman Images, translation by David Gershator, Federico García Lorca: Selected Letters (Marion Boyars: London and New York, 1984); **36** Norman Mailer Collection / Harry Ransom Center, The University of Texas at Austin; **38** WUSTL Digital Gateway Image Collections & Exhibitions; **42** © Jane Austen's House Museum; **44** Courtesy Pierre Bergé & Associés, translation by Michael Bird; **46** Yale University Library / Public Domain; **48** Sara and Gerald Murphy Papers / Yale Collection of American Literature, Beinecke Rare Book and Manuscript Library; **50** Sotheby's Picture Library, translation by Michael Bird; **52** Houghton Library, Harvard University, Cambridge, Mass.; **54** British Library / Public Domain; **56** Gabriela Mistral Manuscripts Collection / Pontifical Catholic University of Chile, translation by Rebecca Jeffery; **58** Private Collection; **60** Private Collection / Bonhams; **62** British Library / Bridgeman Images; **64** British Library / Public Domain; **66** National Diet Library, Japan, Digital Collections / Tsurumi Yusuke Papers, translation by Masami Walton; **70** Vera Brittain's letter is reproduced by permission of Mark Bostridge and T.J. Brittain-Catlin, Literary Executors for the Estate of Vera Brittain 1970, and McMaster University Library. The full letter is published in Letters from a Lost Generation. First World War Letters of Vera Brittain and Four Friends, edited by Alan Bishop and Mark Bostridge (1998); **72** British Library / Public Domain, translation by Michael Bird; **74** © Aguttes / Collections Aristophil, translation by Michael Bird; **76** National Archives / Public Domain; **78** British Library / Public Domain; **80** British Library / Bridgman Images; **82** Maisons Victor Hugo; **84** © University of Florida / George A. Smathers Libraries; **86** © National Archives; **88** Published by permission from the Estate of George Sassoon / Creative Commons; **90** © Christie's Images; **92** Walt Whitman Collection / Yale Collection of American Literature, Beinecke Rare Book and Manuscript Library; **94** Private Collection / Bridgeman Images; **98** Sotheby's Picture Library, translation by Michael Bird; **100** Wellesley College, Margaret Clapp Library, Special Collections; **102** Wellesley College, Margaret Clapp Library, Special Collections; **104** British Library / Public Domain; **106** © The Provost and Scholars of King's College, Cambridge and The Society of Authors as the E.M. Forster Estate; **108** Bodleian Libraries, University of Oxford; **110** Lebrecht Authors / Bridgeman Images, translation by Michael Bird; **112** Houghton Library, Harvard University, Cambridge, Mass.; **114** Bodleian Libraries, University of Oxford; **116** Letter from Iris Murdoch to Raymond Queneau, 29 Oct 1949, from the Iris Murdoch Collections at Kingston University Archives; **118** © The Arvon Foundation; **120** Deutsches Literaturarchiv Marbach, translated by Edward Snow and Michael Winkler, Rilke and Andreas-Salomé: A Love Story in Letters (W.W. Norton, New York and London, 2006); **122** British Library / Public Domain; **126** © Aguttes / Collections Aristophil, translation by Lois Boe Hyslop and Francis E. Hyslop, Baudelaire: A Self-portrait (London, New York and Toronto: Oxford University Press, 1957); **128** National Library of Israel, translation by Gary Smith and Andre Lefevere, The Correspondence of Walter Benjamin and Gershom Scholem 1932–1940, ed. Gershom Scholem (Harvard University Press, Cambridge, MA, 1992); **130** ©

著者プロフィール

PICTURE CREDITS, ABOUT THE AUTHORS

Michael Bird／マイケル・バード

作家、歴史家。著書・編書に『アーティストの手紙　ダ・ヴィンチ、ゴヤ、モネ、ロダン、ウォーホル…100人の気がかり』（マール社、2020）、***Studio Voices: Art and Life in Twentieth-Century Britain***、***The St Ives Artists: A Biography of Place and Time***などがある。エクセター大学英国文芸基金フェロー。

Orlando Bird／オーランド・バード

ジャーナリスト。「テレグラフ」紙の文芸欄担当副編集長で、本や旅行関係の記事を書いている。「フィナンシャル・タイムズ」紙や「リテラリー・レヴュー」誌への寄稿もある。ロンドン在住。

Henry W. and Albert A. Berg Collection of English and American Literature, The New York Public Library, Astor, Lenox and Tilden Foundations; **132** Lebrecht Authors / Bridgeman Images, translation by Trevor Dadson; **134** British Library / Public Domain; **136** Published in Michael Bird, The St Ives Artists: A Biography of Place and Time, 2nd edn (Lund Humphries, Aldershot, 2016); **138** Sotheby's Picture Library, translation by Daniela Winter; **140** Wikimedia Commons / Public Domain, translation by Howard Colyer, Letter to My Father (Lulu, North Carolina, 2014); **142** Sotheby's Picture Library; **144** Published in Marcel Proust, Lettres, ed. Françoise Leriche (Plon, Paris, 2004); **146** Sotheby's Picture Library, translation by Michael Bird; **148** British Library / Bridgeman Images; **152** River Campus Libraries / University of Rochester; **154** © Ader / Collections Aristophil, translation by Michael Bird; **156** British Library / Bridgeman Images; 158 Joseph Conrad Collection / Harry Ransom Center, The University of Texas at Austin; **160** British Library / Public Domain; **162** The Picture Art Collection / Alamy Stock Photo; **164** © Christie's Images / Bridgeman Images; **166** Yale Collection of American Literature, Beinecke Rare Book and Manuscript Library, Yale University; **168** Courtesy of The Noguchi Museum Archives, New York; **170** The Morgan Library & Museum; **172** British Library / Public Domain; **174** Yale Collection of American Literature, Beinecke Rare Book and Manuscript Library, Yale University; **178** © Estate of Samuel Beckett. Samuel Beckett's letter to Harold Pinter (published in Vol. 3 The Letters of Samuel Beckett, Cambridge University Press; and held at the British Library) reproduced by kind permission of the Estate of Samuel Beckett c/o Rosica Colin Limited, London; **180** Houghton Library, Harvard University, Cambridge, Mass.; **182** Christie's Images / Bridgeman Images, translation by S.S. Koteliansky and Philip Tomlinson, The Life and Letters of Anton Tchekhov (Cassell & Company, London, Toronto, Melbourne and Sydney, 1925); **184** Private Collection / Bridgeman Images; **186** British Library / George Bernard Shaw © The Society of Authors, on behalf of the Bernard Shaw Estate; **188** Heritage Auctions / HA.com; **190** British Library / Bridgeman Images; **192** Sotheby's Picture Library, translation by Michael Bird; **194** British Library / © Dove Cottage, Wordsworth; **196** Courtesy Pierre Bergé & Associés, translation by Michael Bird; **200** British Library / Public Domain; **202** Archive PL / Alamy Picture Library, translation by Edward Brown, Mayakovsky: A Poet in the Revolution (Princeton University Press, 1973); **204** Katherine Mansfield Collection / Harry Ransom Center, The University of Texas at Austin; **206** Sotheby's Picture Library, translation by Jeremy Harding and John Sturrock, Arthur Rimbaud: Selected Poems and Letters (Penguin, London, 2004); **208** Metropolitan Museum of Art / Bequest of John M. Crawford Jr., 1988, translation by Marc F. Wilson and Kwan S. Wong, Friends of Wen Cheng-ming: A View from the Crawford Collection (China Institute in America, New York, 1974); **210** Bodleian Libraries, University of Oxford; **212** Historic Images / Alamy Stock Photo, National Library of Israel; **214** Jane Novak Literary Agency / National Library of Australia.

Michael Bird: pp.15, 19, 23, 25, 27, 29, 31, 33, 35, 45, 51, 59, 61, 67, 71, 73, 75, 77, 79, 81, 83, 87, 89, 91, 99, 105, 107, 111, 119, 121, 127, 129, 131, 133, 137, 139, 141, 143, 145, 147, 155, 159, 161, 163, 169, 173, 175, 179, 183, 191, 193, 197, 203, 205, 207, 209, 213.

Orlando Bird: pp.17, 21, 37, 39, 43, 47, 49, 53, 55, 57, 63, 65, 85, 93, 95, 101, 103, 109, 113, 115, 117, 123, 135, 149, 153, 157, 165, 167, 171, 181, 185, 187, 189, 195, 201, 211, 215.

著者謝辞

次の方々に感謝申し上げます。サンダー・バーグ、トレヴァー・ダドソン、アリソン・エルガー、カルメン・フラッキア、クリストファー・ハウス、レベッカ・ジェフリー、アニーナ・レーマン、フェリシティ・マーラ、エレノア・ロバートソン、マサミ・ウォルトン、ダニエラ・ウインター、ロンドン図書館のスタッフとエクセター大学ペンリン・キャンパス図書館のスタッフ、そして猫のファーガス。フランシス・リンカーン社の方々とまた一緒に仕事をすることができたのは、大きな喜びでした。担当編集者のニッキー・デイヴィスとマイケル・ブルンストレム、写真リサーチャーのソフィー・バシルヴィッチに、心からのお礼を申し上げます。

監修者プロフィール

沼野充義／ぬまのみつよし

1954年東京生まれ。東京大学名誉教授、名古屋外国語大学教授。著書に、『屋根の上のバイリンガル』『ユートピア文学論』『世界文学論』など。訳書に、S・レム『ソラリス』、V・ナボコフ『賜物』、『新訳 チェーホフ短篇集』、シンボルスカ『瞬間』など。

翻訳者担当ページ

福間恵［英語］
東京大学大学院人文社会系研究科博士課程
（4〜11, 21, 23, 25, 27, 31, 33, 43, 53, 55, 63, 65, 71, 77, 79, 87, 89, 101, 103, 105, 107, 109, 113, 115, 117, 119, 123, 131, 135, 137, 143, 149, 153, 157, 159, 161, 173, 175, 179, 187, 191, 195, 201, 205, 211, 215, 218〜224）

石田聖子［イタリア語・英語］　名古屋外国語大学准教授
（73）

梅垣昌子［英語］　名古屋外国語大学教授
（15, 17, 19, 29, 37, 39, 47, 49, 61, 85, 93, 95, 165, 167, 169, 171, 181, 189）

エリス俊子［日本語・英語］　名古屋外国語大学教授
（67 翻字は東京大学准教授出口智之による）

小澤裕之［ロシア語・英語］　日本学術振興会特別研究員PD
（91, 183, 203）

木内尭［フランス語・英語］　名古屋外国語大学准教授
（45, 51, 59, 75, 83, 99, 127, 145, 147, 155, 193, 197, 207）

沓掛良彦［ラテン語・英語］　東京外国語大学名誉教授
（81）

白井史人［ドイツ語・英語］　名古屋外国語大学准教授
（111, 121, 129, 139, 141, 185, 213）

福井信子［デンマーク語・英語］　元東海大学教授
（163）

見田悠子［スペイン語・英語］　ラテンアメリカ文学研究者
（35, 57, 133）

三村一貴［古典中国語・言語学］
東京大学大学院人文社会系研究科博士課程
（209）

作家たちの手紙—Writers' Letters
ユゴー、ディケンズ、チェーホフ、カフカ、ミストラル、ソンタグ……
94人の胸中

2022年11月20日　第1刷発行

著　者　マイケル・バード、オーランド・バード
監　修　沼野充義
翻　訳　福間恵、石田聖子、梅垣昌子、エリス俊子、小澤裕之、木内尭、沓掛良彦、白井史人、福井信子、見田悠子、三村一貴
装　幀　相澤事務所
発行者　田上妙子
カバー印刷　図書印刷株式会社
発行所　株式会社マール社
〒113-0033 東京都文京区本郷1-20-9
TEL 03-3812-5437　FAX 03-3814-8872
https://www.maar.com/

ISBN978-4-8373-0690-0
Cover printed in Japan

Printed in China